D0505462

Pauvre petite fille riche

David Heymann

Pauvre petite fille riche

PRESSES DE LA CITÉ

Titre original :
Poor Little Rich Girl

Traduit de l'américain par Annie Hamel

Données de catalogage avant publication (Canada)

Heymann, C. David (Clemens David), 1945-

Pauvre petite fille riche

Traduction de: Poor little rich girl.
Comprend un index.

2-89111-319-5

1. Hutton, Barbara, 1912- . 2. Millionnaires - États-Unis - Biographies. I. Titre.

CT275.H87H4914 1987 973.9'092'4 C87-096155-1

244, rue Saint-Jacques, Montréal, H2Y 1L9

Dépôt légal:
2e trimestre 1987

ISBN 2-89111-319-5

Avant-propos

En mai 1977, deux ans avant sa mort, j'écrivis à Barbara Hutton, aux bons soins de ses représentants légaux à New York, Cahill, Gordon and Reindel, pour lui exprimer mon désir de la rencontrer afin de lui proposer d'écrire sa biographie. Pour être tout à fait franc, je n'avais qu'un très faible espoir de voir aboutir mon projet, je ne pensais pas qu'elle accepterait de me recevoir, et j'estimais n'avoir pratiquement aucune chance d'obtenir les multiples entretiens dont je savais avoir besoin pour rédiger une œuvre vivante et correctement documentée.

Tout semblait militer au départ contre mon entreprise. Je n'avais publié jusqu'alors que des critiques et des biographies littéraires, et ma renommée, si j'en avais une, n'avait certainement pas atteint les cercles restreints de la haute société que Barbara Hutton avait autrefois fréquentés. Je savais par ailleurs, de source relativement sûre, qu'elle ne se montrait plus en public, qu'elle était invalide et qu'elle ne sortait que très rarement de sa suite du dixième étage du Beverly Wilshire Hotel, à Beverly Hills. Enfin, elle n'avait plus accordé d'interview ni reçu aucun membre de la presse depuis de nombreuses années. Si l'on tient compte de tous ces faits, mes chances d'obtenir une réponse, sans même parler d'un entretien, étaient réellement des plus réduites.

Deux détails seulement jouaient en ma faveur. Le premier était l'aspect direct, pour ne pas dire téméraire, de ma demande. Le second était un mince volume de poésie que j'avais écrit quelques années auparavant et que j'avais fait parvenir à Barbara Hutton sous pli séparé en même temps que ma requête. Barbara avait un goût affirmé pour la poésie. Elle en écrivait elle-même et avait publié autrefois deux volumes de vers. Ce furent de toute évidence mes poèmes, plus que ma proposition d'écrire sa biographie, qui attirèrent son attention. Elle me répondit positivement. Une chose entraînant l'autre, à la fin de 1978 j'avais non seulement obtenu une série d'interviews, mais aussi eu accès à une importante partie des archives de Barbara Hutton – des vieux magazines, des coupures de journaux, des poèmes (publiés ou inédits), des carnets, des notes manuscrites, des dessins, des photographies, des lettres. Les écrits de Barbara, bien que dénués de toute prétention chronologique ou littéraire, représentaient une documentation d'une valeur inestimable, un fleuve ininterrompu de mots, de phrases et de pensées sur l'amour, le mariage, la sexualité, l'enfance, la santé, la charité, l'angoisse, l'amitié. L'ensemble offrait le tableau réel, vivant, d'une vie privée, une image totalement différente de celle que le public avait pu connaître à travers les articles publiés pendant cinquante ans par la presse à sensations.

La qualité principale des textes de Barbara est l'attention qu'elle porte aux moindres détails, qui m'a permis de reconstituer des scènes, des épisodes, des conversations qui autrement auraient été perdus pour toujours. Ces souvenirs, ainsi que mes interviews de Barbara et de certaines personnes qui lui ont été proches, constituent la base de mon ouvrage. Dans la mesure où il est possible de concevoir une biographie définitive de Barbara Hutton, je peux affirmer sans être loin de la vérité qu'elle a écrit elle-même sa biographie.

David Heymann,
New York,
janvier 1984.

Note : En raison de l'aspect fragmentaire des notes personnelles de Barbara Hutton, l'auteur a pris la liberté de les insérer de la manière et à la place qui lui semblaient les mieux choisies pour l'intérêt de l'ouvrage. Mais toutes les citations, phrases ou pensées sont authentiques.

PREMIÈRE PARTIE

Une petite fille riche

1

Vous ne vous êtes jamais dit que les magasins Five and Dime *pratiquaient une forme de charité? Oui, nous sommes des hommes d'affaires, mais nous pouvons aussi rendre des milliers de gens heureux. En multipliant les magasins, nous contribuons au bien de l'humanité.*

F. W. WOOLWORTH, 1905.

L'un des premiers souvenirs de Barbara Hutton était un manoir de marbre blanc à Glen Cove, sur la côte nord de Long Island. La demeure, de style Renaissance italienne, s'appelait Winfield Hall, du nom de son propriétaire, Frank Winfield Woolworth, fondateur de la Woolworth Corporation. Le domaine s'étendait sur neuf hectares et comprenait des écuries, une remise pour les attelages, un garage de dix-huit voitures, une loggia avec arches et colonnes, quatre pavillons pour les domestiques, des jardins à l'italienne, trois serres, une piscine et des courts de tennis. Avec ses dix immenses chambres, sa salle de bal gigantesque et son large escalier de marbre, Winfield Hall était un véritable musée des styles. L'époque du mobilier était inscrite en lettres d'or sur la porte des chambres : Sheraton, Louis XIV, Louis XV, Louis XVI. Le style Empire avait directement inspiré Woolworth pour créer le décor de sa chambre, au deuxième étage. Le lit majestueux de l'empereur Napoléon Bonaparte trônait au beau milieu de la pièce, coiffé d'un baldaquin circulaire à bords dorés et de draperies en velours rouge brodé d'or.

C'est en 1917 qu'on confia la petite Barbara Hutton, alors âgée de cinq ans, à son grand-père de Winfield Hall. C'était une enfant blonde et potelée, au regard bleu lumineux et à la peau d'une blancheur de porcelaine. A soixante-quatre ans, Woolly (tout le monde l'appelait ainsi) n'avait plus la vigueur du grand homme d'affaires visionnaire, créateur de la première chaîne de *Five and Dime* dont le principe avait révolutionné tout le système de promotion des ventes en Amérique. L'âge et la maladie avaient affaibli sa solide charpente, blanchi sa moustache rousse et broussailleuse et flétri ce visage rond et coloré. Il montrait des signes de mélancolie et de paranoïa qui s'aggravaient avec le temps et se traduisaient par l'alternance de longues périodes de repli sur soi et d'accès d'extravagance.

Mais Barbara ne dut pas seulement affronter la déchéance physique et mentale de son grand-père. De son côté, sa grand-mère semblait enfermée dans un monde intérieur inaccessible et passait ses jours comme ses nuits dans sa chambre, à se balancer dans un vieux rocking-chair en osier blanc. Jennie Creighton Woolworth, qui avait jadis été ouvrière couturière dans une petite ville, était mal préparée au luxe dans lequel elle allait se retrouver catapultée. Elle était d'origine canadienne et issue d'une famille nombreuse et démunie. Plus son mari la couvrait de richesses, et plus elle se repliait sur elle-même, jusqu'au moment où, vers quarante ans, elle présenta des signes de dégénérescence mentale qui s'aggravèrent avec le temps.

Son médecin personnel parla de « démence sénile précoce ». « Son degré de sénilité est comparable à celui d'une personne de quatre-vingt-dix ans, témoigna-t-il. Elle est plutôt gaie, mais elle a perdu la plupart de ses facultés mentales. Elle n'arrive plus à comprendre ce qui se passe autour d'elle, ne peut reconnaître son mari ni les autres membres de sa famille. Son état nécessite la présence d'une infirmière vingt-quatre heures sur vingt-quatre. »

Barbara elle-même devait relater plus tard le spectacle poignant des repas à Winfield Hall : « On les servait avec style et ponctualité. Il y avait une très belle argenterie, des nappes immaculées, et des fleurs de jardin coupées selon un rite immuable. Tout était briqué et étincelait. Six personnes se trouvaient réunies dans l'imposante salle à manger de style anglais : grand-père et son infirmière, grand-mère et son médecin, moi-même et une gouvernante. Pendant ces repas, pas un mot n'était échangé. Woolly mangeait des bouillies – légumes écrasés ou bananes très mûres – et Jennie gardait sur les lèvres un éternel sourire. Pas la plus petite lueur dans ses yeux qui eût signifié qu'elle reconnaissait l'un d'entre nous. C'était navrant. Woolly l'a emmenée pendant des années chez les spécialistes les plus renommés. Puis il dut se rendre à la triste évidence qu'elle était incurable et que son état ne pourrait aller qu'empirant... »

Barbara se souvenait également du spectacle étrange qu'offrait Woolly, assis des heures durant dans sa salle de musique devant la console de son jouet favori : un orgue éolien à cent mille dollars. Il suffisait d'appuyer sur un bouton et la pièce était plongée dans l'obscurité. Après une série d'éclairs synthétiques, la musique explosait d'un coup et le plafond s'illuminait d'une couleur ambre rosé qui virait bientôt au vert, au violet, les teintes variant avec les sons mélodieux de la partition. A chaque nouveau morceau, un portrait fantasmagorique du compositeur s'élevait lentement des ténèbres et se reflétait sur un écran spécialement conçu. Et tandis que grondait l'inépuisable réserve de musique, Woolly faisait courir ses doigts sur le clavier silencieux.

« Et je restais tapie dans ma chambre, écrivit Barbara, pendant que la musique se répercutait à travers toute la maison et faisait trembler la charpente. La froideur de ma chambre, qui ressemblait à un caveau, ajoutait encore à la peur qui me saisissait quand le bruit venait fracasser ce silence d'outre-tombe. Il y avait des tapis épais et lugubres et quelques meubles immenses de style gothique. Les murs étaient couverts de chérubins aux expressions démentielles. Et la nuit, quand le vent s'engouffrait dans les draperies sombres, on aurait dit des tentures de deuil qui volaient. »

La salle de jeux était un lieu beaucoup plus sécurisant, avec sa vitrine en chêne remplie de mille trésors : des anneaux d'or et d'argent, des flacons de verre irisé, des animaux lilliputiens taillés dans le jade et l'ivoire, des charmes et des breloques, des figurines chinoises, des médaillons et d'anciennes pièces de monnaie. Barbara possédait un cheval à bascule à robe de velours avec des naseaux dilatés et une vraie crinière qui bougeait d'avant en arrière quand elle se balançait. Et il y avait aussi une maison de poupée d'un mètre vingt de haut, avec des tapis minuscules, des chandeliers en cristal et une plaque de cuivre poli sur la porte d'entrée où était gravé le nom de Barbara; des meubles de style Adam et Chippendale avaient été fabriqués tout spécialement pour tenir dans cette maison miniature.

Barbara se rappelait le jour où son grand-père l'avait emmenée à New York voir le Woolworth Building. C'était alors le plus haut gratte-ciel du monde et, parmi toutes les réalisations de Woolworth, celle qui le rendait le plus fier. Ce jour-là, il lui avait offert un manteau et une toque bordés de vison ainsi qu'un manchon assorti.

« Woolly était un peu cinglé, mais il était gentil avec moi, écrivait Barbara. Il devenait particulièrement bizarre dès qu'on abordait le chapitre de l'argent. Il laissait s'accumuler des chèques de centaines de milliers de dollars dans son portefeuille avant de les déposer à la banque. En revanche, il obligeait les domestiques à chercher à quatre pattes, et jusqu'après minuit, une pièce qui aurait pu tomber de son gousset...

» La nuit, quand il n'arrivait pas à dormir, il se glissait parfois dans ma chambre pour bavarder, mais je me demande bien aujourd'hui ce que nous pouvions nous raconter. Je pense qu'il devait parler de ses compositeurs préférés, ou peut-être me racontait-il la Grande Guerre. Il faisait partie d'une commission gouvernementale chargée du lancement des *Liberty Bonds*, l'emprunt national pour l'effort de guerre. J'imagine qu'il devait aussi parler de son enfance, m'expliquer ce que cela représentait pour quelqu'un de grandir dans le dénuement, d'habiter dans une petite ferme d'une région quasiment sauvage. On racontait que Woolly n'avait pas porté une seule paire de chaussures qui lui appartînt avant l'âge de douze ans. Il ne devint immensément riche que bien plus tard. Je me souviens, il me disait que l'argent isole parfois des autres. Il était très seul, rongé par la culpabilité, un génie, oui, mais aussi un paria, à la lisière de nombreux mondes sans appartenir à aucun. »

Frank Woolworth se voyait volontiers comme un homme simple et solide, le descendant d'une famille de fermiers originaires de Woolley, en Angleterre, venus s'installer dans l'État de New York à l'époque des colons. Son grand-père, Jasper Woolworth, possédait une ferme à Rodman, et c'est là que naquit Woolly, en 1852. Il était le fils aîné de John et Fanny McBrier Woolworth. Son frère, Charles Sumner (ainsi nommé en souvenir de l'abolitionniste du Massachusetts), naquit deux ans plus tard.

Les garçons étaient encore petits quand leur père acquit sa propre terre et décida de se lancer dans l'industrie laitière. A dix-huit ans, Frank Woolworth trouva ce travail assommant et il quitta la ferme. Il dénicha un emploi de commis au magasin de nouveautés Augsbury & Moore, dans une petite ville voisine, Watertown. Pris à l'essai pour trois mois non rémunérés, il travaillait quatorze heures par jour, six jours sur sept. Quatre ans plus tard, il gagnait dix dollars par semaine et prenait des cours du soir dans une école de commerce de la ville. C'est alors qu'il fut débauché par un concurrent local d'Augsbury. Mais il avait à peine commencé son nouveau travail qu'il fut frappé par un mal étrange qui se manifestait par des accès d'hypertension artérielle et des nausées. Ses parents engagèrent, pour s'occuper de lui, une douce jeune fille d'apparence fragile. Elle s'appelait Jennie Creighton, était couturière et venait de Nouvelle-Écosse. Frank

Woolworth s'éprit de Jennie et ils se marièrent en 1876 à la ferme de son père. Woolworth revint alors travailler chez Augsbury & Moore. Le magasin avait étendu son activité à la droguerie et Woolworth fut chargé de la décoration des vitrines et des aménagements intérieurs. Un jour, il eut l'idée de récupérer des chutes de tissu rouge pour présenter des batteries de cuisine et les ternes ustensiles ménagers semblèrent tout à coup exploser d'une nouvelle vie. L'étalage, selon sa propre expression, « fit sauter un verrou dans la tête des clients et dans leur portefeuille. Au bout d'une heure, il ne restait plus une casserole ni une poêle à vendre ».

Les propriétaires du magasin en étaient encore à compter leurs bénéfices, quand ils entendirent parler d'une boutique qui remportait un succès fou en vendant des mouchoirs au rabais, deux pour cinq *cents.* Décidés à tenter à leur tour l'expérience, ils investirent 100 dollars dans un choix d'articles que Woolworth présenta fort habilement, sur deux comptoirs drapés de toile rouge et surmontés d'un petit panonceau où il avait dessiné le prix au pochoir. « Les articles disparurent comme neige en avril », devait-il noter plus tard. Toutes les ventes suivantes à cinq *cents* s'avérèrent aussi rentables.

Désormais, Woolworth avait confiance en lui. Et avec 300 dollars d'articles au prix mythique empruntés à ses employeurs, il ouvrit sa première boutique, *The Great 5 Cent Store*, à Utica, dans l'État de New York. C'était le 22 février 1879. Hélas, le magasin était mal situé, et la première affaire de Woolworth capota bientôt.

Pas découragé pour autant, et tirant profit de sa mésaventure, Woolworth partit à la recherche d'un lieu plus propice au commerce. Il se décida pour Lancaster, en Pennsylvanie. Le nouveau magasin ouvrit le 21 juin 1879 et ce fut un succès immédiat. Woolworth changea son nom en *Woolworth's 5 and 10 Cent Store*, et releva le plafond de ses prix. Les cinq années suivantes, il créa une chaîne de vingt-cinq magasins dans cinq États différents. Le chiffre d'affaires dépassa le million de dollars. Vers 1905, la F. W. Woolworth Company faisait un bénéfice de 10 millions de dollars par an. Elle atteignit la barre des 100 millions de dollars environ douze ans plus tard, et ouvrit alors son millième magasin, au coin de la Cinquième Avenue et de la Quarantième Rue. Pour l'année 1939, les ventes des 2 021 magasins américains culminèrent à 310 millions de dollars, auxquels vinrent s'ajouter les 100 millions de dollars des magasins anglais, français, mexicains et allemands. Ces chiffres se situaient bien au-delà de tout ce que Woolworth avait pu espérer.

Il avait réalisé son rêve grâce à une puissance de travail hors pair alliée à une élocution vive et précise, à une intuition particulière pour repérer les comptes boiteux et à une philosophie sociale profondément darwinienne. Inspiré par la morale protestante du travail, où vertu et dur labeur veulent dire la même chose, Woolworth employait des milliers de jeunes ouvrières, immigrées ou filles d'immigrés en majorité, et les payait très mal pour de longues journées de travail. Il se justifiait en arguant qu'il faisait bénéficier des employées inexpérimentées d'un apprentissage payé. Et si on l'attaquait sur ce point, il rétorquait que les bas salaires étaient une condition *sine qua non* pour la réussite d'un magasin qui vendait des articles si bon marché. Dans l'un de ses rapports périodiques aux gérants de ses boutiques, il écrivait : « Vous pouvez trouver des filles honnêtes à 2 ou 3 dollars par semaine, et je ne paierai jamais une vendeuse 3,5 dollars, sauf dans des cas très particuliers. Cela vous paraîtra peut-être un peu dur de donner des salaires si bas, mais il y a de nombreuses jeunes filles trop fières pour aller travailler en usine ou pour faire des ménages. Elles sont contentes d'être embauchées dans un magasin, et quand elles ont appris le métier, elles ont alors la possibilité de se faire engager dans une de ces boutiques qui peuvent se permettre d'offrir de bons salaires. »

Les théories de Frank Woolworth furent un succès total ainsi qu'en témoignait l'élévation croissante de sa fortune et de son niveau de vie. Il y avait à présent trois enfants dans la famille, toutes des filles : Helena, née en 1878, Edna (la future mère de Barbara Hutton), née en 1883, et Jessie, née en 1886. En 1895, Woolworth décida que le siège de sa société serait désormais à New York, et il acheta un bâtiment de pierre brune dans Quincy Street, dans le quartier de Brooklyn's Park Slope. Cinq ans plus tard, il installait sa famille dans les suites contiguës d'un hôtel neuf et resplendissant, le Savoy, situé au coin de la Cinquième Avenue et de la Cinquante-Neuvième Rue. Le Savoy se dressait en face de la plus somptueuse résidence de New York, l'hôtel particulier de cent trente-sept pièces d'Alice et Cornelius Vanderbilt II. Alice avait trente-trois domestiques à son service et seize valets de pied portant perruque et livrée. Elle donnait régulièrement de grands bals guindés pour quatre cents personnes, chiffre idéal d'après Ward McAllister, l'arbitre des élégances.

Le statut de commerçant vous valait la place la plus basse sur l'échelle sociale new-yorkaise. Frank Woolworth le savait, et il prit les mesures nécessaires pour redresser la situation. Il décida de se faire construire un hôtel particulier, une résidence de trente-six pièces sur quatre étages, au n° 990 de la Cinquième Avenue. Non loin vivaient Otto Kahn, Payne Whitney, Andrew Carnegie, dans ce quartier connu sous le nom de « coin des Millionnaires ». Woolworth confia les plans de sa nouvelle demeure à l'architecte Charles P. H. Gilbert. Il y eut des moulures sur les plafonds, des lambris dorés, des sofas Louis XVI, de gros fauteuils en tapisserie, des tapis orientaux et des vitraux. On remplit les chambres de mobilier en marqueterie et on y accrocha des toiles de maîtres. Un attelage et une Renault bleu lavande avec chauffeur en livrée assortie à la couleur de la voiture complétèrent le tableau.

Outre cet hôtel particulier, Woolworth acquit quatre maisons qui s'élevaient côte à côte au coin de la Quatre-Vingtième Rue, entre Madison et la Cinquième Avenue. C'était un carré d'antiques demeures qu'il fit raser et reconstruire. L'une d'entre elles servit de résidence à ses domestiques. Il offrit les trois autres à ses filles en cadeau de mariage, formant ainsi une espèce de bastion familial. L'année où il s'installa sur la Cinquième Avenue, il acheta Winfield Hall, à Glen Cove, et fit aussi construire une résidence de cinq étages au n° 33 de la Cinquante-Sixième Rue, qu'il se réserva dans un premier temps pour recevoir les gérants de ses magasins. Mais sa réalisation la plus grandiose fut le Woolworth Building, un gratte-ciel de 13,5 millions de dollars, à la croisée de Park Place et de Broadway. Achevé en 1913, cette structure de soixante étages et deux cent soixante-cinq mètres de haut resta le plus grand gratte-ciel du monde jusqu'à la construction du Chrysler Building en 1930.

L'architecte Cass Gilbert, un homonyme de Charles Gilbert, dessina les plans de l'édifice, mais ce fut Woolworth lui-même qui supervisa les travaux. On le voyait hisser sa silhouette seigneuriale, élégamment drapée dans des costumes de tweed anglais, jusque sur les échafaudages. Louis XIV présidant à la construction du château de Versailles n'aurait pas éprouvé plaisir plus grand que Woolworth visitant son chantier. Le jour de l'inauguration, le président Woodrow Wilson, à Washington, appuya sur un bouton et, au même instant, à New York, les quatre-vingt-dix mille lumières du gratte-ciel s'allumèrent pour la première fois.

Bien que Woolworth nourrît pour lui-même peu d'espoir de reconnaissance sociale, il reporta ses aspirations sur ses descendants. Seule son immense fortune, durement amassée, pouvait les propulser dans les plus hautes sphères de l'aristocratie américaine. Mais de ses trois filles, seule Helena, l'aînée, acquit la position sociale qu'on était en droit d'attendre de la deuxième génération Woolworth. L'ascension d'Helena commença peu après son mariage en 1904 avec Charles E. F. McCann, procureur général adjoint de l'État de New York, dont la famille était puissante et fortunée. Au départ, Woolworth reprochait deux choses à son gendre : primo, il avait un oncle, Richard Croker, connu comme l'un des dirigeants les plus corrompus de Tammany Hall [1]; secundo, les McCann étaient des catholiques romains, alors que les Woolworth étaient des épiscopaliens non pratiquants. D'un autre côté, McCann était un jeune homme actif et responsable, solidement installé dans sa profession. Et Woolworth dut également apprécier l'entrée d'un esprit juriste dans la famille, puisqu'il le plaça plus tard à la tête de Broadway Park Place, la branche immobilière de son florissant empire.

Le mariage McCann-Woolworth fut dans l'ensemble une heureuse union. Le couple vivait à Sunken Orchard, une propriété sise à Oyster Bay, dans Long Island. Ils possédaient deux yachts, un wagon privé, plusieurs limousines, et faisaient partie des clubs les plus huppés de la région. Tout cela leur avait valu une place dans le Bottin mondain. Ils avaient néanmoins réussi à échapper à la publicité tapageuse qui poursuivit Barbara Hutton toute sa vie, et leur accession à la respectabilité en avait profité d'autant. Les enfants McCann eurent une éducation irréprochable et firent de bons mariages. Constance McCann épousa Wyllys Rossiter Betts Jr., le millionnaire mondain qui dirigea pendant trente ans le Museum d'histoire naturelle de New York. Helena se maria avec Winston F. C. Guest, avoué, industriel, champion de polo, et filleul de Winston Churchill. Sorti de Princeton, Frazier Winfield McCann commença par élever des chevaux dans le Connecticut, puis il s'installa à New York, où il devint un grand homme d'affaires doublé d'un philanthrope.

Ne possédant pas le dixième de l'ambition d'Helena, sa sœur Jessie suivit une autre route. Blonde et dynamique, c'était une femme gaie, généreuse, qui avait des goûts extravagants et un humour délirant. Elle portait des manteaux de zibeline à 75 000 dollars et les joyaux de la couronne des Romanov. Elle avait la passion des bijoux, avec une préférence pour les perles et les émeraudes, mais ne dédaignait pas pour autant les colifichets en vente dans les magasins de son père.

Elle avait rencontré son mari, James Paul Donahue, sur la piste de patins à roulettes de New York. C'était un jeune homme ardent, d'origine irlandaise. James Donahue était catholique, comme Charles McCann. Mais à l'inverse de ce dernier, il avait des difficultés à conserver longtemps le même emploi. Après son mariage avec Jessie en 1912 – une cérémonie que F. W. Woolworth avait tenté désespérément, mais en vain, d'empêcher –, Donahue commença à travailler pour son beau-père. Il se révéla rapidement incompétent et peu digne de confiance. Il devint alors agent de change pour la E. F. Hutton Com-

1. Tammany Hall : siège du parti démocrate à New York.

pany, où il montra d'aussi lamentables dispositions. Il ouvrit finalement son propre bureau au 250, Park Avenue. Sa femme était son seul client, et même elle comprit bientôt qu'il perdait son temps. Donahue était un panier percé, un alcoolique et un joueur invétéré qui perdait de si grosses sommes qu'on entendit un jour Jessie le mettre en garde : « A partir de maintenant, mon chéri, il faudra limiter tes pertes à cinquante mille dollars la nuit. »

Les Donahue vivaient pour le plaisir de l'instant et ils le partageaient avec une bande de noctambules qui passaient alors pour les gens à la mode.

Avec Wooldon Manor, une propriété d'un million de dollars qu'ils firent construire à Southampton, à deux pas du Beach Club, ils essayèrent de rentrer en grâce auprès de leurs pairs. Mais la vieille garde de Long Island les snoba. Ils investirent alors dans un wagon privé, « Japauldon », abréviation de James Paul Donahue, et firent bâtir un manoir des plus sophistiqués à Palm Beach, « Cielito Lindo », ou « un petit coin de paradis ». Ils s'installèrent dans la demeure Woolworth de la Cinquante-Sixième Rue et la réaménagèrent. Dans le salon du rez-de-chaussée, ils installèrent un grand bar circulaire, et ils firent du dernier étage la réplique parfaite d'un casino, avec cabine pour caissier, roulette et tables de jeux pour le blackjack, le chemin de fer et les dés. En six mois, Donahue porta son découvert à 3 millions de dollars, ce qui l'obligea à mettre en gage bon nombre des bijoux de sa femme pour payer sa dette.

Les Donahue séjournaient rarement plus de quelques semaines au même endroit et voyageaient toujours avec moult bagages. Ils emportaient leurs oreillers, leurs draps, des bouillottes, de l'eau minérale et un bar portable. Jessie n'avait pas à se soucier de tasser ses vêtements dans des valises ordinaires. Ses robes et manteaux étaient suspendus dans des malles-armoires montées sur roulettes. Il y avait une malle spéciale pour chacune des robes de bal, sans compter les boîtes à chapeaux, à chaussures, et une mallette en crocodile pour ranger les brosses à cheveux à monture d'argent, les peignes et les miroirs à main. Il y avait même un étui à parapluies et ombrelles, et une valise à triple serrure qui contenait les bijoux, ou plutôt ce qu'il en restait quand Donahue eut fini de payer ses dettes de jeu.

Les Donahue voyageaient avec une suite nombreuse. Il y avait un maître d'hôtel, car Jessie tenait à avoir son propre maître d'hôtel, même quand elle dînait dehors. Il connaissait ses goûts et veillait à ce qu'elle puisse manger ses morceaux préférés. Il y avait aussi une dame de compagnie, une femme de chambre préposée à l'entretien de la garde-robe de Jessie, un domestique pour son mari, deux valets de pied, une bonne pour la dame de compagnie, une gouvernante et une nounou pour les enfants.

Ils avaient deux fils, Woolworth (qu'on appelait le plus souvent Wooly, avec un seul « l » pour le différencier de son grand-père) et James Paul Jr. (Jimmy). Ils n'étaient que des rameaux dégénérés de la vieille souche, beaucoup trop gâtés, très différents de leurs irréprochables cousins McCann. Une de leurs relations éloignées fit un jour remarquer qu'on les avait élevés pour en faire des play-boys, et que même dans ce rôle-là, c'étaient des ratés.

Jessie Donahue vécut dans ce luxe insipide qui finit par user et qui prend fatalement sa dîme un jour ou l'autre. La plus grande victime en fut son mari, qui se jugeait responsable de l'échec de tous les projets que sa femme avait pu caresser. La culpabilité, la banqueroute, et une incapacité à maîtriser ses vices (auxquels étaient désormais venues s'ajouter des amours malheureuses avec des homosexuels) étaient plus qu'il n'en pouvait supporter. Un soir, lors d'une partie de poker entre amis, James Donahue s'excusa, se retira dans sa chambre, et avala le contenu d'une bouteille de bichlorure de mercure. Il mourut quatre jours plus tard au Lenox Hill Hospital, à l'âge de quarante-quatre ans.

Jessie ne se remaria jamais. Elle ferma la maison de la Quatre-Vingtième Rue et vendit celle de la Cinquante-Sixième Rue à un gang de trafiquants d'alcool qui en firent le Club Napoléon. Elle acheta un magnifique duplex au 834, Cinquième Avenue, et y vécut avec une dame de compagnie du nom d'Yvonne. Elle ne changea rien à son mode de vie, continua à multiplier les voyages à l'étranger et à dépenser son argent comme si son mari était toujours à ses côtés.

Enfin, il y avait Edna, la deuxième fille de Frank Woolworth et de loin la plus jolie des trois, avec ses cheveux blonds, ses yeux bleus, son teint diaphane et sa silhouette gracieuse. Délicate, aérienne, elle avait un visage sensible, expressif, et un joli timbre de voix. Eût-elle travaillé sa voix, Edna aurait très bien pu faire carrière dans la chanson. Mais il n'en fut rien. Un jour, elle rencontra par hasard dans le hall du Savoy un agent de change de vingt-quatre ans nommé Franklyn Laws Hutton. On était en 1901, l'année où les Woolworth occupaient une suite au Savoy avant de s'installer dans leur résidence de la Cinquième Avenue. Edna avait dix-huit ans, et de l'avis de son père, elle était trop jeune pour le mariage. Les jeunes gens prirent donc simplement l'habitude de sortir ensemble.

Franklyn Laws Hutton était un jeune homme de taille moyenne mais bien bâti, diplômé de Yale, et employé de la Harris, Hutton Company, une agence de courtage sise au 35, Wall Street. Le cofondateur de la compagnie était le frère aîné de Franklyn, Edward Francis Hutton, un sorcier de la finance qui avait quitté l'école et commencé à travailler à Wall Street dès l'âge de quatorze ans. L'année qui suivit la rencontre de Franklyn et d'Edna, la société de son frère devint la E. F. Hutton Company. Franklyn en fut nommé vice-président et actionnaire de plein droit.

Frank Woolworth considéra cette histoire d'amour d'un œil nouveau quand il apprit que les Hutton étaient de foi épiscopalienne et que le père, James Laws Hutton, avait quitté la laiterie familiale de l'Ohio pour s'installer à Cincinnati et se lancer dans l'industrie prometteuse des produits pharmaceutiques. Un cousin, William E. Hutton, dirigeait une société de placement de fonds à Cincinnati et son exemple avait apparemment décidé des vocations d'Edward et de Franklyn. Après six ans de fréquentation assidue, interrompue un an par une croisière qu'Edna fit autour du monde, Frank Woolworth donna enfin sa bénédiction au couple. Le mariage eut lieu le 24 avril 1907, une cérémonie épiscopalienne bien dans la tradition à l'église du Repos Céleste, au coin de la Cinquième Avenue et de la Cinquante-Sixième Rue. Les jeunes mariés passèrent leur lune de miel à Paris, puis rentrèrent à New York où ils s'installèrent chez les Woolworth au 2, Quatre-Vingtième Rue.

Si Franklyn Hutton n'était pas le gendre idéal dont Woolworth avait rêvé, il présentait cependant un avantage; au moins, ce n'était pas un chasseur de dot venu d'Europe. En 1909, au cours d'un voyage en Suisse, Frank Woolworth écrivait à son frère : « Ici, ces étrangers aux noms à rallonge courent tous après nos filles et leur argent. On ne peut leur reprocher de chercher à la fois la fortune et une jolie femme. Mais nous autres, parents américains, avons le droit de ne pas être d'accord. »

Durant ce même voyage, Woolworth écrivit une nouvelle fois à son frère, d'Angleterre. Il venait de faire un court séjour à Blenheim Palace, siège du duché de Marlborough, à Woodstock, dans l'Oxfordshire. Charles, le duc d'alors, neuvième du titre et surnommé « Sunny », avait fait valoir son appartenance à la noblesse pour obtenir la main de Consuelo, la fille unique de Willie K. et Alva Vanderbilt. Par le biais de cette union, il récolta une dot de 2,5 millions de dollars qui lui garantissaient 100 000 dollars d'intérêts annuels. Mais c'est la mère de Consuelo, aguichée par un titre de noblesse, qui avait imposé à sa fille ce mariage, lequel venait d'être dissous :

« Cette célèbre propriété de 35 000 hectares se dégrade depuis que W. K. Vanderbilt a coupé les vivres au duc son gendre. Sunny claque tout l'argent qu'il peut trouver en menant la belle vie à Londres et Paris. Il n'a même pas le pouvoir de vendre ses terres ou ses œuvres d'art. Dommage pour lui qu'il n'ait pas débuté dans la vie comme vendeur dans un *Five and Dime* à six dollars la semaine. Au moins, il aurait appris un métier. Et aujourd'hui, il serait homme d'affaires, plutôt que cet être oisif qui ne sert à rien ni à personne. »

L'ironie de l'histoire, c'est que Woolworth aurait pu appliquer à sa propre petite-fille le jugement moraliste qu'il portait sur les aristocrates et leur manque d'ardeur au travail. Fille unique de Franklyn et Edna Hutton, Barbara naquit le 14 novembre 1912, et hérita les yeux bleus et les boucles blondes de sa mère. Il n'y eut aucune mention de sa naissance dans la presse – « la seule fois de ma vie, devait-elle dire plus tard à un ami, où ils choisirent de m'ignorer ».

Les écrits de Barbara font plusieurs fois allusion au fait qu'on la forçait à prendre de l'huile de ricin trois fois par semaine dans sa petite enfance, et qu'on ne la laissa pas manger de viande avant l'âge de quatre ans : « Je revois encore ma gouvernante s'acharner sur mon premier beefsteak jusqu'à ce qu'il ne reste plus le moindre petit morceau de gras. »

Dans un autre passage, elle parle d'une promenade avec son père le long de la Cinquième Avenue, au moment de Noël. Des pères Noël se tenaient au coin des rues et agitaient leurs clochettes en cuivre au-dessus de chaudrons remplis de petite monnaie. Des enfants avaient des ballons rouges à la main, des jeunes gens chantaient. Il y avait des guirlandes sur les portes des maisons, des lumières partout, du houx, un danseur de claquettes devant un grand magasin, des fanfares, un homme avec un orgue de Barbarie, et des marchands de marrons, des vitrines animées pleines de poupées qui dodelinaient de la tête et bougeaient les doigts.

Ailleurs, elle donne une vision différente des rues de New York : « Je me souviens de ces myriades de magasins sur Madison Avenue, de ces dames qui paradaient au printemps sous leurs ombrelles fleuries, des boutiques d'antiquités, des vitrines remplies de bric-à-brac et de colifichets. Je revois aussi ces lourdes bâtisses en pierre à quatre et cinq étages, ces maisons et ces immeubles qui fleurissaient aux abords du " coin des Millionnaires ". Tout en me promenant, je cherchais des yeux un encorbellement, une fenêtre en saillie, un petit bout de toit en tuiles, un rebord de fenêtre avec des plantes ou des fleurs en pot, un carreau en verre coloré, des corniches, des escaliers en marbre, des plafonds de dix mètres de haut et des murs d'un mètre d'épaisseur. »

En 1915, les Franklyn Hutton occupaient une suite au cinquième étage du Plaza Hotel. Cette résidence était désormais plus commode pour eux que celle de la Quatre-Vingtième Rue. Un bureau de la E. F. Hutton Company venait en effet d'ouvrir à quelques pas du Plaza. Et il y avait même, dans le hall principal de l'hôtel, un téléscripteur où s'inscrivait l'évolution des valeurs cotées en Bourse, et autour duquel se rassemblaient clients et actionnaires désireux de prendre connaissance des cours du jour. Ce changement de domicile offrit à Franklyn une liberté de mouvement dont il n'avait plus joui depuis l'époque de ses études, et cette mobilité retrouvée n'arrangea rien dans son ménage qui battait déjà de l'aile depuis un bon moment. Les Hutton étaient le couple mal assorti par excellence. Franklyn était un homme plein d'énergie, toujours sur la brèche, et très porté sur les femmes et sur la boisson. Edna était une femme d'intérieur, comme sa mère, timide, bien trop anxieuse pour participer à l'esbroufe mondaine de son époux, et trop peu sûre d'elle pour s'opposer à ses exercices de séduction éhontés.

La solitude et le désir de revanche la conduisirent finalement dans les bras d'un autre homme. Bud Bouvier était le plus jeune frère de John Vernon (« Black Jack ») Bouvier, le père de Jacqueline Kennedy Onassis. Bien qu'il ne fût jamais question de mariage entre eux, leur amitié se transforma peu à peu en une véritable histoire d'amour. Mais à la longue, cette romance s'avéra pour Edna aussi décevante que son mariage. Elle prit fin quand Bouvier épousa une femme plus jeune avant d'aller combattre en Europe.

Au cours de l'été 1916, Edna partit vivre avec sa fille dans une maison de location à Bar Harbor, dans le Maine. Franklyn Hutton les y rejoignit une semaine mais passa le reste de l'été dans une propriété qu'il avait à Glen Cove, Long Island. L'endroit devint un repaire idéal pour ses copains : ils racontaient à leurs femmes qu'ils partaient à la pêche quand ils ne faisaient que s'éclipser pour un week-end très animé chez Franklyn, où venait généralement les retrouver une bande de jeunes femmes célibataires.

L'une des habituées de ces joyeuses fins de semaine était Monica von Fursten, une actrice suédoise de vingt-cinq ans, particulièrement attirante, dont le père était diplomate et en poste aux États-Unis. Bientôt, Hutton ne quitta plus la jeune actrice. On les voyait partout ensemble : dans les bals, les dîners, les cocktails et autres manifestations publiques.

C'est encore Frank Woolworth qui souffrit le plus de cette situation. Il tenta à plusieurs reprises de convaincre sa fille d'entamer une procédure de divorce, mais elle ne voulut rien entendre. Finalement, le magnat des *Five and Dime* alla en personne trouver Hutton et lui arracha la promesse de mettre un terme à son aventure. Mais fin mars 1917, quand Franklyn partit quatre semaines en Californie pour affaires, il emmena Monica. Quelques jours après leur arrivée à San Francisco, on les photographia en train de danser lors d'une soirée. Et il fut impossible à Edna de ne pas remarquer ce cliché qui s'étalait dans la rubrique mondaine du *Sun,* journal new-yorkais.

Franklyn venait de rentrer à New York et se trouvait à Bay Shore quand sa femme prit sa dernière revanche. Elle s'était débrouillée pour se procurer un flacon de cristaux de strychnine et se para pour l'occasion de sa plus belle robe de soirée, un fourreau de satin blanc brodé d'iris dorés. C'est cette robe qu'elle portait quand on découvrit son corps dans sa chambre du Plaza, le 2 mai. Le *New York Times* du 3 mai fit une petite notice nécrologique qui donnait une version des faits quelque peu tronquée :

Mrs. Franklyn Hutton, née Woolworth, trente-trois ans, et fille de F. W. Woolworth, a été trouvée morte hier dans son appartement du Plaza. Mrs. Hutton était la femme de Franklyn L. Hutton, vice-président de la firme E. F. Hutton & Co, et personnalité boursière influente. Quand sa bonne la trouva dans sa chambre, Mrs. Hutton était probablement morte depuis plusieurs heures. Selon David Feinberg, le coroner de New York, qui déclara plus tard qu'une autopsie n'était pas nécessaire, le décès serait dû à une maladie chronique de l'oreille se manifestant par un durcissement des os de l'oreille interne et occasionnant des contractions graves de la langue, d'où suffocation.

Mr. Hutton, qui était de passage dans sa résidence d'été de Bay Shore, arriva à l'hôtel peu de temps après la mort de sa femme. La regrettée Mrs. Hutton avait épousé Mr. Hutton le 24 avril 1907 à l'église du Repos Céleste. Mrs. Hutton laisse une fille, Barbara, âgée de quatre ans.

Edna souffrait bien d'une mastoïdite, mais le mal avait été diagnostiqué et soigné peu de temps auparavant. Si elle suffoqua, ce fut vraisemblablement moins à cause d'une maladie de l'oreille que des suites de l'absorption d'une dose mortelle de strychnine, un poison chimique qui s'attaque aux systèmes respiratoire et nerveux. Selon le rapport de police, on trouva une fiole de poison vide dans la salle de bains de la défunte, ainsi qu'un verre contenant un résidu de cristaux de strychnine mélangés à l'eau. D'autre part, les policiers affirmèrent que le corps ne fut pas découvert par la bonne, mais par la fille d'Edna.

Le plus curieux dans cette histoire, c'est qu'il n'y eut jamais d'autopsie. Sur le certificat de décès signé par David Feinberg, il est stipulé qu'Edna succomba à une thrombose cérébrale par asphyxie (due à une mastoïdite). Mais ce document contient assez ironiquement son propre démenti : « Nous ne pouvons certifier la véracité des déclarations ci-incluses, étant donné qu'aucune enquête concernant les faits n'a été menée par les autorités judiciaires. » Les journalistes s'accordèrent à penser que Frank Woolworth avait soudoyé quelques fonctionnaires pour éviter une enquête qui n'aurait pas manqué, selon toute vraisemblance, de plonger sa famille dans un scandale public. Et cette théorie se trouva confirmée un an plus tard, quand on apprit que le bureau du coroner avait égaré le dossier concernant l'affaire. Le dossier ne fut jamais retrouvé.

Après la mort d'Edna, s'il resta quelques moments de bonheur à Frank Woolworth, ce ne fut que grâce à la présence de sa petite-fille à Winfield Hall. Il se fit un devoir de prendre grand soin d'elle, pendant que son père repartait pour de nouvelles aventures et de nouvelles conquêtes. Dans un certain sens, tout devenait fade pour le grand génie du commerce, y compris le souvenir de cette fameuse nuit où le président Wilson avait allumé les lumières de son building, où les rois de l'acier, Charles M. Schwab et Elbert Gary, et le géant de la finance, Otto Kahn, avaient honoré de leur présence le grand dîner organisé à la gloire de l'homme qui avait fait construire le plus haut gratte-ciel du monde et gagné des millions en vendant des babioles à cinq et dix *cents.*

Peu de temps après la disparition d'Edna, le grand commerçant se fit construire un mausolée de 100 000 dollars au Woodlawn Memorial Cemetery de New York. Ce fut l'une de ses dernières réalisations.

Frank Woolworth mourut le 8 avril 1919, juste cinq jours avant son soixante-septième anniversaire. Quelques heures avant sa mort, il travaillait encore à rédiger sa toute dernière volonté. Il décidait de léguer la majeure partie de sa fortune à diverses œuvres de charité, et de laisser toute une série d'affaires de moindre importance à sa femme, ses enfants et ses petits-enfants. Mais ce document étant non paraphé et donc incomplet à l'heure de sa mort, ses avocats durent s'en tenir, en guise de testament, à une double page écrite à la hâte en 1889 qui faisait de Jennie Woolworth son unique héritière.

Selon ce document et après authentification, Jennie Woolworth, une malade mentale complètement coupée de la réalité, devenait théoriquement multimillionnaire et principale actionnaire de la Woolworth Company. Le frère du défunt, Charles Sumner Woolworth, fut nommé directeur de la société, et Hubert Parson, un collaborateur de toute confiance, fut promu président du réseau national, une position qui l'obligeait alors à superviser 1 050 magasins et les salaires de 50 000 employés.

Parson fut également nommé administrateur des biens de la famille sur un pied d'égalité avec les deux filles de Woolworth encore en vie, Helena McCann et Jessie Donahue.

Jennie Woolworth, vieille dame catatonique, mourut très exactement cinq ans et quarante-cinq jours après son mari. Elle s'éteignit le 21 mai 1924 à Winfield Hall sans avoir fait de testament. Si elle avait rendu l'âme quarante-quatre jours plus tôt, on aurait pu économiser des millions de dollars en frais de succession. Mais parce qu'elle avait survécu à son époux pendant ce laps de temps légèrement supérieur à cinq ans, la fortune des Woolworth fit l'objet de taxes fédérales, sans compter les 8 millions déjà prélevés à la mort de Frank Woolworth.

Après déduction de ces frais divers, il resta un peu plus de 26 millions de dollars à chacune de ses trois légataires : Helena, Jessie et Barbara Hutton (en tant que seule héritière d'Edna Hutton). Et en plus de ce legs considérable, Barbara hérita de 2,1 millions de dollars sur les biens de sa mère – dont 411 000 dollars en liquide, le complément en actions et obligations – ce qui fit monter sa fortune à plus de 28 millions de dollars, une somme qui aurait aujourd'hui une valeur vingt fois supérieure.

2

La mort de F. W. Woolworth marqua pour Barbara le début d'une longue période d'instabilité. Elle se vit transbahutée d'une maison à l'autre, toujours à la charge de personnes différentes. A l'âge de sept ans, on la confia à Grace Hutton Wood, la sœur aînée de son père, qui habitait Altadena, un faubourg de Los Angeles. La tante Grace, qui avait été mariée au grand homme d'affaires de la côte ouest, Benjamin Wood, était une femme sociable à la quarantaine avenante. Ses centres d'intérêt majeurs étaient les réceptions mondaines, les cercles de couture, de lecture, et les expositions florales. Elle collectionnait les objets d'art, avec une préférence pour les œuvres françaises et orientales. Elle s'adonnait aussi à la peinture, réalisant des natures mortes et des paysages qu'elle offrait à des amis ou vendait aux enchères au bénéfice d'associations de bienfaisance.

Ses multiples activités lui laissaient peu de temps pour sa nièce. Hormis une préceptrice, Miss Alice Day, qu'elle voyait plusieurs fois par semaine, la petite fille était très isolée dans son nouvel environnement. Aussi fut-elle ravie quand sa tante lui annonça qu'elles iraient bientôt rejoindre Franklyn Hutton à San Francisco où il s'employait à créer une nouvelle branche de la compagnie E. F. Hutton. Mais en revanche, elle fut très déçue d'apprendre qu'elles vivraient toutes les deux dans une propriété à Burlingame en dehors de la ville, alors que son père occupait une suite au Drake Hotel de San Francisco.

Hutton avait loué pour elles une grande demeure avec des jardins bien entretenus, de vastes pelouses en pente douce, mais l'ensemble était coupé du monde par de hauts murs de pierre couverts de lierre. Et pendant de nombreux mois, Barbara eut pour seul compagnon un poney shetland qu'on lui avait offert pour son neuvième anniversaire. Elle le nomma Princesse bien que ce fût un mâle. Et elle mit quelque temps à se faire des amis parmi les enfants huppés du voisinage.

L'une de ses toutes premières amies était une enfant rousse du nom de Consuelo « Nini » Tobin (devenue depuis Mrs. Francis A. Martin), dont le grand-père, M. H. de Young, fut l'un des premiers patrons de presse de Californie. Barbara se lia également d'amitié avec Harrie Hill (la future Mrs. Stanley Page), fille de Harry Hill, le roi du chemin de fer. Les trois petites filles jouaient ensemble dans les parcs de leurs maisons respectives et s'imaginaient qu'elles voyaient des archers et des chevaliers du Moyen Age se faufiler à travers les bois environnants. Elles inventaient des épopées qu'elles interprétaient avec un vrai maquillage et des vêtements de « grandes personnes ». Dans les dramatiques de son enfance, Barbara avait toujours le rôle de la princesse, tandis que Nini et Harrie étaient ses dames d'honneur.

« Barbara ne s'est jamais lassée de jouer les duchesses, même en grandissant, remarque Harrie Hill Page. C'était un curieux mélange de Belle au Bois dormant et de garçon manqué. Elle grimpait aux arbres, mais elle avait le fantasme de la fée. Son grand-père l'avait toujours appelée " Princesse ". Elle voulait que les domestiques l'appellent " Princesse " aussi et quand ils s'y refusaient elle se mettait à pleurer. Le chauffeur de sa tante mettait un point d'honneur à ne s'adresser à elle qu'en lui disant " Votre Altesse Royale " et il resta longtemps son préféré.

» C'était une enfant rêveuse, sans famille, et solitaire. Tout en l'inondant de biens matériels, son père la négligea fondamentalement. Il n'était jamais à la maison, ce qui arrangeait finalement tout le monde car il avait très mauvais caractère. Une chose aussi insignifiante qu'une voiture qui calait pouvait le mettre hors de lui. Et dès qu'il apparaissait, chacun se tenait sur ses gardes. C'était un homme cruel et rancunier, habile en affaires je suppose, mais sans le plus petit soupçon de compassion pour quiconque, à commencer par sa propre fille. Il n'était jamais content, toujours en train de crier, et Barbara était terrorisée par sa présence. Elle avait à cœur d'essayer de l'émouvoir, de gagner son approbation, tout en le haïssant. Franklyn avait des opinions très tranchées, et s'il ne parvenait pas à vous convaincre en raisonnant, il se mettait à hurler pour imposer son point de vue. Mais son plus grand travers restait son penchant pour la boisson. Franklyn Hutton était un alcoolique.

» A cause de sa fortune, Barbara eut du mal à se faire des amis. Certes, la majorité des enfants du voisinage appartenaient à des familles aisées, mais l'héritage de Barbara dépassait tout ce qu'on pouvait imaginer. Bien qu'intimidés par ses richesses démesurées, ils avaient tous envie de la connaître, mais se montraient le plus souvent railleurs à son égard. Elle se fit néanmoins quelques amis : Bobbie Carpenter, Christine Henry, Jane Christenson. »

Nicoll Smith, le fils de Susan Smith, chargée de la rubrique mondaine au *San Francisco Examiner,* a également bien connu Barbara pendant toute cette période : « Burlingame était une banlieue artiste et chic, on y donnait de nombreuses fêtes et tout le monde savait tout sur tout le monde. La plupart des gens avaient pitié de Barbara. Elle n'avait pas de vie de famille. Son père ne se montrait à la maison que pendant les vacances. Et même alors, ils ne faisaient rien ensemble. Je me souviens d'un soir de Noël où il avait amené Barbara à la maison. Au milieu du repas, il avait tout à coup déclaré qu'il n'avait jamais voulu d'enfant : " Il faut regarder les choses en face, quatre-vingt-dix-neuf pour cent des habitants de cette planète sont nés des suites d'une bouteille de whisky ingurgitée un samedi soir. Pourquoi ne pas l'avouer ? " Et il avait dit cela en regardant sa fille droit dans les yeux. Il était ivre. Je ne me rappelle d'ailleurs pas l'avoir jamais vu à jeun.

» Ma mère aimait beaucoup Barbara et elle commença à l'emmener partout avec nous. A cette époque, on projetait des films muets au Country Club de Burlingame, et tous les samedis après-midi nous allions voir Charlie Chaplin, les sœurs Gish, William Hart, les stars du moment. Barbara adorait le cinéma, comme tout ce qui l'entraînait loin de la réalité.

» Elle avait aussi une passion pour un magasin de San Francisco, Gump's, une magnifique bijouterie spécialisée dans la vente de pièces orientales. Le propriétaire du magasin, Mr. Gump, était un personnage. Il était aveugle mais expert dans sa partie. Il donnait à Barbara des petits cours impromptus sur la manière de reconnaître une pièce authentique d'un faux ou de repérer le jade de qualité, sur l'art d'évaluer les bijoux non par la vue mais par le toucher. Son intérêt pour l'art oriental se révéla chez Gump's et ne la quitta plus jamais. Et avec les années, elle devint le meilleur client du magasin. »

A cette époque, on venait de l'inscrire à l'école de filles de Miss Shinn et la plupart des élèves se montraient hostiles à son égard. « Ces filles me disaient souvent qu'on ne m'aimerait jamais parce que j'avais trop d'argent, avoua-t-elle plus tard. Mais j'ignorais alors jusqu'à la signification du mot argent. Un jour où tante Jessie vint me rendre visite, je lui demandai si nous ne pourrions pas donner tout notre argent. Jessie tenta de m'expliquer pourquoi cela était impossible. Mais je ne compris pas, et me mis à découper tous mes vêtements avec une paire de ciseaux. »

Les alliés les plus sincères de Barbara à Burlingame faisaient partie des domestiques employés par son père. Il y avait toujours quelqu'un à aimer dans le personnel. Pendant plusieurs mois, ce fut Jeanne Peterson, la blanchisseuse de la famille, à qui elle continua à envoyer des cadeaux d'anniversaire bien après sa retraite. Il y eut aussi Sophie Malluck, une femme de chambre allemande qui fut renvoyée plus tard par son père à la suite d'une dispute concernant ses gages. Enfin, ce fut une employée française, Mlle Germaine Tocquet, connue dans la famille sous le surnom de Ticki, qui devint sa complice la plus chère. Ticki, minuscule bout de femme d'une infinie bonté, fut tout d'abord engagée provisoirement pour remplacer la gouvernante en titre de Barbara, partie en congé d'été. Quand son remplacement toucha à sa fin, Barbara piqua une telle colère que son père réengagea Ticki sur-le-champ. Elle allait désormais faire partie de sa vie, d'abord en tant que gouvernante, puis en qualité de secrétaire particulière et amie.

Barbara avait onze ans quand tante Grace épousa Thomas Alston Middleton, courtier pour la E. F. Hutton Company, et partit vivre avec lui à Pleasantville, New Jersey. Franklyn Hutton retourna à New York et l'on envoya Barbara à l'école de filles de Santa Barbara, établissement scolaire en vogue à l'époque, situé à une demi-journée de voiture du peu d'amis qu'elle avait réussi à se faire à Burlingame. Ces deux semestres à Santa Barbara s'écoulèrent dans la plus grande tristesse. La personne responsable d'elle à l'école, Mrs. George Coles, devait révéler plus tard dans une entrevue avec Dean Jennings, journaliste à San Francisco, auteur d'un portrait de Barbara paru en 1968 et intitulé *Barbara Hutton : Une biographie candide*, que la petite milliardaire ne jouait jamais avec ses camarades. « C'était une petite fille adorable mais qui semblait n'avoir pas la moindre chance d'être heureuse un jour. Elle avait énormément d'argent mais personne pour la guider ni l'écouter. Elle était seule et très timide, et passait le plus clair de son temps à écrire des poèmes qu'elle ne montrait à personne. On ne venait jamais la voir à l'école, pas même à Noël. »

En 1926, Barbara avait quatorze ans. Elle était rentrée à New York et vivait désormais chez les Donahue. Elle prenait des cours chez Miss Hewitt, à Manhattan, et bien qu'elle n'appréciât pas l'esprit vieillot qui régnait dans cette école, elle était néanmoins contente de se retrouver sur la côte est. La ville était stimulante, porteuse de milliers de plaisirs à venir, alors que la Californie n'était, selon son expression, « qu'oranges et pamplemousses à foison, paresse et hypocrisie généralisées ».

Deux événements d'importance se produisirent dans sa vie à ce moment-là, le premier en rapport avec son père. Lassé du célibat, il s'était remarié. Sa nouvelle femme s'appelait Irene Curley. Divorcée, elle venait de Detroit et avait été directrice d'un salon de beauté. Au début, Barbara la trouva un rien vulgaire, mais elle finit cependant par l'apprécier. Il y avait en effet peu de choses qu'on pût lui reprocher. C'était une personne chaleureuse, humaine, et qui aimait s'amuser, contrairement à la première femme de Franklyn. Sans être d'une beauté exceptionnelle, elle avait du charme. De plus, elle aimait beaucoup Barbara et le lui montrait. Quand une dispute éclatait au sein de la famille, elle prenait toujours sa défense. Elle l'entourait d'attentions : ainsi commença-t-elle un album pour Barbara, où elle collait toutes les photos et coupures de presse qui concernaient la jeune fille. « Ces albums, nota Barbara, étaient les seuls livres tolérés par mon père à la maison. Il se méfiait à la fois des écrivains et des gens qui les lisaient. »

Le second événement fut d'ordre financier. Franklyn Hutton fit débloquer quelque 400 000 dollars sur la fortune de sa fille pour qu'elle puisse s'acheter son propre appartement. Il s'agissait en fait d'un double duplex de vingt-six pièces, au 1020, Cinquième Avenue. Il fut décidé qu'elle habiterait là, tandis que les Hutton continueraient à vivre dans leur résidence sise au 1107, Cinquième Avenue. Si le nouvel appartement de Barbara était plus qu'un simple studio de jeune fille, il n'était rien en comparaison de l'hôtel particulier de son père qui comptait soixante-dix pièces ainsi qu'un gymnase, une piscine intérieure, un solarium, une salle de bal et deux ascenseurs privés.

Vu de l'extérieur, tout allait au mieux pour Barbara. Elle était jolie (bien qu'un peu ronde), excessivement riche, intelligente, et sophistiquée. Elle avait désormais sa résidence privée meublée en style Louis XIV et peuplée de serviteurs. Elle commençait à passer ses vacances d'été à l'étranger. Elle avait un substitut maternel en la personne de Ticki Tocquet, et depuis peu, elle avait même une gentille belle-mère. Et bien évidemment, à cause de tous ces privilèges et de cet argent, Barbara était une jeune fille sans illusions. Ses notes, à cette période, contiennent un certain nombre de réflexions qui prouvent qu'elle est à la recherche de quelque chose qu'elle n'arrive pas à trouver :

« ... Je meurs d'envie d'avoir un véritable ami, quelqu'un qui me comprendrait, quelqu'un de si proche qu'il pourrait partager mes pensées les plus secrètes et mes angoisses cachées. »

« ... Je suis trop réservée, j'ai trop peur des autres. Je suis trop sensible et trop fière. Il faut que j'apprenne à être moins sur mes gardes... Ce que je voudrais par-dessus tout, c'est qu'on m'aime. »

« ... Je resterai vieille fille. Personne ne m'aimera jamais. Pour mon argent oui, mais pas pour moi. Je suis vouée à la solitude. Je serai toujours seule. »

Pourtant, c'est une autre Barbara qui apparaît à travers les poèmes écrits pendant son adolescence. Il y a un troublant mélange de cynisme et d'idéalisme, de naïveté et de maturité dans ces deux poèmes écrits à treize ans et intitulés : *Pourquoi* et *Grand Capitaliste.*

Pourquoi?

Pourquoi certains devraient-ils tout avoir
Quand d'autres sont démunis
Pourquoi l'homme devrait-il toujours faire semblant
Et la femme douter de lui?

Grand Capitaliste

Je suis sûre que tu te crois intelligent
Grand Capitaliste
Avec tout ton argent
Mais tous les autres et moi
On rit de toi.

Tu hurlerais de rire, mon pauvre vieux
Si tu pouvais voir ton double menton
Qui déborde sur ton plastron.

Mais la chose la plus insensée
C'est quand à l'église tu chantes en chœur
« Dieu aie pitié de nous pauvres pêcheurs. »

Quand Barbara eut quinze ans, sa tante Jessie lui présenta Cobina Wright, l'imposante et élégante épouse de William May Wright, le célèbre financier. Dans son autobiographie, *Je n'ai jamais grandi,* Cobina parle de son style de vie. « Tout était clinquant, presque irréel... le matérialisme au suprême degré. Nous voulions une vie toujours plus brillante. Gagner encore plus d'argent, tel était le mot d'ordre en ce temps-là. »

Il suffit pour s'en convaincre de voir la façon dont Cobina éleva sa fille, Cobina Junior, dans leur propriété de Long Island, la « Casa Cobina ». L'enfant possédait une maisonnette de quatre pièces rien que pour jouer, le père son terrain de golf privé et la mère une salle de bains tapissée de vison. On disait du chauffeur des Wright qu'il avait sa propre Rolls-Royce avec chauffeur. Et l'une des Rolls de la famille servait exclusivement à accompagner le caniche chez le coiffeur tous les matins. On avait fait construire une Rolls miniature pour Cobina Junior, et c'est un chauffeur nain qui la conduisait aux matches de polo à Sands Point. Elle emmenait ses amis naviguer sur le yacht de son père, elle avait quatorze domestiques à son service, et elle possédait sa propre écurie de poneys.

Les fêtes organisées à Sutton Place, résidence new-yorkaise des Wright, attiraient non seulement la haute société, mais aussi les artistes en vogue. La liste d'invités typique, un subtil cocktail d'argent et de talent, réunissait des personnalités aussi diverses que Fred Astaire, Walther Chrysler, Arturo Toscanini, Gertrude Vanderbilt Whitney et Jimmy Durante.

Barbara était souvent conviée à ces rassemblements mondains et parfois invitée seule chez les Wright. « Barbara chantait, se souvient Cobina Junior, et Mère l'accompagnait au piano. Elle n'avait pas la voix d'une future star de l'Opéra mais elle adorait chanter. Elle était rondelette mais très mignonne, avec des traits parfaits et une peau d'albâtre. Les amis de ma mère la trouvaient timide, mais charmante. Elle venait parfois avec son cousin, Jimmy Donahue, la seule personne capable de la faire rire à gorge déployée. Ils étaient toujours ensemble. Barbara avait le même âge que Woolworth Donahue, le frère aîné de Jimmy, mais elle préférait Jimmy. »

Doris Duke, surnommée Dee-Dee par ses amis, était également une habituée de la maison. Cette jeune fille grande et maigre, toujours tirée à quatre épingles, était la fille de James Buchanan Duke, fondateur de l'American Tobacco Company et de la Duke University, à Durham, en Caroline du Nord. Doris perdit son père à treize ans. Il lui laissa une fortune de plus de 70 millions de dollars, plusieurs résidences en ville et à la campagne, un wagon de chemin de fer privé baptisé « Doris », et des milliers d'actions des nombreuses sociétés familiales.

Barbara et Doris allaient devenir des amies. Elles avaient cependant une attitude fort différente en ce qui concernait leurs fortunes respectives. Alors que Barbara ne s'intéressait guère à la gestion de son capital, Doris avait été élevée dans l'idée que l'argent était une responsabilité. En tant qu'administratrice de la Duke Foundation (qui est toujours à la tête de la Duke University), elle participait aux réunions mensuelles et allait même jusqu'à enquêter personnellement. Habillée d'une manière quelconque et au volant d'une vieille guimbarde, elle inspectait régulièrement le campus. Et si elle confiait ses intérêts commerciaux à d'autres, elle contrôlait de près ses affaires personnelles. Elle avait par exemple créé une fondation à but non lucratif exclusivement destinée à faire transiter ses dons à des œuvres de charité. Et quoiqu'elle eût la réputation d'être avare, elle n'en déboursait pas moins largement pour soutenir diverses universités et faisait montre de prodigalité envers les arts.

Quant à Barbara, elle s'en remit toute sa vie à des conseillers juridiques pour ses opérations financières, et n'apparut jamais à un conseil d'administration, à l'inverse de son amie. Mais en dépit de ces divergences, la presse s'acharna toujours à ranger ces deux héritières dans le même panier. Les journalistes les avaient baptisées « les jumelles poudrées d'or » et « les pauvres petites filles riches », qui avaient tout ce qu'on peut souhaiter, sauf l'essentiel : l'amour.

3

Un prospectus récent présente l'école de filles de Miss Porter, située à Farmington dans le Connecticut, comme un lieu où les étudiantes « travaillent au contact chaleureux d'adultes attentifs » qui les incitent à « avoir une bonne opinion d'elles-mêmes en tant que femmes et à apprendre à commander, ce qui leur permettra de jouer un rôle actif dans un nouveau monde ». Mais bien qu'on ait agrandi ses locaux, on ne peut pas dire que Farmington (c'est ainsi qu'on appelle généralement cette école) ait beaucoup évolué depuis sa fondation en 1843 par Miss Sarah Porter, une directrice d'école dans la plus pure tradition de la Nouvelle-Angleterre. Farmington a toujours été une école pour filles de riches.

Quand Barbara y entra en 1928, l'ambiance était au snobisme, à l'esprit de compétition, à la morale rigoureuse empreinte de froideur et destinée à des esprits élevés. Les étudiantes étaient priées d'assister au service religieux du dimanche soir à la chapelle de l'école, mais on les autorisait à mettre leur cheval en pension dans une écurie prévue à cet effet. Il n'y avait pas d'uniforme réglementaire, mais une tenue classique était recommandée. Le tabac, l'alcool, les jeux de cartes et les chewing-gums étaient prohibés. Il était interdit de sortir de l'enceinte de l'école en période scolaire, à moins d'avoir sollicité et obtenu une autorisation spéciale. Il y avait même un règlement concernant les lectures de ces jeunes filles. Elles n'étaient pas autorisées à lire les romans à succès du moment, une règle outrepassée par Barbara de nombreuses fois, ce qui lui valut plusieurs accrochages avec la directrice, Mrs. Rose Day Keep.

Les élèves qui fréquentèrent Farmington à la même époque que Barbara, ont le souvenir d'une adolescente fantasque, distante, solitaire. « Gravure de mode » est un mot qui revient souvent à son sujet. Elle portait toujours les derniers styles en vogue – jupes Chanel en tweed à plis creux, chemisiers à jabot, pulls en angora à col de lynx. La direction de l'école n'approuvait pas un tel étalage, et les étudiantes pas davantage. « C'était comme si elle voulait nous en mettre plein la vue », dit l'une d'entre elles.

Seule Eleanor Stewart Carson semblait beaucoup l'aimer. Peut-être avait-elle fini par l'apprécier en partageant avec elle une chambre immense dans ces résidences de luxe qui servaient de dortoirs. « Barbara avait très envie de se faire des amis, mais elle était incapable d'aller vers les gens qui l'attiraient, se souvient Eleanor. Elle finit par se persuader qu'elle était différente. Elle fantasmait sans arrêt. Elle couvrait les murs de la chambre de cartes commandées à *National Geographic* et rêvait d'explorer un jour les endroits les plus étranges et les plus exotiques de la planète – ces contrées dangereuses et reculées où les filles de Farmington ne s'aventureraient jamais et où l'argent n'avait visiblement pas d'importance. De fait, elle n'a pas cessé de voyager tout au long de sa vie. »

C'est l'une de ses tantes, Marjorie Merriweather Post, femme d'un optimisme inébranlable, qui la première devait lui redonner goût à la vie. Marjorie avait épousé Edward F. Hutton en secondes noces. Ce grand gaillard aux cheveux prématurément gris avait renoncé à ses activités boursières pour devenir directeur de General Foods Corporation. Sa position sociale et son physique d'aventurier lui valurent moult succès extraconjugaux, mais il n'en assura pas moins une vie fort brillante à sa femme légitime. « Mar-a-Lago », la propriété qu'ils firent construire à Palm Beach, véritable palace de cent vingt-trois pièces qui leur avait coûté 10 millions de dollars, devint la plus grande résidence privée des États-Unis après celle de William Randolph Hearst à San Simeon en Californie.

Barbara y fut invitée une première fois en compagnie des Donahue. Elle s'amusa du fait qu'il suffisait d'appuyer sur un bouton situé au-dessus de son lit pour voir apparaître un valet avec un vase de fleurs quelques instants plus tard, de presser un autre bouton pour voir surgir un nouveau serviteur avec une bouteille de champagne dans son seau, mais ce fut la venue du grand-duc Alexandre de Russie (beau-frère du tsar Nicolas II) lors d'un dîner somptueux qui lui laissa un souvenir impérissable. Marjorie fréquentait les gens qu'il fallait et se sentait très à l'aise en leur compagnie, ce qui suscita l'admiration de Barbara.

De retour à Farmington après ce séjour, la vie sociale de Barbara connut une nette amélioration. A présent qu'elle entamait son deuxième semestre, il lui fut accordé quelques privilèges, comme les sorties le soir. Si elle n'était pas autorisée à passer la nuit dehors, elle pouvait se permettre de rentrer à des heures relativement tardives. On lui organisa plusieurs rendez-vous avec de futurs diplômés de Yale. Parmi ces chevaliers servants figuraient Allen Hapke et Fred Gilmore, tous deux membres de l'équipe de football de Yale.

Il y avait également un boursier du nom de Dick Bettis, qui prétendait ne pas savoir grand-chose sur la fortune des Woolworth. Il invita Barbara à la rencontre annuelle des trois universités de Harvard, Princeton et Yale, chacune représentée par un groupe d'étudiants, et qui eut lieu à New Haven ce printemps-là. Les deux jeunes gens pique-niquèrent ensemble à plusieurs reprises. Et un jour, alors que Barbara passait le week-end à New York chez sa tante Marjorie, Bettis arriva à l'improviste de New Haven pour l'accompagner au théâtre. Puis il l'emmena à l'Embassy, un dancing de la Cinquante-Septième Rue où il but du vin de contrebande et elle de la limonade. Le lendemain soir, il l'entraîna au casino de Central Park, et ils dansèrent sur la musique d'Eddy Duchin jusqu'à l'aube.

Barbara aimait bien Bettis. C'était un grand jeune homme aux traits fins, issu d'une famille nombreuse de Nouvelle-Angleterre, et qui s'intéressait davantage à la littérature qu'à l'argent, ce qui ne dut pas lui déplaire. Trop souvent en effet, on s'arrangeait pour qu'elle rencontrât des jeunes hommes déjà fort riches et promis aux affaires. Bettis fut le premier auquel elle s'attacha sincèrement, bien que modérément.

Le seul problème fut l'arrivée de l'été 1929. Comme tous les ans, Barbara était supposée accompagner ses parents en Europe. Mais elle regimba subitement devant cette perspective et leur annonça qu'elle préférait rester à New York. Hutton usa de tous les moyens à sa disposition pour la faire revenir sur sa décision. Il eut même recours à l'éternel argument paternel qui consiste à dire : « S'il t'aime vraiment, il t'attendra, et s'il ne t'attend pas, tu n'as vraiment aucune raison de continuer à l'aimer. » En désespoir de cause, Hutton emmena sa fille chez Cartier. On alla chercher deux plateaux couverts chacun de cinquante bagues serties de rubis que l'on posa devant Barbara. Si elle acceptait les vacances en famille sans plus faire d'histoires, il lui offrait la bague de son choix. Barbara observa les bagues en silence et tendit le doigt vers celle qu'elle préférait.

– Tu es bien sûre? lui demanda Hutton.

– Oui, certaine, dit Barbara.

Le vendeur eut l'air ravi. Barbara avait choisi le rubis le plus cher de la collection, l'une des pièces les plus sublimes qui dormaient dans les coffres-forts de chez Cartier. Quand on lui annonça le prix, Hutton pâlit. Il avait compté dépenser au plus 5 000 dollars. Or cette petite folie allait lui coûter dix fois plus. Sa seule consolation fut de découvrir que sa fille, en matière de bijoux, avait un goût exquis...

Une fois arrivée en France, Barbara oublia très vite Dick Bettis. Après un séjour de plusieurs semaines à Paris, elle se rendit à Biarritz avec Ticki. Elles résidèrent chez William et Buelah Fiske, des amis de Franklyn Hutton. Les Hutton étaient restés à Paris pour conclure quelques affaires en cours. C'est chez les Fiske que Barbara rencontra pour la première fois Elsa Maxwell, journaliste de son état, plus connue pour les somptueuses réceptions qu'elle organisait afin de présenter de riches héritières américaines à des aristocrates européens désargentés.

Elsa livra sa toute première impression au sujet de Barbara dans son autobiographie, *R.S.V.P.* : « Quand je suis arrivée chez les Fiske, la seule personne à se tenir sur la terrasse était une fille qui portait une robe trop juste pour elle. Il faisait bien trop chaud pour entamer la conversation avec cette drôle d'enfant de quinze ou seize ans. Je me contentai de la saluer et attendis mes hôtes. C'est alors qu'avec une parfaite assurance, la fille vint vers moi pour se présenter et m'expliquer qu'elle séjournait chez les Fiske. Et c'est seulement quand elle fit une allusion à sa tante Jessie Donahue que je parvins à situer cette jeune fille boulotte aux attaches fines et délicates. Je fus également frappée par ses yeux immenses et très beaux, qui curieusement demeurèrent vides d'expression quand elle se mit à babiller avec un effort évident pour ressembler à une adulte sophistiquée. »

La conversation s'orienta sur la musique. Barbara adorait Gershwin, Noel Coward et Cole Porter, et connaissait un certain nombre de leurs chansons par cœur.

– Et à part ça, qu'est-ce qui vous intéresse ? demanda Elsa.

– La poésie et l'art chinois, dit Barbara.

Elle lui récita un de ses poèmes et lui parla de la Chine. Puis les Fiske firent leur entrée et l'on servit le dîner. A la fin de la soirée, Elsa proposa à Barbara de venir à un cocktail qui aurait lieu chez le grand couturier Jean Patou, le lendemain après-midi. Barbara accepta l'invitation.

Ce soir-là, Elsa et Patou épluchèrent ensemble la liste d'invités. Un nom finit par attirer l'attention d'Elsa : Prince Alexis Mdivani.

– Qui est-ce ? Le connaissez-vous ? Êtes-vous bien sûr qu'il ne s'agit pas d'un titre usurpé ? demanda-t-elle.

Patou partit dans un grand éclat de rire et lui expliqua que les Mdivani étaient originaires de Tiflis, en Géorgie, une partie du monde où il suffisait de posséder trois moutons pour être considéré comme un roi.

– Mais ici, en Occident, ils ont un autre titre, expliqua-t-il. Alexis et ses frères sont surtout connus comme « les grands épouseurs » du moment. Pour l'heure, Serge Mdivani est marié avec l'actrice Pola Negri. David Mdivani a également épousé une actrice, Mae Murray. Quant à Alexis, le petit dernier, il est fiancé avec Louise Astor Van Alen, une jeune héritière américaine dont l'arbre généalogique n'en peut plus de bourgeonner d'Astor et de Vanderbilt. Louise aussi a deux frères, dont l'un est James Van Alen, l'ancien champion américain de tennis amateur.

– Mais pour en revenir aux Mdivani, dit Elsa, c'est bien leur sœur, la Roussadana Mdivani, qui a piqué le peintre espagnol José Maria Sert à sa femme ?

– Absolument ! s'écria Patou. Roussie Sert est une vraie beauté, grande, gracieuse, à l'ossature très fine. Elle a un goût extrêmement sûr en matière de mode. Elle est aussi maligne que ses frères, peut-être même davantage. L'astuce, on dirait qu'ils ont ça dans le sang. Car il y a encore une sœur, Nina, mariée avec Charles Henry Huberich, un homme de loi américain. Il a un cabinet en Hollande, et c'est lui le cerveau de l'affaire, qui élabore tous ces mariages et divorces. Ils peuvent paraître pernicieux, mais ils ne sont pas si méchants que ça. En outre, ils ont la cote.

Si les Mdivani (avec un « M » muet) ressemblaient à tous les Russes blancs émigrés en Europe, ils étaient néanmoins très snobs. Mais malgré leurs grands airs, ils n'étaient pas de rang princier. Ils n'adoptèrent leur titre qu'en arrivant à Paris après la Première Guerre mondiale, ce qui leur permit d'être introduits dans les salons.

On se demande a priori ce qui a bien pu pousser Barbara à se rendre chez Jean Patou en cet après-midi d'été ensoleillé. Tous les invités étaient gais, avenants, bien habillés, mais à peine arrivée, Barbara se réfugia dans un coin éloigné et prit un air renfrogné.

« C'est alors qu'il se produisit une chose étrange, tellement surprenante que je n'arrive pas à lui trouver d'explication rationnelle, se souvient Elsa Maxwell. D'où elle se tenait, Barbara ne pouvait savoir qu'une grosse Rolls-Royce venait de s'arrêter devant le perron de la maison. Alors pourquoi la vis-je se raidir à ce moment précis ? Et pourquoi le prince Mdivani – c'était lui qui venait d'arriver dans la Rolls-Royce, suivi de près par Miss Van Alen – se dirigea-t-il droit vers le coin de la pièce où elle s'était réfugiée, comme s'il avait rendez-vous ?

» Mdivani ne pouvait savoir que Barbara était là. Patou et moi-même n'avions dit à personne qu'elle était invitée.

» Plus tard, Barbara devait m'affirmer qu'elle n'avait jamais rencontré Alexis Mdivani auparavant. »

Barbara mentait. Non seulement elle connaissait Alexis, mais elle était assez liée avec Louise Van Alen. Étant donné qu'elles avaient l'une et l'autre passé une partie de leur adolescence à New York, Barbara et Louise avaient de nombreuses fois assisté aux mêmes soirées.

Louise Van Alen venait donc d'arriver chez Patou avec Alexis Mdivani. Elle se mêla avec aisance aux autres invités et ne sembla pas prendre ombrage de voir Alexis disparaître dans un coin et s'entretenir pendant une heure avec l'une de ses amies – Barbara en l'occurrence.

Alexis était fiancé à Louise. Fiancé par dépit. Et s'il avait parlé si longuement avec Barbara, c'était qu'au fond de son cœur, il était épris de Silvia de Rivas, fille du comte de Castille Jaet, et amie intime de Barbara. Aussi prenait-il un plaisir masochiste à évoquer en sa compagnie celle qui lui serait toujours refusée.

C'était Silvia qui avait présenté Alexis à Barbara en 1925, après avoir introduit le jeune prince russe parmi le gratin du tout-Biarritz estival.

Silvia et Alexis s'étaient aimés tout de suite. La voix gutturale du jeune aristocrate russe, ses pommettes hautes, ses lèvres charnues, ses cheveux couleur de sable et ses yeux verts à l'expression mélancolique l'avaient immédiatement séduite.

Quand elle rencontra Alexis, celui-ci avait déjà de nombreuses conquêtes – et pas des moindres – à son actif. Ses succès précoces au polo lui avaient valu de se frotter très tôt à des joueurs de haut niveau, d'être bientôt membre des équipes internationales les plus prestigieuses, et de se mesurer sur le terrain à des personnages tels que le prince de Galles ou lord Mountbatten.

Sa vie sexuelle ne fut pas en reste. La chance lui sourit également dans ce domaine où on le vit passer allègrement des bras de Mistinguett – alors qu'il n'avait que quatorze ans – à ceux de l'actrice américaine Kay Francis, avec laquelle il eut une brève et orageuse liaison. Il eut aussi pour maîtresse la danseuse Louise Cook, une très belle Noire. Puis il rencontra Silvia. Et il l'aima.

Hélas, cette romance n'était pas du goût des parents de la jeune fille, qui firent tout pour les séparer. Ils finirent par marier Silvia quasiment de force à Henri de Castellane, duc de Valençay, plus vieux, tuberculeux, mais fort riche, et neveu du célèbre comte Boni de Castellane, qui s'était illustré dans l'art de chasser la fortune en épousant Anna Gould, l'héritière des chemins de fer américains.

Dès que Mdivani eut quitté la réception, les yeux de Barbara se remplirent de larmes. Quand Elsa lui demanda ce qui n'allait pas, elle prétendit qu'elle avait une poussière dans l'œil.

En réalité, elle refusait de s'avouer qu'elle était amoureuse du prince Alexis, cet impétueux jeune homme au charisme certain, cet être au charme irrésistible qu'elle semblait découvrir pour la première fois dans toute sa splendeur. Comment aurait-elle pu, en effet, songer à lui comme à un prétendant éventuel, lui qui était fiancé avec Louise Van Alen et follement épris de Silvia, l'une de ses meilleures amies?

Barbara quitta Biarritz sans revoir Alexis.

Vers la mi-juillet, Franklyn et Irene Hutton quittèrent Paris pour Cannes, avec Barbara et Ticki. Ils s'installèrent tous les quatre au Carlton. Là, Barbara passa ses journées à lire – essentiellement des romans d'amour français qu'elle dévorait dans le texte – dans sa chambre ou au bord de la piscine.

Pour qu'elle prenne un peu d'exercice, Franklyn lui proposa des leçons de tennis. Barbara accepta d'assez bonne grâce et ne tarda pas à tomber amoureuse de son professeur, Peter Storey. C'était un jeune homme de bonne famille, diplômé de Cambridge, qui avait coupé tout contact avec son milieu d'origine pour se consacrer à l'écriture. Il travaillait alors à un roman qu'il écrivait la nuit. Dans la journée, il gagnait sa vie en initiant au tennis des jeunes filles riches.

Barbara trouva la chose romantique en diable – Peter Storey avait dédaigné la banque de son père, l'un des hommes les plus riches d'Angleterre, pour venir habiter à Antibes, dans une maisonnette près de la plage.

Il ne tarda pas à inviter Barbara à dîner. Pour ce premier rendez-vous, il lui offrit une promenade en calèche, lui prit la main et l'embrassa, ce qui plut beaucoup à Barbara.

Le lendemain soir, il l'emmena chez lui, et il devint son premier amant. L'expérience laissa à Barbara des souvenirs pour le moins mitigés.

« La maison était fraîche, note-t-elle dans ses carnets intimes, et Peter me dit que nous devrions aller au lit et nous glisser sous les draps. Peter est sec comme un fagot et on lui compterait les côtes, mais sa peau est douce comme celle d'un bébé. C'était la première fois qu'un homme me dévorait. Je n'avais jamais ressenti cela, cette impression d'être à la fois capturée et complètement vidée. Ce n'est pas vraiment agréable, ni très gracieux. Peter a vingt-six ans, et il doit avoir beaucoup d'expérience... »

Barbara – qui n'avait que seize ans – resta néanmoins jusqu'à l'aube avec son amant. (Ticki, complice de cette escapade, était censée l'avoir emmenée au cinéma.)

« Le jour se levait quand il m'a reconduite à l'hôtel sur cette jolie route qui longe la mer. La Méditerranée était très calme. Et les oiseaux chantaient déjà. Les couleurs étaient douces et tendres. C'était un nouveau jour qui commençait, un très beau jour. »

4

L'été 1929 représenta pour Barbara un tournant. D'une adolescence confinée et solitaire, elle passa à une vie de jeune femme libre et active, et ses relations avec les hommes s'en ressentirent d'autant. Ses nombreuses aventures se déroulaient selon un scénario identique : elle s'éprenait d'un être inaccessible qui restait digne de passion aussi longtemps qu'il demeurait hors de portée. Mais dès lors qu'il capitulait, qu'il déclarait sa flamme, il était immanquablement rejeté et venait grossir les rangs des laissés-pour-compte.

A l'école, Barbara avait l'impression de perdre son temps, ainsi qu'elle l'écrivit à un ami : « Là, on vient pour acquérir un peu de culture et beaucoup de bonnes manières. A la fin de ses études, l'élève est censée savoir comment entrer ou sortir d'une pièce, soutenir une conversation insipide avec de parfaits inconnus, et se frayer un chemin jusqu'au cœur de celui qui fera un bon mari. » Barbara devient acerbe, lucide, et plus sociable qu'avant. Elle sort toujours accompagnée de cinq garçons, tous des amis, dont son cousin Jimmy Donahue. Et parmi ces fidèles compagnons, il y a les frères Ehret, fils d'un magnat du pétrole et de l'immobilier.

« A cette époque, Barbara avait peu d'amies, se souvient Louis Ehret. Elle semblait préférer la compagnie des garçons à celle des filles. Elle était pleine d'humour et c'était un plaisir que d'aller au théâtre ou de dîner en ville avec elle. Elle appréciait tout particulièrement la compagnie de Jimmy Donahue, qui était devenu homosexuel et la régalait de plaisanteries graveleuses. Jimmy comptait déjà parmi ses amants nombre de célèbres homosexuels new-yorkais. Il s'en vantait. Et toutes ces histoires changeaient avantageusement Barbara du climat d'austérité dans lequel elle était plongée à l'école.

» Elle avait néanmoins quatre ou cinq amies à New York, dont Doris

Duke, Virginia Warren, Gretchen Upperçu, mais son amie la plus chère était Jane Alcott, une très jolie petite brune à laquelle elle rendait souvent visite dans sa maison d'East Hampton. Jane se plaignait que Barbara parlât un peu trop de garçons et de régimes. Barbara avait peu d'amies parce que les filles étaient toujours jalouses de sa fortune. Mais peut-être n'était-ce là qu'un prétexte qu'elle s'inventait pour se préserver des affres possibles d'une trop profonde amitié.

« Comment savoir? Tant de légendes courent sur son compte qu'il est difficile de distinguer le faux du vrai. On disait par exemple qu'elle et son père étaient des ennemis mortels. C'est faux. Je puis vous affirmer qu'ils s'aimaient bien. Les diminutifs dont son père l'affublait, tels que " Peau-de-pêche ", agaçaient Barbara, mais il y avait de l'affection entre eux. »

De même, un certain nombre d'extravagances de la part de sa fille irritaient Franklyn Hutton au plus haut point, mais il finit néanmoins par lui laisser une grande indépendance. Et quand elle eut terminé ses études, il accéda à son désir de posséder son propre wagon de chemin de fer. Ce wagon privé coûta 125 000 dollars et ne comprenait pas moins de trois salles de bains, une chambre immense, et un grand salon dans lequel on pouvait dîner. Certes, cette voiture profitait à toute la famille Hutton, mais elle appartenait en propre à Barbara.

Par ailleurs, Barbara, qui n'était pas encore majeure, se vit octroyer un chauffeur en remplacement du garde du corps que lui avait imposé son père, et qu'elle s'était empressée de séduire. De ce côté-là aussi, elle avait gagné en liberté. Franklyn Hutton commençait à la considérer comme une adulte.

Les Hutton avaient judicieusement investi leur fortune dans des secteurs très divers. En conséquence, leurs biens sortirent pratiquement intacts des tempêtes de la Grande Dépression. Tel ne fut pas le cas pour bon nombre de leurs amis, qui, comme tant d'autres, s'endormirent milliardaires un soir pour se réveiller ruinés le lendemain matin. Au début des années trente, il devint courant de voir des femmes vendre leurs fourrures dans le hall des hôtels. On bradait yachts et Rolls-Royce pour avoir du liquide sur l'heure. Nombre de dames du beau monde se retrouvèrent vendeuses ou caissières, réceptionnistes ou encore infirmières.

Mais la haute société n'était pas morte. Elle avait été gravement touchée par la Dépression, mais elle subsistait encore sous la forme de quelques familles qui s'étaient financièrement mieux débrouillées que les autres, ou avaient simplement eu davantage de chance. Ces familles durent repenser leur train de vie, et renoncer au faste qui avait été leur apanage jusqu'alors. Leurs rangs étant décimés, leur orgueil étant ravalé, on vit émerger de ces remous une classe nouvelle composée de figures hétéroclites parmi lesquelles vedettes de cinéma, nouveaux riches, héritiers rescapés. Tous se retrouvaient dans les cafés new-yorkais, les *speakeasies* qui se transformèrent en clubs à la mode dès que la Prohibition prit fin en 1933.

Mais il y eut une tradition qui survécut au changement : le bal des débutantes, qui marquait l'entrée dans le monde de toute jeune fille de bonne famille.

Les « débuts » de Barbara se firent en trois étapes. Il y eut tout d'abord un thé pour cinq cents invités, dans le triplex d'Edward et Marjorie Hutton sur la Cinquième Avenue. Puis on donna un dîner dansant, au casino de Central Park cette fois, où l'on convia encore cinq cents personnes. Mais l'événement le plus important de ces débuts dans le monde fut le bal du 21 décembre 1930, qui eut lieu au Ritz et rassembla mille invités aux patronymes les plus prestigieux, tels que Astor ou Rockefeller, pour ne citer qu'eux.

Cette petite folie chiffrée à 60 000 dollars fut sans conteste le clou de l'année. Pour cette soirée, on fit venir quatre orchestres, deux cents serveurs, dix mille roses, deux mille bouteilles de champagne et une moisson de plantes rares. Il fut servi mille soupers et mille petits déjeuners.

Il fallut deux jours et deux nuits pour décorer la salle de bal avec d'immenses sapins de Noël, de la neige artificielle et, au plafond, un faux ciel scintillant d'étoiles.

Les invités furent accueillis par Maurice Chevalier déguisé en père Noël pour l'occasion. Rudy Vallee et Meyer Davis assuraient la partie musicale. Un ballet russe fit également une prestation très remarquée.

Mais si cette soirée fut un succès artistique incontesté, elle n'atteignit pas son objectif, à savoir faire émerger de cette foule huppée une brochette de beaux partis. Tous ces étudiants, ces boursicoteurs en herbe et ces avocats débutants se sentaient mal à l'aise en présence de la jeune fille qui était à l'origine de cette débauche de luxe. De peur de passer pour des chasseurs de fortune ou pour des gigolos, ils n'osaient lui parler ou même l'approcher. Aucun d'entre eux n'était assez riche pour lui offrir le train de vie d'une princesse, et par ailleurs, ils considéraient comme indigne le fait de se laisser entretenir. Quant à Barbara, elle réalisa encore une fois que la fortune était un handicap dans ses relations avec autrui. « Un simple sourire de ma part à un homme, et il s'enfuyait immédiatement à l'autre bout de la salle, comme si j'étais une pestiférée. »

Peu de temps après son entrée officielle dans le monde, Barbara eut une aventure avec un play-boy du nom de Phil Morgan Plant, qui venait d'hériter de 25 millions de dollars à la mort de son beau-père, le commodore Morton Plant. Phil Plant avait été marié avec Constance Bennett, une actrice qu'idolâtrait Barbara, et cela le rendait prestigieux à ses yeux. Hormis ce détail, Phil Plant n'avait rien de l'homme idéal. C'était un coureur de jupons invétéré, un joueur impénitent doublé d'un alcoolique. Il s'affichait dans les boîtes de nuit à la mode, au bras de starlettes renouvelées chaque soir. Régulièrement, il faisait la une des journaux à scandales.

Dès le début, Franklyn Hutton essaya de mettre un terme à cette relation qu'il désapprouvait. Quand il apprit que le jeune homme avait proposé le mariage à Barbara, il usa d'un dernier stratagème qui cette fois eut raison du prétendant. Franklyn embarqua avec sa fille pour l'Europe, en Grande-Bretagne plus précisément. Il s'était arrangé pour présenter Barbara à la cour du roi et de la reine d'Angleterre, un privilège réservé à quelques jeunes Britanniques de haut rang, et à de rares débutantes américaines.

La rencontre eut lieu le 19 mai 1931. « Ils étaient assis l'un et l'autre dans de grands fauteuils sur une petite estrade, raconte Barbara. La reine hocha simplement la tête quand le chambellan prononça mon nom. Quant au roi, il me regarda avec un air absent et j'eus l'impression très nette qu'il avait envie de dormir et avait un mal fou à garder les yeux ouverts. » Le lendemain, Barbara fut invitée à la garden-party organisée en l'honneur du prince de Galles, sur les pelouses de Buckingham Palace. « Il était vraiment détendu pour un futur roi, et tout à fait charmant avec moi. »

Bien que le prince fût amoureux d'une Américaine divorcée, la presse monta en épingle le fox-trot endiablé qu'il dansa avec Barbara, jugée plus prestigieuse que l'autre Américaine. On évoqua même l'éventualité d'un mariage avec le prince. Mais la presse mondaine parla d'elle en termes cruels. Elle y fut tour à tour « l'héritière américaine type, catapultée en Angleterre pour venir s'emparer du trône et le ramener dans son pays » et « une pauvre enfant gâtée boudée par tous les bons partis de son pays qui est venue en Grande-Bretagne pour se trouver un mari ».

Les journalistes se mirent à fouiller dans son passé, dans la vie de son père, et ils se jetèrent sur une anecdote récente qu'ils relatèrent avec force détails. Franklyn Hutton avait fait construire un yacht gigantesque, suffisamment grand pour loger 280 membres d'équipage, et doté de quatre mâts, d'une salle de cinéma, d'une salle de bal, de salles de bains en marbre et or massif... Un luxe qualifié par la presse britannique d'injure aux classes laborieuses durement touchées par la

Grande Dépression. Franklyn se défendra en disant que la construction de ce palace flottant avait fait travailler plusieurs centaines de personnes, directement ou indirectement. Mais il oubliera de mentionner que le yacht fut construit en 1931, en Allemagne, sur le chantier naval de Kiel, et que l'année de sa mise à l'eau, son équipage était à cent pour cent allemand. Un chroniqueur du *Daily Mail* ironisera sur l'argument avancé par Hutton pour se disculper, en écrivant : « Il n'y a probablement pas une seule personne riche au monde qui ne pense, chaque fois qu'elle porte une coupe de champagne à ses lèvres, à tous les paysans, vignerons, camionneurs et ouvriers qui tirent de ce simple geste leur pain quotidien. »

Barbara sembla se soucier assez peu de toutes ces attaques. En juin, elle quitta Londres avec ses parents et ils s'installèrent tous trois au Ritz, à Paris. Là, ils rencontrèrent Elsa Maxwell, qui s'apprêtait à partir pour Biarritz, et qui invita Barbara à la suivre.

– Alexis Mdivani sera là ? demande Barbara.

– Oui, pourquoi ? Il vient d'épouser Louise Van Alen et je suppose qu'ils sont à Biarritz en voyage de noces. Mais vous étiez au courant, n'est-ce pas ?

Barbara fait signe que oui. Son sac est bourré de lettres d'Alexis. Celui-ci, qui a reçu en cadeaux de noces une Rolls-Royce, des chevaux de polo et une garde-robe complète, est désormais prêt à étrenner tout cela avec Barbara. La question qui se pose est la suivante : Et Barbara, est-elle prête ?

DEUXIÈME PARTIE

L'enchantée

5

Barbara a mené une existence de conte de fées, à ce détail près qu'il s'est agi d'un conte de fées de seconde main. Elle était comme cette jeune vendeuse de Cincinnatti qui va au cinéma pour la première fois, qui y voit une image trompeuse du monde, et qui y croit.

Douglas FAIRBANKS Jr.

Alexis Mdivani passa l'été à Biarritz à galoper sur un terrain de polo. Des trois frères Mdivani, il était de loin le meilleur joueur de polo, sport auquel il se consacrait tout entier. Cet été-là, cependant, il eut un deuxième centre d'intérêt : Barbara Hutton. On les vit souvent ensemble, et à de trop nombreuses reprises Louise n'était pas dans les parages.

Le bruit commença à courir qu'Alexis était amoureux de Barbara, et la rumeur se répandit jusque sur la Côte d'Azur. Mais Barbara était trop occupée à couler des jours délicieux pour s'en inquiéter. Il y avait quelque chose de magique dans l'air. Le soir, les terrasses des cafés étaient pleines de vacanciers qui sirotaient des cocktails jusque tard dans la nuit en regardant défiler les célébrités sur la promenade.

Vers la fin de l'été 1931, Barbara quitta Biarritz pour la Villa Madama, résidence du comte et de la comtesse di Frasso, située dans les environs de Rome. Alfred Hitchcock décrit cette demeure, décorée de fresques de Raphaël, comme « une maison ouverte à toutes les célébrités, dignitaires, nobles désargentés et autres personnages sympathiques ». L'un des habitués de cette maison raconte : « Il était difficile de dire si la comtesse lançait des invitations pour une soirée qui se prolongeait tout l'été, ou pour une série de week-ends qui duraient toute la semaine. Une chose est sûre : les invités entraient et sortaient comme dans un grand hôtel. »

Dorothy di Frasso, née Taylor, était une Américaine immensément riche qui avait hérité de la fortune considérable de son père, l'un des premiers « requins » de Wall Street. Mariée une première fois à un aviateur anglais, Claude Graham White, elle avait divorcé en 1916 et s'était remariée cinq ans plus tard avec le comte Carlo di Frasso, un noble désargenté de trente ans son aîné, mais qu'on disait très vaillant pour un homme de soixante-cinq ans. Dorothy avait dépensé un million de dollars pour restaurer la maison de son nouveau mari, et en faire un lieu renommé parmi la haute société cosmopolite. Il n'était pas rare qu'elle eût deux cents personnes et plus à dîner.

Les di Frasso avaient des rapports très libres, et ceci impressionna beaucoup Barbara. Dorothy n'était pas un modèle de fidélité, ce qui, curieusement, ne semblait pas gêner le moins du monde son époux. Cette jolie femme de trente-cinq ans, avec ses longs cheveux noirs, ses yeux bleus et son extraordinaire sensualité, était un défi vivant auquel peu d'hommes semblaient capables de résister. Ses goûts en la matière étaient très éclectiques. Elle avait collectionné un certain nombre d'amants d'horizons très divers, parmi lesquels l'écrivain Ben Hecht et le gangster Bugsy Siegel. L'arrivée en sa demeure de l'acteur Gary Cooper, à la fin de l'été 1931, fut le début de sa plus sensationnelle histoire d'amour.

Gary Cooper était encore plus grand et impressionnant dans la vie qu'au cinéma. Il avait un air à la fois cynique et détaché qui excitait les femmes. Jusqu'alors, deux femmes avaient eu une véritable emprise sur lui : Clara Bow et Lupe Velez. Dorothy les surclassa. Elle emmena Cooper dans ses bagages et, sans lui demander son avis, le trimballa à travers l'Italie. L'acteur se laissa faire, subjugué. Et quand vint pour lui le moment de regagner les États-Unis, elle organisa une fête somptueuse à la Villa Madama pour son départ. Barbara fut invitée et elle ne quitta pas Gary Cooper des yeux de toute la soirée. « Il était séduisant, calme, laconique, la quintessence du mâle américain », devait-elle écrire plus tard.

En septembre, Barbara rentra à Paris. Elle habitait au Ritz. Alexis et Louise Mdivani étaient aussi à Paris. Ils passaient leur temps à dépenser de l'argent, et leur fameuse Rolls-Royce les transportait chez les plus grands couturiers, dans les plus belles réceptions, et dans les plus somptueux dîners.

Si Alexis n'éprouvait qu'indifférence envers sa femme, en revanche, il portait un vif intérêt à sa fortune, et jetait l'argent par les fenêtres, organisant des fêtes extravagantes dans leur hôtel particulier de la place des États-Unis. On y rencontrait tous les gens à la mode... et notamment Barbara Hutton, parfois accompagnée de son ami lord Warwick. Il s'agissait d'une ruse pour tromper le vieux Franklyn Hutton, lequel faisait tout ce qui était en son pouvoir pour éloigner sa fille de Mdivani.

Lors de ces soirées, Barbara passait le plus clair de son temps au côté d'Alexis, près de la cheminée. Cette attirance qu'ils avaient l'un pour l'autre n'échappait à personne. Quant à Louise, elle faisait semblant de ne rien voir. Elle éprouva néanmoins un grand soulagement quand Barbara partit pour Londres, en décembre 1931.

Barbara devait rendre visite à Morley et Jean Kennerley, rencontrés à Biarritz en 1926. Directeur de Faber and Faber, Morley Kennerley était aussi calme et conservateur que sa femme, Jean, était vive et enjouée. Tous deux exercèrent une influence apaisante sur leur jeune et fougueuse amie.

« Quand Barbara vint nous voir en 1931, se souvient Morley, elle n'avait de pensées que pour Alexis Mdivani. Elle en parlait sans arrêt. Certes, il était fort séduisant, mais plutôt inconsistant. Et ce qui excitait Barbara, c'était avant tout le fait qu'il était marié avec Louise Van Alen. Dès qu'un homme était pris ailleurs, elle lui courait après. Pour s'enfuir généralement dès que la proie se rendait. Aussi lui avons-nous conseillé de s'offrir un grand voyage pour réfléchir et faire le point. Elle s'embarqua presque aussitôt pour une croisière autour du monde sur un paquebot, avec Ticki et sa belle-mère. Trois mois plus tard, elle était de retour à New York, l'esprit plus confus que jamais. »

Barbara n'était pas seulement la plus grande « voyageuse » du tout-New York des années trente, elle était aussi la riche héritière dont on parlait le plus. Deux chansons populaires avaient attiré l'attention du public sur sa personne : *Pauvre Petite Fille riche*, de Noel Coward, et *J'ai trouvé une poupée qui vaut un million de dollars*, de Bing Crosby.

Peu de temps après sa croisière, Barbara partit passer deux semaines à Madère avec Irene Hutton, avant de rejoindre son père à Paris. Là, un cadeau l'attendait : les œuvres du poète bengali Rabindranath Tagore, qui venaient de remporter un franc succès en Europe. Avec les livres, il y avait un petit mot d'Alexis Mdivani. Et le lendemain, Barbara recevait une invitation à dîner chez Louise et Alexis. Elle y alla, en dépit des vives protestations de son père. Et quelques semaines plus tard, elle les invitait à son tour, avec quelques autres amis, chez Maxim's, puis dans un petit night-club à Montmartre. Alexis délaissa sa femme pendant toute la soirée et ne s'occupa que de Barbara.

Barbara eut droit à sa première Rolls-Royce cet été-là, une somptueuse limousine bleu nuit tapissée de bois de rose et d'ivoire. Elle put ainsi se déplacer à son gré et acquit de fait une plus grande liberté. Elle rejoignit les Mdivani à San Sebastián, lieu sélect où se retrouvaient à cette époque de riches oisifs cosmopolites. Les corridas étaient de rigueur, et si Barbara apprécia l'excitation et le folklore qui entourent ce genre de manifestation, elle trouva la mise à mort de très mauvais goût.

Après San Sebastián, elle fut invitée chez Roussie et José Maria Sert à Palamós, sur la Costa Brava, où ils possédaient un château extraordinaire, le Mas Juny. Quand elle arriva, Louise et Alexis étaient déjà là...

Et pour la première fois, l'hostilité éclata entre Louise et Barbara. A bout de patience, Louise ne manquait pas une occasion de mettre Barbara mal à l'aise. Et celle-ci contre-attaquait.

« Tu dois avoir du mal à t'habiller avec une aussi grosse poitrine, dit un jour Louise à Barbara.

– Mieux vaut en avoir trop que pas assez », lui rétorqua cette dernière.

Durant son séjour au Mas Juny, Barbara s'arrangea pour éviter Louise le plus possible. Elle sortait avec d'autres amis à Barcelone, ou bien elle allait se baigner seule. Tout se passa à peu près bien jusqu'au jour où quelques amis de Roussie décidèrent d'aller déjeuner en ville et voulurent proposer à Barbara de les accompagner. Ils frappèrent à sa porte et, n'obtenant aucune réponse, entrèrent. Barbara et Alexis étaient en train de faire l'amour.

Barbara fit ses bagages aussitôt et partit pour Biarritz. Elle fuyait le scandale. Quant à Alexis, il ne lui restait plus qu'une seule chose à faire : offrir à sa femme de divorcer. Louise se fit un peu prier, mais finit par capituler sur les conseils de Roussie, qui n'avait pas sa pareille comme intrigante.

A la fin du mois de novembre 1932, le mariage de Louise et Alexis, qui avait duré dix-huit mois, fut officiellement dissous.

Barbara raconta l'épisode du Mas Juny à qui voulait l'entendre. Mais au bout de quelques semaines, elle eut la certitude soudaine qu'elle s'était fait duper. Roussie savait qu'elle avait des chances de la surprendre avec Alexis, et son piège avait fonctionné. Elle avait manipulé tout le monde, ce qui lui procurait toujours beaucoup de plaisir. Le plus drôle, si l'on peut dire, c'est qu'avant ce jour fatidique Alexis et Barbara n'avaient jamais fait l'amour.

Pendant l'automne 1932, on aperçut Barbara à Londres, dînant avec le prince George (le plus jeune frère du prince de Galles) et lady Portarlington. Barbara portait ce soir-là un énorme rubis à la main gauche, et le bruit courut que ses fiançailles avec Mdivani allaient être annoncées d'un jour à l'autre.

Mais il s'agissait d'une fausse rumeur. Barbara voyait régulièrement un autre homme à cet époque, un jeune et bel officier de l'armée britannique, le futur acteur David Niven. Dans sa biographie publiée en 1972, Niven la décrit ainsi : « C'était une petite blonde au nez retroussé, très mignonne, et qui avait les plus petits pieds que j'aie jamais vus. C'était une créature très gaie, très vive et qui riait tout le temps. » Cette description ne lui rend pas vraiment justice. Au fil du temps, en effet, et de par ses voyages, Barbara avait acquis une indépendance d'esprit tout à fait remarquable. Fine, cultivée, elle montrait d'extrêmement bonnes manières en société, et donnait l'impression d'être parfaitement maîtresse d'elle-même. Seuls ses proches savaient qu'au fond elle manquait d'estime de soi.

Après les fêtes de Noël 1932, qu'elle passa en compagnie de David Niven et de quelques autres amis, dont Howard Hughes, Barbara, qui s'était installée à l'hôtel Pierre avec sa famille pendant la rénovation de leur résidence, réintégra le 1020, Cinquième Avenue. Niven était sur le bateau qui le ramenait en Angleterre (Barbara et lui n'avaient eu que des relations platoniques), et Mdivani... sur le paquebot qui l'emmenait à New York (un voyage payé par Louise qui, en dépit des instances pressantes de sa famille, s'était refusée à solder leur compte commun).

Quand il débarqua à New York, Alexis fut assailli par la presse. Il raconta alors bien haut qu'il n'avait nulle intention de faire la cour à Miss Hutton. Puis il prit un taxi, fila au Savoy, s'enferma dans sa chambre... d'où il téléphona à Barbara.

Celle-ci l'accueillit plutôt fraîchement, mais se rattrapa quelques jours plus tard en organisant une fête en son honneur.

Néanmoins, elle le vit très peu durant son séjour. Franklyn Hutton entra dans une rage noire quand il eut vent de cette fête et se débrouilla une fois encore pour tenir sa riche héritière de fille loin de celui qu'il considérait comme un vil croqueur de diamants.

Le jour où l'indésirable prince quitta New York, tout le monde poussa un soupir de soulagement dans le camp Hutton. Mais c'était peut-être là se réjouir trop vite, car il fallait compter avec l'astuce, la rouerie et l'extraordinaire sens tactique des Mdivani dans le domaine des relations humaines. Par ailleurs, les Hutton allaient devoir affronter une Louise Van Alen plus amère que jamais, persuadée désormais que Barbara n'avait nullement l'intention d'épouser Alexis. Louise s'était laissé influencer par Roussie qui lui avait peu à peu mis dans la tête que Barbara n'avait brisé son mariage que pour s'amuser. Et l'apparente indifférence qu'affichait Barbara à l'égard d'Alexis ne pouvait effectivement que la renforcer dans cette idée. Aussi menaça-t-elle Barbara de révéler l'affaire du Mas Juny à la presse si elle ne décidait pas d'épouser son ex-mari. Logique bizarre, mais menace réelle, si l'on tient compte du puritanisme qui sévissait à l'époque et de l'hostilité qu'éprouvait le peuple à l'égard des riches en général et de Barbara en particulier.

Paniquée par la tournure que prenaient les événements, Barbara, qui avait toujours fui ses responsabilités, qui avait toujours un mal fou à prendre des décisions, décida d'embarquer presque sur-le-champ pour Bali avec Jean et Morley Kennerley. Là-bas, le miracle l'attendait : des plages, des volcans, des jardins, des petits chemins sombres, des cultures en terrasse et des temples hindous. Le dépaysement et l'oubli. « Personne n'était encore réellement allé à Bali, dit Jean Kennerley. Il n'y avait pas de touristes. Pas d'électricité. Les indigènes connaissaient l'heure grâce à la position du soleil. Et partout on rencontrait ces filles magnifiques qui souriaient et se baladaient les seins nus, dans des sarongs. Un jour, Barbara et moi avons dansé avec elles au son du gamelan, un ensemble de xylophones en bambou. Barbara était formidable; en quelques minutes, elle avait tout compris et reproduisait parfaitement les mouvements des yeux, des bras et des mains de ces jeunes filles.

» Au village d'Ubud, nous sympathisâmes avec un peintre, Walter Spies, qui, suivant l'exemple de Gauguin, avait quitté l'Europe pour s'installer dans une île lointaine. Spies vivait dans l'une des plus adorables maisons de l'île. C'était une petite bâtisse d'architecture primitive, mais néanmoins fort élégante. On se lavait en versant de l'eau dans un grand sac en toile, et on s'éclairait avec une lanterne qui fonctionnait au kérosène. Spies avait un talent fou et les indigènes l'adoraient. C'était aussi un excellent conteur. »

Et au moment précis où Barbara quitta Bali pour Java, Alexis Mdivani quitta Paris pour la même destination. L'argent du voyage lui avait été avancé par Roussie Sert qui était certaine que son frère finirait par gagner. Au terme de ce périple, Alexis captura sa proie dans le hall de l'hôtel où elle était descendue. Ce qui devait arriver arriva : Barbara accepta sa demande en mariage. Et une semaine plus tard, ce fut un Franklyn Hutton complètement éberlué qui apprit la nouvelle à Palm Beach, où il passait des vacances avec sa femme. Il reçut un appel par radio-téléphone du consul américain à Bangkok.

– Désolé de vous déranger, monsieur, commença le diplomate, mais votre fille est ici et désire que je la marie avec un certain prince Alexis

Mdivani. Comme elle est mineure, j'ai besoin de votre consentement.

Hutton était furieux. Il demanda à parler à sa fille, mais ce fut Alexis qui prit la communication. Barbara, dit-il, avait accepté sa demande en mariage et il allait l'épouser sur-le-champ, avec ou sans permission, à moins qu'Hutton ne consentît à rendre publiques leurs fiançailles.

Franklyn tenta de l'amadouer, puis il s'emporta, le menaça, l'injuria et finit par l'accuser de chantage. Mais quand il comprit qu'Alexis était prêt à tout, il rusa pour gagner du temps. Il donnerait son accord s'ils consentaient à retarder le mariage jusqu'à ce qu'on décide d'un endroit approprié où le célébrer. Mdivani accepta et célébra l'événement le soir même.

« Alexis acheta toutes les fleurs qu'il put trouver à Bangkok, se souvient Jean Kennerley. Dès que nous passions devant un fleuriste, il bondissait hors de la voiture et lui achetait toute sa marchandise qu'il jetait aussitôt sur le siège arrière de la voiture. Ce soir-là, il loua un orchestre de boîte de nuit qui vint jouer dans notre suite à l'hôtel. Et le lendemain, il acheta des centaines de petits canetons qu'il installa dans nos baignoires. C'était un peu puéril comme idée, mais cela ne déplut à personne. »

Le même jour, Alexis envoyait un télégramme à Roussie Sert : BANGKOK – 14 AVRIL 1933 – AI GAGNÉ LE GRAND PRIX – ANNONCE LES FIANÇAILLES.

Quand on lui demanda confirmation de cette nouvelle, Franklyn Hutton fut un peu gêné. « Je ne pense pas que Barbara ait la moindre intention de se marier, dit-il. Je suis en contact constant avec ma fille, qui fait actuellement le tour du monde, et si elle voulait se marier, elle m'en aurait informé, moi, son père, du moins je l'espère. »

Le 21 mai, on annonça officiellement les fiançailles d'Alexis et de Barbara. Hutton avait capitulé dès qu'il avait compris à quel point sa fille était déterminée à épouser Mdivani. Quelques folies entourèrent ces fiançailles et notamment l'achat de trois Rolls-Royce faites sur commande. Les dépenses de Barbara pour l'année 1933 s'élevèrent à plus de 42 millions de dollars.

Barbara connut la même notoriété que les célébrités d'alors. Cette renommée s'étendait jusqu'aux hommes de sa vie qui, d'un coup, se trouvaient haussés au rang de personnalités publiques et admirés en tant que telles. Fasciné par la légende des « épouseurs Mdivani », Dale Carnegie tenta d'analyser les raisons de leur succès dans son best-seller *Comment se faire des amis et gagner les faveurs des gens importants* :

« Généralement, la flatterie n'est pas quelque chose qui marche avec les gens lucides. Il est vrai que certaines personnes sont si avides de compliments qu'elles avaleraient n'importe quoi. Pourquoi les frères

Mdivani, par exemple, ont-ils un tel succès sur le marché du mariage? Comment ces soi-disant « princes » font-ils pour arriver à épouser de si belles stars de cinéma, et une prima donna, et une Barbara Hutton avec tous ses millions? »

Si l'usage de la flatterie avait quelque peu servi à Mdivani pour conquérir Barbara, en revanche, il ne lui avait été d'aucune utilité pour amadouer son père. Hutton rendit publics ses sentiments à l'égard de ce mariage, dans une interview qu'il donna depuis sa suite au Ritz, à Paris.

– Il y a un vieux dicton qui dit qu'on n'a pas toujours l'opportunité de choisir ses alliés, expliqua-t-il. Mais le visage de Barbara est radieux, et c'est ce qui importe.

– Pensez-vous que Mdivani veuille épouser votre fille pour sa fortune? demanda un journaliste.

– Je ne lis pas les pensées des gens, répondit Franklyn Hutton. J'espère que non. Peut-être cela a-t-il compté au départ. Mais maintenant? Quand je les regarde tous les deux, je ne vois qu'une chose, c'est qu'ils sont amoureux.

Hutton s'affola quand il apprit qu'une loi française (Alexis vivait à Paris) accordait au mari la gestion des biens de son épouse mineure, et ce jusqu'à sa majorité. Parant à toute éventualité, il s'empressa de mettre au point un arrangement prénuptial dans lequel il était dit qu'Alexis toucherait un million de dollars de dot. Quant on sait qu'un arrangement « postmarital » avec Louise Van Alen lui avait alloué la somme d'un million de dollars également, on comprend pourquoi Alexis, qui avait déjà la réputation d'être le plus séduisant du clan Mdivani, fut bientôt considéré aussi comme le plus malin de la bande.

Puis il fallut décider d'un lieu pour la cérémonie, ce qui n'alla pas sans problèmes. Franklyn tenait absolument à une cérémonie religieuse tandis qu'Alexis ne voulait pas entendre parler d'autre chose que d'un mariage civil. Finalement, Alexis donna son accord pour qu'il y eût deux cérémonies, une civile et une religieuse, mais à une condition : que la cérémonie ait lieu dans une église orthodoxe russe. « Ce n'est pas la religion de ma fille », lui fit remarquer Franklyn Hutton. Et ce n'était apparemment pas celle des Mdivani non plus! Alexis dut se faire baptiser dans une église orthodoxe avant de pouvoir épouser Barbara selon ce rite.

Sur les documents qu'il dut signer pour l'établissement du contrat de mariage, Alexis inscrivit au chapitre « profession » le titre ronflant de « Secrétaire de la légation géorgienne à Paris ». Mais sa fonction semblait consister essentiellement en la justification constante de l'authenticité de son titre de noblesse. Les seuls avantages qu'il tirait de son poste étaient les suivants : il pouvait voyager avec un passeport diplomatique et se garer plus facilement que le commun des mortels grâce à la plaque d'immatriculation « CD » (Corps diplomatique) de sa Rolls-Royce.

Il expliqua à la presse que la légation géorgienne était le quartier général du mouvement contre-révolutionnaire. Et au journaliste qui lui demandait ce qu'il entendait par « mouvement contre-révolutionnaire » il marmonna quelque chose à propos de la réhabilitation du tsar. Il parla souvent à Franklyn Hutton de son « travail » à la légation, sans jamais dire toutefois en quoi ce travail consistait. On lui retira son passeport diplomatique à la fin de l'année 1933, après qu'un pacte de non-agression eut été signé entre la France et la Russie, ce qui ruina une bonne fois pour toutes ce mythe absurde selon lequel la Géorgie était autre chose qu'une petite province ridicule au sud de l'Union soviétique.

Pendant ce temps, Barbara préparait son trousseau dans sa suite du Ritz, où commencèrent à défiler les plus grands couturiers. Ce fut finalement Jean Patou qui l'emporta sur ses confrères. Elle lui commanda sa robe de mariée, plus quelque quatre-vingts tailleurs et ensembles. La robe, en soie ivoire avec des manches bouffantes, avait un voile de dentelle maintenu par un peigne incrusté de diamants qui reproduisaient le motif de la dentelle. Cette robe parut dans les journaux et certains journalistes attaquèrent vivement Barbara sur la débauche d'argent qui entourait les préparatifs de son mariage. On lui reprocha de jeter par la fenêtre l'argent de milliers de pauvres gens – les clients des magasins Woolworth. On lui reprocha même de ne pas épouser un Américain, ce à quoi elle rétorqua :

– J'épouse un individu, et non un pays. Alexis est un homme doux, gentil. Quand j'essaie de lui expliquer mes pensées les plus profondes, de lui faire part de mes angoisses les plus rentrées, il m'écoute avec attention. A la différence des autres gens, il me prend au sérieux, il ne se moque pas de moi, il ne passe pas son temps à me répéter qu'une personne aussi riche que moi n'est pas censée avoir des soucis.

Le mariage civil eut lieu le 20 juin 1933 à la mairie du seizième arrondissement à Paris. Barbara était escortée par son père et sa tante, Jessie Donahue. Alexis avait choisi comme témoins José Maria Sert et Akaki Tchenkeli, le chef de la légation géorgienne.

Barbara portait une superbe robe en soie gris perle, créée par Chanel, avec une courte cape assortie et un chapeau à large bord en organdi gris. Elle avait un collier en diamants, un bracelet en or, et une bague de fiançailles ornée d'une magnifique perle noire que lui avait offerte

Alexis avec l'argent versé par Louise Van Alen après leur divorce. Le maire fit un discours très émouvant et, après s'être confondu en souhaits de bonheur et de longue vie, remercia Franklyn Hutton pour la somme considérable qu'il venait de verser aux pauvres (1 000 dollars environ).

Comparée au mariage civil, la cérémonie religieuse qui eut lieu deux jours plus tard ressemblait à une superproduction de Cecil B. De Mille. Alexis avait arrêté son choix sur l'église russe de la rue Daru, la maison, selon son expression, de « tous les émigrés géorgiens antibolcheviques ».

Une foule gigantesque se pressait aux abords de l'église. Huit mille badauds se battirent quasiment avec les policiers qui assuraient la sécurité. Les plus chanceux se retrouvèrent aux premières loges pour voir arriver la mariée.

Lorsqu'elle sortit de sa limousine en compagnie d'Alexis, un tonnerre d'acclamations éclata. Un dais et un tapis rouge avaient été installés pour l'occasion. A l'intérieur de l'église, le jaune et le blanc des chrysanthèmes et des lis se mêlaient au vert émeraude des palmiers en pot. Mille bougies blanches plantées dans d'immenses chandeliers en bronze illuminaient l'iconostase.

Alexis pénétra dans l'église le premier et y attendit Barbara. Ils se dirigèrent ensemble vers un tapis blanc posé sur le sol au milieu du chœur, au pied du lutrin où était posé l'Évangile. Selon l'ancienne tradition russe, celui des conjoints qui marche le premier sur le tapis dominera l'union qui vient d'être célébrée. Alexis, avec le bel enthousiasme qu'on lui connaît, s'avança en conquérant vers le tapis. Mais il ne fut pas aussi rapide que Barbara dont les deux pieds minuscules touchèrent le tapis avant lui.

Un chœur de trente jeunes garçons chantait l'hymne nuptiale. Les invités restèrent debout pendant toute la durée du service – c'est-à-dire une heure – car il n'y a pas de sièges dans les églises orthodoxes. Selon la coutume russe, Barbara n'avait pas de demoiselles d'honneur et était seulement assistée par un bedeau dans ses plus beaux atours qui portait sa traîne longue de trois mètres. Les invités entouraient le jeune couple pendant que le grand prêtre barbu, dans ses vêtements dorés, disait les paroles rituelles en slavon, entouré de cinq autres prêtres.

Les fiancés échangèrent les alliances et le prêtre demanda :

– L'un de vous a-t-il déjà promis son amour à quelqu'un d'autre ?

Et Alexis répondit non, sans l'ombre d'une hésitation, validant ainsi l'ensemble de la cérémonie.

Barbara et Alexis avaient une bougie à la main. Les garçons d'honneur en jaquette et pantalon rayés se relayèrent pour porter au-dessus de leur tête les couronnes qui signifiaient que le plus grand des bonheurs qui soit sur terre venait de se poser sur eux et les suivirent quand, guidés par le prêtre, ils firent trois fois le tour du lutrin. Parmi ces garçons d'honneur, il y avait les cousins de Barbara, le comte Renault Sainte-Croix, Victor Grandpierre, le prince Théodore de Russie (encore un titre géorgien très discutable), Morely Kennerley, le maharaja de Kapurthala (en turban pourpre) et le danseur étoile Serge Lifar.

Les mariés burent alors le vin bénit dans des coupes ciselées pendant que le chœur entonnait l'hymne « *Isaïe, réjouis-toi* », puis allèrent se prosterner devant les icônes de l'iconostase avant de quitter l'église.

Dehors, la foule était si dense qu'il fallut vingt minutes aux jeunes mariés pour regagner leur limousine. Et c'est sous les acclamations que la voiture s'éloigna en direction du Ritz où attendaient d'autres badauds.

Il y eut tant de cadeaux de mariage que Barbara dut louer une suite pour les y entreposer. Le prince David Mdivani offrit une pendule Cartier incrustée de diamants. Serge Lifar donna à Barbara un vanity-case orné de rubis, et Nina Huberich lui fit cadeau de plusieurs robes de cérémonie géorgiennes, brodées de fils d'or et de perles. Sert peignit une marine à leur intention. Il y eut aussi des boucles d'oreilles en diamants et rubis, des bracelets d'or, de l'argenterie, des verres en cristal de Baccarat, des porcelaines de Limoges et les inévitables accessoires de toilette en or. Franklyn Hutton offrit un superbe collier de jade à sa fille, et à son gendre un bateau à moteur de dix-neuf mètres de long baptisé *Ali Baba* (Ali pour Alexis, Baba pour Barbara), qui attendait les jeunes mariés à Venise, où ils devaient passer une partie de leur lune de miel.

La mariée offrit à son époux une écurie de chevaux argentins pour le polo, et des étalons d'Orient à robe perle. Quand elle apprit que Louise Van Alen lui avait fait exactement les mêmes présents, elle offrit une nouvelle série de chevaux à Alexis. Lui-même lui fit cadeau d'un collier de jade qu'il avait payé 40 000 dollars (avec l'argent de Barbara) et qui valait en fait beaucoup moins. Les E. F. Hutton donnèrent à Barbara une broche de diamants en forme de cheval de polo. De tous les cadeaux qu'elle reçut, ce fut le plus approprié à la vie qu'elle allait mener avec Alexis. En effet, un an après son mariage, elle devait faire la réflexion suivante : « Je ne pensais pas que le polo tenait une place aussi considérable dans la vie de mon époux. J'aurais mieux fait de naître jument. »

6

A eux deux, ils avaient soixante-dix valises et malles de voyages, marquées aux armes des Mdivani. Une escorte de police ouvrit la route à leur caravane de Rolls-Royce jusqu'à la gare où ils prirent le train pour l'Italie. La presse à scandales fit ses choux gras de deux petits faits qu'elle prit un malin plaisir à monter en épingle.

Tout d'abord, il fut reproché à Franklyn Hutton de n'avoir pas payé le service religieux. Ulcéré, il envoya une lettre au journal en question dans laquelle il se justifia en disant qu'il ne devait rien aux membres de l'Église orthodoxe.

La seconde anecdote, plus croustillante, se déroula dans le train qui emmenait les jeunes mariés vers le lac de Côme, leur première étape. Dans leur compartiment, la nuit tombée, Barbara revêtit un déshabillé affriolant en soie et dentelle. Alexis la contempla un instant sans rien dire, avant de s'écrier : « Barbara, tu es trop grosse ! » Il devait par la suite regretter ce commentaire peu flatteur.

Barbara mesurait un mètre soixante-huit pour soixante-quatorze kilos. Elle était bien en chair, certes, mais elle avait un beau visage et des jambes magnifiques.

Elle avait aussi de très beaux seins, quoiqu'un peu gros pour l'époque qui exaltait la minceur et en faisait un signe d'élégance et de raffinement. Son charme voluptueux ne correspondait guère aux normes alors en vigueur dans le domaine de la mode.

Et bien qu'elle fût consciente du fait qu'elle était un peu trop ronde, elle n'en fut pas moins peinée par la remarque de son mari. Elle se mit aussitôt au régime – un régime draconien qui consistait en tout et pour tout à boire trois tasses de café par jour. Au bout de trois semaines de cette diète, elle avait perdu vingt kilos.

Mais en dépit de sa fatigue, elle apprécia beaucoup le lac de Côme,

« un lieu propice à la méditation ». Les jeunes mariés s'arrêtèrent également quelques jours au bord du lac de Garde et se rendirent à la Vittoriale, la retraite montagnarde de Gabriele D'Annunzio. Le poète offrit à Barbara un exemplaire du *Roman de Genji*, chef-d'œuvre de la littérature japonaise écrit par Murasaki Shikibu, dame de la cour de l'impératrice au XIe siècle, et traduit en anglais par Arthur Waley en 1929. Ce recueil, au même titre que les œuvres de Tagore, allait avoir une influence déterminante sur l'évolution de Barbara.

Puis ils passèrent deux semaines à Venise, où Barbara se lia d'amitié avec la princesse Jane di San Faustino, née Campbell, et veuve du prince di San Faustino. Cette dame de soixante-dix ans tenait un salon à Rome par lequel il fallait passer pour acquérir une place dans la haute société italienne. Jane n'avait pas la réputation d'être tendre dans ses jugements, et savait faire aussi bien que défaire n'importe quelle carrière. Elle apprécia vivement Barbara, qui dut lui raconter sa vie dans les moindres détails pour obtenir sa protection et son amitié. Les deux femmes discutaient des après-midi entiers sous leur tente rayée bleu et blanc de la plage du Lido.

Grâce à cette amitié, Alexis et Barbara furent invités dans les plus somptueuses réceptions, et Barbara gagna peu à peu en assurance et en élégance. Elle s'essaya même pour la première fois au rôle d'hôtesse, organisant quelques déjeuners en plein air au Lido. Elle s'en tira fort bien, ayant adopté avec bonheur la désinvolture d'Alexis, son goût pour la spontanéité et la grande vie. Barbara, plus mince que jamais, cliente assidue des salons de coiffure et des grandes maisons de couture, se parait désormais avec un goût très sûr. Elle avait réussi à transformer la jolie petite fille riche qu'elle était en une beauté lumineuse et fortunée. Barbara était devenue une grande dame.

Alexis tomba amoureux de sa femme métamorphosée en véritable beauté. Et le nouveau couple qu'ils formaient devint très joyeux. On les vit au festival de musique de Salzbourg, dans l'Orient-Express, et même à Tanger dont le mystère ensorcela Barbara.

Ils se déplaçaient toujours avec une kyrielle de bagages, une nuée de domestiques, de secrétaires et de riches amis. Ils vivaient comme des rois.

Après Venise, ils passèrent quelques jours au sud de Florence, puis à Rome et enfin à Capri, où ils louèrent une villa de quarante pièces.

Après l'Italie, ils partirent pour Biarritz, où Alexis joua dans l'équipe de lord Mountbatten pour la coupe de polo du prince de Galles. L'équipe de Mountbatten l'emporta. Puis ils rentrèrent à Paris, où ils passèrent une soirée avec Elsa Maxwell, qui devait écrire le lendemain dans sa célèbre chronique : « Barbara est devenue d'une incroyable beauté, exotique et fascinante. Son mari, en revanche, est toujours ce personnage bizarre, ambitieux et téméraire, qu'il était déjà avec Louise Van Alen. »

Elsa Maxwell reprochait à Alexis d'entraîner Barbara sur la pente de l'extravagance, de lui faire faire de folles dépenses. Et lui ne pardonna jamais à Elsa de le calomnier ainsi. Ainsi refusa-t-il d'aller voir Joséphine Baker aux Folies-Bergère quand Elsa les y invita. Barbara y alla seule avec la journaliste. Joséphine et ses outrances délicieuses l'enchantèrent au point qu'à la fin du spectacle elle se rendit dans les coulisses pour lui faire cadeau de sa bague en diamant – une récompense princière pour une danseuse peu ordinaire.

Dès le lendemain du spectacle aux Folies, Barbara et Alexis réservèrent des places sur le *Bremen* pour rentrer à New York. On était à la mi-octobre et il commençait à faire froid à Paris. Il faisait tout aussi froid à New York, mais Barbara allait bientôt avoir vingt et un ans, et elle avait une bonne raison de fêter son anniversaire aux États-Unis. Elle rentrait à la maison pour toucher un chèque de plus de 42 millions de dollars.

Elle devait entrer en possession de cette somme deux jours après son anniversaire, le 16 novembre 1933 très exactement. S'ajoutait à ces 42 millions de dollars l'héritage que lui avait laissé sa mère, soit un total de 50 millions de dollars de l'époque.

Elle s'empressa de faire cadeau à son père de 5 millions de dollars, pour le remercier d'avoir aussi bien géré sa fortune, qui avait doublé durant toutes les années où il en avait eu la charge.

Alexis ne fut pas oublié. Barbara ajouta un million de dollars au premier million qu'il avait touché au moment de leur mariage. La presse s'empara de ce fait pour se gausser une fois de plus du jeune couple nanti. « Elle doit être contente de son mari, et apparemment elle n'a nulle intention de le transformer en homme d'affaires besogneux », put-on lire dans un éditorial du *New York Times*.

Au début de l'année 1934, Alexis et Barbara décidèrent de partir en Extrême-Orient pour une « seconde lune de miel ».

Ils embarquèrent à San Francisco sur le *Tatsuta Maru* à destination de Tokyo. Ticki Tocquet, Jimmy Donahue et Nancy Allard les accompagnaient.

Même à Tokyo, Barbara eut un mal fou à échapper à la presse. Après s'être montrée intraitable, elle finit par céder aux multiples pressions que l'on exerçait sur elle et accepta de donner une conférence de presse, au cours de laquelle elle annonça qu'elle et son mari voulaient adopter un enfant chinois, « parce que la civilisation chinoise est si vieille et si honorable ». Cette déclaration offensa bien sûr ses hôtes japonais.

Après avoir passé une semaine à Tokyo, les Mdivani rallièrent Kyoto, l'ancienne capitale du Japon. Ils descendirent à l'Hiiragiya Ryokan, célèbre hôtel où l'on ne rencontrait que hauts dignitaires, vedettes de cinéma et millionnaires.

Après Kyoto, ils se rendirent à Kobe, d'où ils prirent un bateau à vapeur à destination de Shanghai.

Quand ils eurent visité la ville de fond en comble et passé nombre de nuits dans les minuscules night-clubs bondés de Shanghai, on les vit beaucoup sur les champs de courses en compagnie des personnalités locales. Ils jouèrent pas mal d'argent et en dépensèrent encore davantage dans les boutiques chics où Barbara achetait sans discernement tout ce qui attirait son attention, bijoux, vases, ou tapis.

Finalement, ils quittèrent Shanghai pour Pékin. Dans le palace où tout avait été préparé pour leur arrivée, vingt serviteurs furent mis à leur disposition ainsi qu'un excellent chef cuisinier dont Barbara refusa de goûter les spécialités par peur de prendre du poids.

Pékin était une ville bien plus calme et résidentielle que Shanghai, lieu d'agitation par excellence, saturé de touristes. Aussi, Pékin ne fut pas vraiment du goût d'Alexis qui était un noctambule-né, sur lequel l'atmosphère enfumée des boîtes, dîners mondains et réceptions tardives avait le même effet que l'oxygène sur les plantes vertes. En revanche, Barbara était ravie de s'immerger dans la vie culturelle de la capitale chinoise, et fouinait partout avec avidité pour mettre la main sur des porcelaines des XVIIe et XVIIIe siècles, son dernier dada. Elle en amassa tant qu'elle finit par se constituer l'une des plus belles collections privées au monde de porcelaines chinoises de cette époque.

Pendant son séjour à Pékin, Barbara eut un professeur de chinois prestigieux en la personne de la princesse Der Ling, la femme de T. C. White, ancien ambassadeur américain en Chine. La princesse avait été dame de compagnie de l'impératrice régente Ts'eu-hi, dont la mort, en 1908, précéda de quatre ans la fin de la dynastie Ts'ing avec qui disparut le régime impérial en Chine.

La princesse Der Ling livra ses souvenirs de cette époque à Barbara, qui l'écoutait avec ravissement. Mais tandis qu'elle plongeait avec un immense bonheur dans la splendeur de la Chine ancienne, Alexis rentra dans sa coquille. C'était comme s'il avait arbitrairement décidé de détester tout ce que sa femme appréciait. Lors d'une sortie au palais impérial, il s'allongea sur un banc et ne tarda pas à s'endormir. Il bâilla à se décrocher la mâchoire pendant la visite d'un monastère bouddhiste des environs de Pékin. Et son humeur se dégrada au fil des jours. Tout ce qui enchantait Barbara – les marchands vendant leurs marchandises à la criée, la foule, les rues, étroites, les échoppes croulant sous les antiquités et les curiosités, les pousse-pousse et les coolies galopant au milieu des tourbillons de poussière – paraissait mettre Alexis hors de lui. Et il commença à montrer ce tempérament coléreux qu'il devait développer plus tard jusqu'à l'insupportable, se jetant par terre et hurlant chaque fois que Barbara décidait de prolonger encore leur séjour.

Après ces deux mois passés à Pékin, ils se rendirent à Bombay. Et l'atmosphère de ce port indien enchanta Alexis. Autant l'ambiance austère et culturelle de Pékin ne lui avait rien valu, autant l'agitation nocturne, les maisons de jeux et autres lieux fréquentés par des maharajas et des nababs lui convinrent parfaitement. Les Mdivani rencontrèrent leur ami le maharaja de Kapurthala, qui leur présenta d'autres maharajas, dont le joueur de polo Sawai Man Singh, de Jaipur. « Jai » avait son propre terrain de polo à Jaipur et y invita Alexis. Il possédait également un chalet à Saint-Moritz, des propriétés dans les environs de Londres et de Paris, une résidence d'été à Cannes, et une autre à Nice. Mais ce dont ils s'enorgueillissait le plus, c'était son palais rose à Amber, un joyau d'architecture de deux cents pièces, tout en balcons, arches, frises et colonnades, avec éléphants de pierre gardant les entrées et gigantesques urnes en argent remplies d'eau sacrée du Gange.

Quand Barbara et Alexis visitèrent le palais d'Amber, Jai leur raconta qu'il existait une coutume selon laquelle chaque maharaja de Jaipur, une fois dans sa vie, est conduit les yeux bandés à un fort situé derrière le palais, où il doit prendre une des pièces du trésor qui s'y trouve. Le père de Jai avait choisi un ara en or massif incrusté d'énormes rubis rouges et de grosses émeraudes, qui était toujours exposé dans l'une des pièces du palais. L'une des galeries était remplie de malles en or massif pleines de diamants bruts. Une autre galerie renfermait des centaines de peintures miniatures et de manuscrits précieux.

Cette extraordinaire débauche de luxe se retrouvait chez le maharaja et la maharani de Cooch-Behar, chez qui Barbara et Alexis furent également invités. Ce couple vivait dans un gigantesque palais à tourelles rempli de meubles Louix XV et de tableaux de Rembrandt. Après le dîner, des centaines de danseuses se produisaient devant les invités. On apprit aux Mdivani à monter sur un éléphant, puis on les convia à une chasse à dos d'éléphant.

Il y avait un contraste saisissant entre ces fortunes colossales qui appartenaient à une minorité et la pauvreté dans laquelle vivait la majeure partie du pays. Un jour, la maharani de Baroda emmena Barbara distribuer de la nourriture dans un orphelinat de Delhi. Cette visite impressionna beaucoup Barbara, qui s'assit sur le sol un moment à côté d'un enfant, bouleversée par le visage lumineux de ce petit au ventre distendu par la manultrition. Elle lui donna le médaillon en or qu'elle portait autour du cou parce que les yeux de l'enfant s'étaient posés dessus avec étonnement. Le lendemain, alors qu'elle venait faire une nouvelle distribution de vivres, elle demanda des nouvelles de l'enfant. On lui dit qu'il était mort pendant la nuit.

Début mai, c'est de nouveau avec les Cooch-Behar qu'Alexis, Jimmy et Barbara se mirent en route pour le Cachemire. Mais ils durent interrompre leurs pérégrinations, car ils souffraient tous les trois de dysenterie. Ils regagnèrent donc l'Europe. Mais de toute évidence, malade ou non, Barbara en avait assez de l'Inde et désirait rentrer. Pour des raisons qu'elle n'arrivait pas bien à définir, elle se sentait terriblement déprimée et amère. « Je m'ennuie, écrit-elle dans son journal à cette période. Je m'ennuie avec Alexis. Je suis fatiguée. Je suis fatiguée d'Alexis. J'ai envie de dormir. »

Et vers la fin du mois de mai, les Mdivani étaient à Londres. Ils partageaient la même suite au Claridge, mais faisaient chambre à part. « Je veux davantage d'espace et de solitude », ne cessait alors de répéter Barbara. Piqué au vif dans son orgueil, Alexis supporta très mal ce rejet. Barbara écrit à cette période dans son carnet : « De toute ma fascination pour Alexis, et de tout le plaisir que j'ai pu tirer de sa manière extravagante de me faire la cour, il ne reste plus rien désormais, je n'ai plus la moindre tendresse pour lui. Et bien que la majorité des femmes soient folles de lui, cela ne change rien à mon nouvel état d'esprit. » Il n'y avait aucune raison particulière à ce changement. Barbara devait dire plus tard qu'elle ne l'avait jamais réellement aimé, qu'il n'avait été qu'un moyen pour elle d'échapper à l'emprise de son père. Pendant un temps, elle avait tenté de le dominer, mais ce rôle l'avait vite lassée. Quant à son attachement physique à son égard, il avait pris fin durant ce voyage en Inde, et à présent, elle ne ressentait plus qu'une vague impression de sécurité en sa compagnie, ce genre de sentiment qu'on éprouve aussi bien avec un ami, et pas forcément un ami intime.

Pour Alexis, ce fut un moment difficile. Il se mit à boire et à passer toutes ses nuits au bar de l'Embassy Club dans Bond Street. Cet endroit enfumé, surpeuplé, situé dans une cave sans air, avait été lancé quelques années plus tôt par le prince de Galles.

Alexis restait assis des heures au bar, buvant whisky sur whisky, ce qui le rendait de plus en plus agressif. Un soir, il s'en prit au propriétaire de l'établissement avec lequel il se battit. Très vite, il se retrouva au poste de police le plus proche, où on le garda jusqu'au matin.

Pour échapper à toute publicité scandaleuse, Barbara se réfugia dans une clinique. Elle y resta quelque temps et, finalement, son père et sa belle-mère prirent le bateau pour venir la voir.

Franklyn Hutton fut surpris de la trouver si pâle et si défaite. Il s'entretint avec son médecin qui lui conseilla d'emmener sa fille faire une cure à Karlsbad – sans son mari.

Avant de quitter Londres en compagnie de son père, Barbara se montra en public avec Alexis lors d'un match de polo, afin de couper court à tout commentaire malveillant.

Les Hutton quittèrent Londres le 17 juin. Mdivani resta en Angleterre pour la saison de polo. Un mois plus tard, il les rejoignait à Karlsbad. Il était sur la route des Indes où il allait disputer de nouveaux matches de polo. Ils supplia Barbara de l'accompagner, arguant du fait que la place d'une femme est au côté de son mari. Elle refusa et il partit sans elle.

Elle affirma son indépendance d'esprit en voyageant avec Silvia de Castellane. Les deux jeunes femmes allèrent à Biarritz, puis à Nice.

Au début de l'automne, Alexis rejoignit Barbara à Venise. Ils s'installèrent au Gritti, un palace aménagé dans une abbaye du XVe siècle, et qui avait appartenu au doge Andrea Gritti. C'était un endroit idéal pour écrire et Barbara composa de nouveaux poèmes. Elle en avait déjà écrit tellement lors de ses voyages, qu'elle avait une mallette spéciale pour les ranger et les emporter partout avec elle. Pendant son séjour au Gritti, ses poèmes tournèrent autour du thème de l'amour déçu. « J'avais rêvé » est un poème caractéristique de son état d'esprit à cette époque.

J'avais rêvé que l'amour serait
Une chose simple et charmante
Jamais spoliée par des mots sauvages
Qui font souffrir

J'avais rêvé que ton amour serait
Comme un rameau de fleurs de mai
Si délicieux que je le garderais
Dans mes souvenirs d'hier

Mais la dérision a griffé mes rêves
Et transformé ton amour en cendres froides et grises
Parce qu'il avait déjà déserté ton cœur
Quand tu m'as quittée tout à l'heure.

De plus en plus, l'écriture devenait un moyen d'expression pour Barbara. Elle était encouragée en cela par Morley Kennerley, qui lui envoyait souvent des livres de poésie, écrits en particulier par des femmes, telles Emily Dickinson et Edna St Vincent Millay. Elle lui renvoyait en échange quelques-uns de ses poèmes.

« Ce n'était pas de la très bonne poésie, commente Morley, mais certains de ses poèmes allaient droit au cœur. En tout cas, moi, ils m'émouvaient. Ils me touchaient au point que je lui suggérai d'en faire publier certains à tirage limité. Ainsi, elle pourrait donner ces livrets à ses connaissances et amis. A ma grande surprise, car elle avait toujours peur de montrer son travail, elle accepta. Et comme je travaillais à l'époque chez Faber and Faber, je pus arranger la chose facilement. »

Son premier recueil de poèmes, *L'Enchantée*, tiré à deux cents exemplaires, parut en octobre 1934, peu de temps avant son vingt-deuxième anniversaire.

Peut-être ce volume aurait-il dû s'appeler *La Désenchantée*, ainsi que le fit remarquer l'auteur Dean Jennings. En effet, le désenchantement était exactement ce que ressentait Barbara pendant ce séjour à Venise. Pour elle, désormais, une chose était sûre : son mariage était irrémédiablement détruit. Et elle couchait sa désillusion sur le papier tandis qu'Alexis disputait, avec l'*Ali Baba*, des courses sur le Grand Canal, avec parfois à son bord de ravissantes créatures.

On vit néanmoins Alexis lors d'une fête somptueuse organisée à Paris pour le vingt-deuxième anniversaire de Barbara. Tout ce qu'il y avait alors de riche, jeune et célèbre dans la capitale avait été convié à cette folle réception qui devait rester dans les annales du Ritz. Un dîner de cent cinquante couverts précéda le bal où furent conviés plus de deux mille invités. On dansa partout, au son de plusieurs orchestres. Et l'on reconstitua pour l'occasion dans l'immense salle de bal Régence une vieille rue de Marrakech.

Parmi les invités, il y avait un certain comte Haugwitz-Reventlow, un Danois né en Prusse, que l'on voyait assez peu circuler dans la haute société internationale. Barbara l'avait rencontré à Londres, dans une maison de production de films. C'était Alexis qui le lui avait présenté. Ils s'étaient vus une deuxième fois à Karlsbad, quand Barbara y séjournait avec ses parents. Ils s'étaient revus une troisième fois à Londres, peu de temps avant l'anniversaire de Barbara, alors qu'ils résidaient tous deux au Claridge.

Dès leur première rencontre, Barbara s'était sentie extrêmement attirée par cet homme de trente-neuf ans. Grand, musclé, très élégant, il avait un visage aux traits aiguisés. Il parlait couramment cinq langues, était un skieur émérite et un alpiniste hors pair. C'est lors de leur dernière rencontre à Londres que Barbara l'avait invité à son anniversaire.

Quand il arriva au Ritz, Reventlow fut surpris de se voir placé à la table d'honneur, et à la droite de Barbara. Il s'ensuivit des chuchotements dans l'assemblée, qui se propagèrent de table en table et d'invité en invité. Puis l'orchestre se mit à jouer une valse et le comte invita Barbara à danser. Ils tournoyèrent tous deux dans la salle, sous l'œil soupçonneux d'Alexis. Puis ils dansèrent et dansèrent encore. Mdivani avait de plus en plus de mal à cacher son trouble. Il marchait de long en large, tel un lion en cage, et son visage d'ordinaire si rayonnant était déformé par la jalousie.

Barbara et son cavalier dansèrent jusqu'à l'aube. Les uns après les autres, les invités partirent. Ils restèrent seuls, à valser au milieu de l'immense salle de bal.

7

Dès le lendemain de l'anniversaire de Barbara, la presse à scandale s'accorda sur ce point : la riche héritière n'allait pas tarder à divorcer. Elle s'empressa de démentir officiellement cette rumeur, avant d'embarquer à Southampton, sur l'*Europa.* Elle partait à New York, où elle avait décidé de passer les fêtes de Noël. Alexis, quant à lui, allait à New Delhi pour disputer un match de polo. Barbara annonça aux journaux qu'elle avait prévu de le rejoindre dans six semaines au Caire, « si tout allait bien ».

Quand elle arriva à New York, elle eut le sentiment que toute la ville lui était hostile. Les vendeuses des magasins de luxe, les chauffeurs de taxi, les portiers des grands hôtels, toutes les petites gens semblaient nourrir à son égard une haine farouche. Ceci pouvait s'expliquer par le fait que le pays se relevait difficilement de la Grande Dépression, comme d'une longue maladie. Par ailleurs, toutes les dépenses de Barbara, qu'il s'agît des caprices de Mdivani, de leurs voyages communs, ou des fêtes somptueuses qu'elle avait données, étaient minutieusement rapportées et bien souvent montées en épingle par les chroniqueurs mondains. On lui reprochait, entre autres choses, de ne pas soutenir les œuvres de charité. Or il a été prouvé par la suite qu'elle avait en réalité fait des versements substantiels à diverses organisations humanitaires de l'époque. Rien que pour l'année 1934, elle a donné 25 000 dollars à un fonds de soutien pour les expéditions et recherches archéologiques de Roy Chapman Andrews; 250 000 dollars à la Croix-Rouge américaine; 10 000 dollars à un fonds d'entraide pour musiciens. Et elle ouvrait sa bourse à bien d'autres structures et organismes, tels que le Foundling Hospital de New York, le Metropolitan Museum of Art, le Whitney Museum, la Julliard School of Music, le San Francisco Opera Company et le New York Philharmonic.

Le soir de Noël, Barbara organisa un dîner chinois chez elle, en l'honneur de l'ambassadeur T.C. White et de son épouse la princesse Der Ling, qui venaient d'arriver à New York. Ce dîner, préparé par un maître cuisinier loué pour l'occasion à l'hôtel Pierre, fut servi dans de l'authentique porcelaine chinoise et dégusté avec des baguettes. La princesse Der Ling, qui avait une connaissance très poussée de l'art chinois, allait devenir un guide précieux pour Barbara dans l'acquisition de nouvelles pièces de collection. Parmi les autres personnes qui eurent le privilège de s'asseoir à sa table ce soir-là, il y avait Lawrence Tibbett, baryton au Metropolitan Opera. Barbara lui avait envoyé un exemplaire de *L'Enchantée.* Il avait trouvé ces poèmes « charmants » et lui avait suggéré d'en mettre certains en musique pour en faire des chansons. Cette proposition avait beaucoup touché Barbara, car tous ses amis, hormis les Kennerley, montraient la même indifférence à l'égard de son œuvre.

Barbara choisit l'un de ses poèmes sur Pékin, lui donna un nouveau titre, en réécrivit deux autres dans le même genre, puis elle baptisa cette triade *Images de Pékin.* Elsa Maxwell les mit en musique avec l'aide de Noel Coward. Et Tibbett les chanta à la radio en mars 1935. Il fut enregistré deux mille copies de ces trois chansons, mais l'on n'en vendit que quelques centaines. Néanmoins, Barbara toucha 125,50 dollars de droits d'auteur. Cette somme avait une valeur symbolique, dans le sens où ce fut la deuxième fois de sa vie que Barbara gagnait de l'argent par elle-même. (La première fois, elle avait touché 25 dollars pour la parution de son poème « Bol de jade » dans le livre de John Goette, *Histoire du jade chinois.*)

Barbara passa les fêtes du Nouvel An avec son père et sa belle-mère à Prospect Hill, leur plantation près de Charleston. Le but de cette réunion était de discuter des problèmes conjugaux de Barbara, et de faire le point sur ses rapports avec le comte Reventlow. Hutton, qui était toujours bien renseigné, avait été informé par l'un de ses espions que Barbara avait revu le comte deux fois. Aussi avait-il voulu en savoir davantage sur cet homme mystérieux, et engagé dans ce but un célèbre détective privé londonien, Harold Munro.

Munro ne lui dit que du bien de Reventlow. Non, il n'était pas « fiché » comme chasseur de fortune, et aucune rumeur fâcheuse ou scandaleuse ne s'attachait à sa personne. Sur son extrait de naissance, il était précisé qu'il s'appelait Court Heinrich Eberhard Erdman Georg Haugwitz-Hardenberg-Reventlow, et qu'il était né en Allemagne, à Charlottenburg, en 1895. Sa mère était d'origine austro-danoise et son père, le comte Georg Haugwitz-Reventlow, était moitié polonais, moitié allemand et avait possédé une florissante fabrique de ciment en Allemagne.

Les Reventlow avaient quitté l'Allemagne pour s'installer au Danemark quand Court n'était encore qu'un petit garçon. Des années plus tard, pendant la Première Guerre mondiale, il avait été officier dans l'armée allemande et s'était vu gratifié de la Croix de fer de première classe. Après la guerre, il s'était occupé des fermes familiales sur l'île de Lolland, au large de la côte sud du Danemark. Le domaine, qui s'étendait sur huit mille hectares, comprenait le château de Hardenberg, ainsi que de nombreuses fermes.

Reventlow, qui était devenu sujet danois, obtenait d'excellents résultats dans l'exploitation de son domaine. Il fabriquait le meilleur bacon du pays, et possédait un train privé pour transporter les centaines de litres de lait produits quotidiennement par ses fermiers. Son frère l'aidait à gérer le domaine, et ces deux hommes étaient renommés pour avoir une vie très saine, loin des mondanités.

Munro précisait également dans son rapport : « Reventlow désire avoir une vie de famille, est très respecté parmi ses pairs, et devrait être capable d'entretenir votre fille sur un train de vie très honorable. »

En dépit de tous ces renseignements élogieux, Hutton ne désirait pas voir sa fille divorcer immédiatement. Il y avait déjà de nombreux divorces en cours dans la famille Hutton, et cela donnait à réfléchir à Franklyn. De plus, Barbara connaissait à peine Reventlow. Aussi se rangea-t-elle à l'avis de son père, et accepta-t-elle de rejoindre Mdivani au Caire, comme convenu.

Mais elle s'était bien gardée de dire à son père qu'elle partait quinze jours plus tôt que prévu pour l'Égypte, et que son compagnon de voyage était Reventlow. Jean Kennerley était aussi du voyage, qu'elle décrit ainsi : « Je partageais une chambre avec Barbara. Reventlow était dans la chambre d'à côté. Ma présence lui déplut et il me le fit bien sentir. Barbara le trouvait extrêmement attirant parce que mystérieux et inquiétant, quant à moi, je trouvais qu'il avait un visage cruel. Il était despotique avec les domestiques, y compris avec ceux de Barbara. C'était un homme absolument indomptable, qui se mettait en colère pour un rien, et qui avait l'habitude de faire de la provocation. Je me souviens qu'un jour il a donné un coup sur la tête d'un petit Arabe qui nous réclamait quelques pièces avec insistance. J'ai dit à Barbara : « Tu n'as pas sérieusement l'intention d'épouser cet homme-là, n'est-ce pas ? » Mais elle était folle de lui et sa décision était déjà prise. Finalement, le pauvre Alexis arriva au Caire, et Reventlow le mit à la torture en redoublant d'attentions à l'égard de Barbara. Elle s'y montrait sensible, un peu trop sensible, et ses sentiments pour Reventlow étaient évidents. Ce voyage fut pour moi un enfer, et je me sentis vraiment soulagée quand nous rentrâmes à Londres. »

Vers la fin du mois de mars 1935, les événements se précipitèrent. Les Mdivani résidaient alors dans une suite au Claridge et le comte Reventlow avait une autre suite au Berkeley Hotel. Barbara passa un après-midi à parler avec Court, puis elle s'entretint avec Alexis dans la soirée du même jour. Elle lui dit que tout était fini. Et elle dut se montrer convaincante, car, quelques heures plus tard, Alexis téléphonait à Roussie Sert, à Paris. Il raconta à Roussie que Barbara lui avait dit que tout était irrémédiablement fini entre eux, et qu'elle ne lui reviendrait jamais.

– Où est Barbara en ce moment? demanda Roussie.

– Elle a fait ses valises et elle a quitté le Claridge. Elle est probablement au Berkeley avec Reventlow.

– Tu veux qu'elle revienne?

– Bien sûr que je le veux.

– Alors ne bouge pas. Je serai là demain. Je parlerai à Barbara. Ne t'inquiète pas, elle m'a toujours écoutée.

Roussie arriva à Londres le lendemain matin. Elle se précipita au Berkeley et demanda Barbara à la réception. Le réceptionniste lui dit qu'elle était partie quelques heures plus tôt.

– A-t-elle laissé une adresse? demanda Roussie.

– Oui, elle nous a demandé de renvoyer son courrier à New York, au 1020 de la Cinquième Avenue. Elle a embarqué à bord du *Bremen,* et elle devrait être à New York dans quelques jours.

Effectivement, le *Times* annonçait dès le lendemain que Barbara avait bien embarqué à bord du *Bremen* en compagnie de Jane Alcott, Jimmy Donahue, Ticki Tocquet, son chauffeur Clinton Gardiner et sa femme Liliane, sa masseuse suédoise Karen Gustafson, et sa femme de chambre française, Simone Chibleur.

L'arrivée de Barbara à New York créa le même remue-ménage dans la presse que d'habitude. Franklyn Hutton, craignant le pire cette fois, avait loué les services d'une demi-douzaine de gardes qui assistèrent Barbara lors de son débarquement et la tinrent éloignée des assauts intempestifs de la presse. On l'installa dans une grande limousine, puis on la conduisit au 834, Cinquième Avenue, chez Jimmy Donahue. Elle y passa la nuit, avant de prendre, le lendemain matin, un avion spécialement affrété pour elle. Elle était accompagnée de Willard Thompkins Jr., son avocat new-yorkais, et se rendait à Reno, la capitale mondiale du divorce.

A Reno, elle résida chez George Thatcher, un avocat renommé dans la région, qui avait été désigné pour la représenter dans le Nevada. Clinton Gardiner avait également été envoyé sur place et faisait office de garde du corps. Il accompagna notamment Barbara le jour où elle visita le magasin Woolworth de Reno. Couverte de diamants, elle arpenta les allées du magasin, tâta la marchandise, donna de nombreux autographes, sourit beaucoup, mais ne dépensa pas un centime.

Pendant qu'elle était dans le Nevada pour organiser son divorce, le comte Reventlow était à Copenhague pour demander une audience au roi Christian X. Comme à tous les propriétaires terriens, conformément à la législation de la couronne danoise, il lui fallait le consentement du monarque pour se marier. Le roi donna son approbation officielle à cette future union, et Court, accompagné de son valet, Paul Wiser, prit le bateau pour New York. A son arrivée dans la grande cité, il fit de retentissantes déclarations à la presse comme quoi jamais – au grand jamais – il n'épouserait Barbara Hutton. Il alla même jusqu'à parier vingt-cinq dollars là-dessus avec un photographe de presse, se révélant tout aussi brillant dans l'art de fabuler que le plus roué des Mdivani.

Dans les vingt-quatre heures qui suivirent, il prit le train pour Reno avec Wiser. Ils devaient arriver le 13 mai, jour où le divorce de Barbara allait être prononcé.

Et effectivement, elle n'était divorcée que depuis quelques heures – elle n'avait pas revu Alexis, qui s'était fait représenter par un avocat – quand le train de Court Reventlow entra en gare de Verdi, à une vingtaine de kilomètres de Reno. Là, Court fut accueilli par Willard Thompkins Jr., et conduit jusqu'au lac Tahoe. Et ce soir-là, quand on vit Court et Barbara marcher bras dessus bras dessous en direction de la Tahoe Tavern, le monde entier en prit note par l'intermédiaire des quelques journalistes présents sur les lieux. Le premier à faire un papier fut Wooster Taylor, reporter au *San Francisco Examiner.* Dès le lendemain, son article paraissait sous le titre : « Le prince est mort. Longue vie au comte! »

Tous ne furent pas aussi moqueurs à l'égard de Barbara, mais le fait qu'elle eût ainsi décidé de se remarier moins de vingt-quatre heures après avoir divorcé ne fut pas très bon pour son image de marque.

A sa décharge, on peut dire qu'elle se contenta cette fois d'une cérémonie fort discrète et fort simple, qui eut lieu chez le Dr A.J. Bart Hood, un médecin voisin et ami de George Thatcher. Barbara avait revêtu pour la circonstance une robe jaune imprimée et un chapeau de paille assorti. Reventlow portait un costume noir classique et se présenta devant sa future femme avec un bouquet de fleurs sauvages. Le révérend William Moll Case, de l'Église presbytérienne de Reno, fit un service nuptial de dix minutes. George Thatcher et Willard Thompkins Jr. furent les deux témoins du mariage. La liste des invités était restreinte à quelques personnes seulement : le juge et Mrs. Bartlett (des amis des Hood), la princesse Der Ling et l'ambassadeur White, son mari (qui vivaient alors en Californie), Jimmy Blakely (qui vivait également en Californie), Ticki Tocquet, Mr. et Mrs. Franklyn Hutton, Jimmy Donahue et le valet de Reventlow.

Après la cérémonie, Mrs. Hood servit un petit déjeuner campagnard aux mariés et aux invités. Puis une caravane nuptiale, composée essentiellement de voitures de police, escorta les jeunes mariés jusqu'à San Francisco, en passant par les montagnes du Nevada.

Les Reventlow descendirent au Mark Hopkins Hotel, où Barbara s'arrêtait chaque fois qu'elle venait à San Francisco. Une horde de journalistes et de curieux attendait le couple dans le hall de l'hôtel, et il ne leur fallut pas moins de vingt policiers pour réussir à gagner leur suite.

« Notre première nuit à San Francisco, nous étions énervés tous les deux, écrit Barbara. Ces premiers moments intimes manquaient de chaleur et de spontanéité. Court me dit qu'il était épuisé et nous nous endormîmes. Ce n'est qu'au petit matin, à moitié endormis, que nous avons fait l'amour. »

Le lendemain, ils devaient visiter San Francisco, que Reventlow ne connaissait pas. Mais dès qu'ils quittèrent l'hôtel, ils n'eurent plus un seul moment de paix. Les journalistes, les photographes les suivaient partout. Dans les rues, les curieux maintenus derrière des cordons de police les apostrophaient. Quand ils rentrèrent à l'hôtel, ils trouvèrent des dizaines de gerbes de fleurs inondant leur lit, et des centaines de messages retransmis tant bien que mal par un réceptionniste éreinté. Les trois téléphones de leur suite n'arrêtaient pas de sonner. Et il fallait subir le défilé permanent des femmes de chambre, maîtres d'hôtel et autres employés qui venaient s'enquérir des goûts culinaires des époux ou des tenues qu'ils avaient prévu de porter à la fête donnée le soir même dans la grande salle de bal de l'hôtel.

Est-ce que cela va être tout le temps ainsi ? a dû se demander Reventlow. Il dut danser toute la soirée parmi cinq cents personnes qu'il n'avait jamais vues et ne reverrait probablement jamais. Il dut se montrer aimable avec des dizaines de journalistes qui tous lui demandaient : « Aimez-vous San Francisco ? », à qui il répondait invariablement : « C'est une ville charmante. »

Lorsqu'ils se retrouvèrent enfin seuls cette nuit-là, Barbara et Court eurent leur premier sujet de désaccord : il voulait quitter San Francisco immédiatement alors que Barbara entendait rester.

Finalement, Barbara céda, et ils réussirent à quitter l'hôtel sans trop se faire remarquer, en passant par le garage de derrière où une limousine les attendait. Le « Curleyhut » – le wagon privé de Barbara –, rattaché à l'express de New York en gare d'Oakland, les conduisit jusque dans la grande cité. Là-bas, ils eurent une mauvaise surprise. Une manifestation d'employés des *Five and Dime* les suivit depuis la gare jusque chez Barbara, au 1020 de la Cinquième Avenue. Ils eurent droit à une injurieuse litanie de protestations, tandis qu'on agitait autour de la voiture des bulletins de salaire.

L'incident fut vite oublié et, le 30 mai, les Reventlow embarquèrent sur le *Bremen* à destination de l'Europe. Bien qu'il fût très content de retourner sur le vieux continent, Reventlow était déjà conscient d'un certain nombre de travers chez sa femme. Après deux semaines de mariage, il en était arrivé à la conclusion que Barbara adorait la publicité que l'on faisait autour de son nom, pis, qu'elle en avait absolument besoin pour se sentir bien. Pour une femme qui ne cessait de répéter qu'elle détestait la sauvagerie de la presse, elle faisait montre d'une infinie courtoisie envers les journalistes, accordant interview sur interview, organisant conférences de presse et séances de photo à gogo. En réalité, elle était toujours disponible dès qu'il s'agissait de faire parler d'elle d'une manière ou d'une autre. Elle suivait de très près tout ce que l'on écrivait sur sa personne. Elle parcourait les magazines, les quotidiens, les rubriques mondaines avec un œil de rapace, et lisait tout ce qui la concernait de près ou de loin, de la première à la dernière ligne. Et si d'aventure elle ne trouvait pas mention de son nom pendant plusieurs jours, elle jetait les journaux rageusement sur le sol et se plaignait à Ticki Tocquet, faisait des caprices, telle une petite fille dont on ne s'occupe pas suffisamment.

Reventlow découvrit une autre particularité désagréable de sa femme : sa peur de grossir. Ces régimes draconiens qu'elle s'imposait eurent tôt fait de lui empoisonner la vie. Dès qu'elle prenait quelques centaines de grammes, elle devenait insupportable.

Au tout début, quand il constata qu'elle ne mangeait rien d'autre qu'un plat végétarien tous les trois jours, il pensa qu'elle cherchait sans doute à perdre un peu de poids. Mais quand il comprit qu'il s'agissait d'une pratique habituelle, le comte s'inquiéta et commença à poser des questions à Barbara. Avait-elle déjà consulté un médecin diététicien? Barbara lui dit que non, mais que son problème de poids la concernait en propre et qu'elle n'avait besoin d'aucun conseil extérieur.

Cette attitude allait profondément perturber Reventlow, qui appréciait la bonne chère. Chaque repas devint un combat, un exercice de maîtrise de soi. Et cela prit des proportions telles qu'il finit par se sentir coupable chaque fois qu'il avalait une nouvelle bouchée de nourriture. Après son divorce, il raconta à un journaliste qu'il arriva un moment où il eut du mal à continuer de prendre du plaisir en mangeant. A table, elle suivait tous les mouvements de sa fourchette avec des yeux de rapace, jusqu'à ce qu'il se mît à manger de plus en plus vite, ou en d'aussi petites quantités qu'elle. En quatre ans de mariage avec Barbara, Reventlow perdit vingt kilos.

Pendant leur premier été ensemble, Reventlow réussit néanmoins à convaincre sa femme d'aller consulter deux célèbres médecins anglais spécialisés dans les problèmes de nutrition. Ils avaient une clinique à Fribourg, et Court y accompagna Barbara. Mais nos deux nutritionnistes restèrent perplexes devant leur étrange patiente. Le Dr Martin diagnostiqua finalement une anorexie mentale, névrose rare à cette époque, et conseilla à Barbara d'aller voir un psychanalyste. Elle refusa.

Elle fut bien contente de quitter Fribourg. Les svastikas et les slogans antisémites qui fleurissaient partout dans cette ville terrifiaient l'une de ses servantes, une juive américaine du nom de Leah Efros. Le jour où l'on refusa de servir Leah dans un restaurant, Barbara décida que c'en était trop et les Reventlow plièrent bagage. Ils s'arrêtèrent à Karlsbad, la ville où ils s'étaient rencontrés. Reventlow réussit à persuader sa femme qu'en faisant régulièrement de l'exercice, elle pourrait manger davantage sans grossir pour autant. Cela marcha aussi longtemps qu'ils restèrent dans la station thermale. Mais dès qu'ils arrivèrent en Égypte, Barbara se remit au régime. Ils résidèrent là-bas chez le baron Jean Empain, belge et fort riche, qui possédait un palais près du Caire. Puis ils allèrent à Jérusalem. Et là, Barbara eut une infection vaginale. Le docteur qu'elle consulta diagnostiqua un champignon et lui apprit qu'elle était enceinte d'au moins deux mois.

Entre-temps, le prince Alexis Mdivani s'était refait une vie confortable grâce à la fructueuse moisson glanée pendant ses deux ans de mariage avec Barbara. Elle lui avait versé deux grosses sommes d'argent, mais il possédait, outre son bateau l'*Ali Baba,* une écurie de chevaux de polo, une Rolls-Royce, toute une collection de bijoux de grande valeur, et un palais à Venise qu'il avait reçu en « cadeau de divorce ».

Alexis venait d'acheter un appartement à Paris, place du Palais-Bourbon. Dans cette résidence parisienne, il s'installa « à l'indienne » : longs divans de satin blanc, coussins posés à même le sol et murs tendus de soie chatoyante. Il engagea deux serviteurs hindous, qu'il habilla de soie blanche. Et juste au moment où la décoration de l'appartement fut achevée, il rencontra une femme, dont il tomba fou amoureux. C'était la baronne Maud von Thyssen, qui était séparée de son mari, le baron Heinrich von Thyssen, magnat de l'acier et grand industriel allemand, qui avait d'énormes intérêts dans la région de la Ruhr.

En juillet 1935, Alexis et Maud allèrent passer des vacances en Espagne chez les Sert, au Mas Juny. Sur les conseils de Roussie, Alexis acheta une vieille propriété dans les environs. Cette demeure, qui avait appartenu à Pierre III d'Aragon, avait sa propre chapelle. Alexis décida de la restaurer et de se marier là avec Maud, dès que les époux von Thyssen auraient divorcé. Pour accélérer la procédure, la baronne décida de rentrer à Paris. Alexis l'attendrait au Mas Juny.

Le soir du 1er août, Alexis et Maud partirent en direction de Perpignan, où Maud devait prendre le train pour Paris. Ils étaient en retard, et Alexis conduisait encore plus vite que d'habitude. A un moment donné, dans un virage, il perdit le contrôle de sa voiture, heurta un arbre, et fit cinq tonneaux. Quand on leur porta secours, il était mort. La baronne était gravement blessée mais respirait encore.

Roussie ne se remit jamais tout à fait du décès de son frère. Elle chercha refuge dans la drogue et ne fut bientôt plus que l'ombre d'elle-même.

« Perdre Alexis, écrivit-elle à Barbara Hutton, c'est perdre en partie ma propre vie. Nous l'avons enterré dans la petite chapelle de Pierre III qu'il aimait tant. J'y vais rarement, tant cela me fait horreur de savoir qu'il est là. Alexis n'avait que vingt-six ans et toute sa vie devant lui. »

Six mois après la mort d'Alexis, sa première épouse, Louise Van Alen, défraya la chronique en devenant Mrs. Serge Mdivani.

Quelques mois plus tard, pendant leur voyage de noces à Palm Spring, Serge devait à son tour trouver la mort. Il était lui aussi un joueur acharné de polo, et son cheval, après l'avoir mis à bas, rua et lui donna un coup de pied fatal dans la tête. Louise Van Alen fit de nouveau la une des chroniques mondaines. Cette fois, elle devenait la veuve la plus célèbre des États-Unis.

8

Barbara apprit la mort d'Alexis au moment où elle arrivait au château de Hardenberg, dans l'île danoise de Lolland. Elle rendait visite pour la première fois à la famille Reventlow.

Cette nouvelle la traumatisa tant qu'elle sombra dans une profonde dépression. Elle s'enfermait à clé dans sa chambre et passait ses journées à écouter des disques de Bing Crosby – elle en avait emporté plusieurs avec elle. Court Reventlow, qui dans son attitude vis-à-vis des femmes était plus prussien que danois, n'arrivait pas à comprendre pourquoi elle était si affectée par la disparition d'un homme qu'elle n'aimait plus. Et il ne voyait pas comment les disques de Bing Crosby pourraient l'aider à surmonter cette épreuve.

Plus tard, Reventlow dira que Barbara eut des affinités toutes particulières avec son pays, et apparemment, il le pensait vraiment. En réalité, elle détestait cette île perdue dans les brumes, d'un climat perpétuellement humide, et ce petit village de Saxkobing. Avant son arrivée, il y avait eu des feux de joie dans le jardin municipal – une manière pour les villageois de montrer leur espoir de la voir s'installer dans leur pays. En effet, si elle décidait de rester, peut-être paierait-elle les impôts qu'en tant que métayers ils devaient à Reventlow.

Heinrich, le jeune frère de Court, qui n'occupait qu'une partie du château, fit rénover quinze pièces et s'exila à l'autre bout de l'immense demeure, qui, selon la légende, était hantée.

C'était au château de Hardenberg, disait-on dans la région, que le comte Struensee, par amour pour la reine Caroline Mathilde, avait mis sur pied un complot destiné à améliorer la condition des pauvres au Danemark. Juste avant qu'on le décapite, le comte Struensee maudit la noblesse danoise dans son entier pour l'avoir conduit à sa perte et fait emprisonner Caroline. La malédiction de Struensee était encore supposée planer sur la tête de tous les nobles qui pénétraient dans le château.

Quand la presse danoise envahit les lieux pour interviewer les visiteurs étrangers, Jimmy Donahue fit le malin en racontant aux journalistes que Reventlow avait en réalité loué le château pour les recevoir, et que la location prendrait fin dès qu'ils rentreraient aux États-Unis. En fait, Jimmy était très vexé qu'on l'ait installé non dans le château proprement dit, mais dans le pavillon des invités. Aussi s'ingéniait-il à creuser chaque jour un peu plus le fossé qui le séparait de Reventlow. Il s'amusait par exemple à imiter son ton coupant et son maniérisme germanique, rigide. Une nuit, parce qu'il avait froid, il cassa des tables, chaises et tabourets pour en faire du bois d'allumage et alimenter son feu. Barbara, bien que réprouvant un tel acte, ne put s'empêcher de rire de cette gaminerie.

Mais il y a autre chose dont elle devait se souvenir, et tendrement cette fois. Un soir, à la fin d'un dîner donné en son honneur et auquel avaient été invités des nobles de la région et plusieurs grands diplomates européens, Heinrich lui offrit un magnifique bracelet d'émeraudes ayant appartenu à son arrière-grand-mère et serties dans une monture moderne de chez Tiffany. Barbara fut profondément touchée par ce geste. « C'est la première fois, dit-elle, que je reçois un présent que je n'ai pas dû payer moi-même. »

Au début du mois de septembre, les Reventlow étaient de retour à Paris, et occupaient une suite au Ritz. Une lettre arriva, annonçant à Barbara que la succession d'Alexis était ouverte et qu'elle faisait partie des ayants droit – il y en avait quatre autres, tous des parents d'Alexis; ils devaient tous se réunir à Paris pour procéder à un partage équitable des biens.

Barbara n'avait nulle intention de réclamer sa part d'héritage et décida d'en faire don à une œuvre de charité.

Et cette décision fit qu'elle se sentit légère tout à coup. Elle échappait à des contraintes ennuyeuses et tristes, et pour la première fois depuis des semaines, elle profita vraiment de la vie. Elle commença à se lever tous les matins de bonne heure, pour jouer au tennis avec son mari et des amis. Silvia de Castellane se souvient qu'« elle était très belle, resplendissante même, sur le court de tennis, et qu'elle jouait fort bien, beaucoup mieux que Reventlow. »

On vit beaucoup Barbara en tenue de tennis dans les journaux. Les patrons de presse avaient constaté que son nom faisait vendre et ils lui assignèrent chacun l'un de leurs meilleurs reporters. On pouvait donc ainsi suivre le déroulement de ses journées au détail près. Elle allait se faire coiffer chez Antoine, avait presque chaque jour des séances de photos pour *Vogue* ou *Harper's Bazaar*, faisait sa tournée rituelle des magasins chics de la rue du Faubourg-Saint-Honoré, déjeunait chez Maxim's, se promenait seule au bois de Boulogne, ou bien furetait chez les bouquinistes de la rive gauche. Il lui arrivait souvent aussi d'aller dans les musées et les galeries de peinture l'après-midi. Elle passait ses soirées à l'Opéra, au théâtre ou à danser au Pré Catelan – quand elle n'était pas occupée à donner des petits dîners intimes ou de grands bals somptueux.

L'un des grands rites de la vie mondaine à Paris dans les années trente, c'était la fête annuelle qu'Elsie de Wolfe – lady Mendl – organisait chez elle à la Villa Trianon, au mois de septembre. La maison, construite sous Louis Philippe, était pleine de meubles XVIIIe et décorée d'une manière charmante par Elsie. Il y avait, entre autres, de très belles boiseries. Cette demeure versaillaise était un véritable petit bijou avec son jardin – qui allait jusqu'au parc du château – sa volière, son kiosque à musique et son potager. Elsie y vivait une partie de l'année avec sir Charles Mendl, son charmant époux qui était attaché de presse à l'ambassade britannique à Paris. Ils avaient également un appartement avenue d'Iéna. Ils avaient fait un mariage de raison et n'avaient que des relations chastes.

Tout le monde voulait visiter la Villa Trianon, pour voir la célèbre lady Mendl et pour jeter un coup d'œil dans sa salle de bains, une pièce deux fois grande comme sa chambre avec des banquettes tapissées de peau de léopard, des murs couverts de peintures chinoises sur verre, des chandeliers vénitiens – qui seuls diffusaient de la lumière –, et enfin les toilettes, dissimulées sous une chaise cannelée.

Cette pièce était son nid, son sanctuaire, l'endroit où elle pratiquait quotidiennement le yoga, lisait la presse, jouait au gin rummy, buvait son cocktail favori – jus de pamplemousse, gin et Cointreau – et, à l'occasion, tenait salon. Ce fut là qu'elle instruisit Barbara Hutton sur la conduite à suivre dans la bonne société française pour éviter les chausse-trapes.

Elsie adorait être entourée de gens, et ses fêtes étaient toujours très gaies. On y rencontrait un savant mélange d'artistes, de jolies femmes, et d'arrivistes. On y mangeait également fort bien, et l'on avait souvent droit à une surprise en fin de soirée. En 1935, elle fit chanter Elsa Maxwell vêtue d'un smoking devant un public de choix où figuraient Cecil Beaton, Colette, Tallulah Bankhead, Bébé Bérard, Elsa Schiaparelli et les Reventlow.

Le lendemain de cette soirée chez Elsie, Barbara alla rendre visite à Coco Chanel, rue Cambon. Elle fit des essayages en vue d'une garde-robe pour future maman, puis elle grimpa au premier étage, dans l'appartement de jour de Coco Chanel. Dans ce temple dédié à la Beauté, avec son entrée pleine de miroirs, Coco Chanel se reposait, mangeait, et recevait. Elle passait ses nuits dans une suite au Ritz, mais cet appartement était son véritable refuge. C'est là qu'elle gardait tous ses trésors : figurines en ivoire, en ébène, bronzes, cerfs et lions ornementaux, masques africains, et de très belles pièces d'art chinois.

« Nous étions assises sous une lumière rose diffuse, note Barbara. Sur son canapé de daim, Coco sirotait le scotch qu'un serveur très stylé et portant des gants blancs lui avait apporté. " J'ai pensé à votre grossesse, dit Coco. Et parfois je me demande : comment un sapin sait-il qu'il doit fabriquer des aiguilles, pourquoi les feuilles de chêne ne poussent-elles jamais sur un châtaignier, et comment un fœtus sait-il qu'il doit ressembler à un humain et non à un poulain? Remarquez, je connais des gens avec des traits vraiment chevalins. C'est magique pour moi, de ne pas savoir, mais de m'interroger tout simplement... " »

Le médecin de Barbara à Paris, le Dr Robert de Gennes, jugea qu'elle se fatiguait trop et lui conseilla de changer provisoirement de résidence. Les Reventlow envisagèrent plusieurs possibilités, et se décidèrent finalement pour Rome. Une fois de plus, Barbara voulut emmener Jimmy Donahue, et comme sa compagnie n'enchantait pas son mari, elle lui promit qu'il se conduirait bien. Ils arrivèrent à Rome à la fin du mois de septembre et descendirent au Grand Hôtel, via Vittorio Emanuele Orlando. C'était l'hôtel le plus cher et le plus élégant de la ville.

Rome avait longtemps été un paradis pour les riches. Mais tel n'était plus le cas en 1935. Les rues de la ville étaient pleines de Chemises Noires. Des voyous mettaient le feu aux voitures et attaquaient les passants en plein jour. La richesse et tout ce qui s'ensuit n'étaient plus très bien accueillis en cette période.

Au début du mois d'octobre, les fascistes organisèrent un rassemblement sur la place en face du Grand Hôtel pour célébrer l'invasion de l'Éthiopie par les troupes de Mussolini. D'heure en heure, la foule se fit plus dense, plus bruyante et plus insupportable, brandissant des portraits géants du Duce et criant des slogans fascistes. Dans leur suite du troisième étage, les Reventlow fermèrent les fenêtres pour se préserver du bruit et de l'hystérie, mais le vacarme semblait se répercuter jusque dans les fondations de l'hôtel et remonter vers les étages, comme de la fumée.

Jimmy Donahue, qui avait déjà bu sa dose quotidienne de scotch, décida de calmer les manifestants à sa manière. Il alla sur le balcon, et il saisit un pot de fleurs qu'il balança dans la foule. « Vive l'Éthiopie! Longue vie à Hailé Sélassié! » hurla-t-il tandis que le pot allait s'écraser sur le trottoir, manquant de peu un groupe de légionnaires. Puis il déboutonna sa braguette et commença à uriner par-dessus la balustrade. A la suite de cet épisode, les Reventlow durent plier bagage et quitter l'Italie avec leur turbulent cousin, déclaré *persona non grata.*

A Paris, Barbara se fit une nouvelle amie en la personne de Sheila Milbanke, la femme de sir John Milbanke, banquier à Londres. Sheila conseilla à Barbara d'accoucher à Londres, pour échapper à toute publicité. Elle lui trouva même une superbe maison à louer au 2, Hyde Park Gardens.

Ce fut le Dr Cedric Sydney Lane-Roberts qui s'occupa d'elle pendant sa grossesse. Elle se porta bien jusqu'à la fin, malgré un gain de poids important les derniers mois, et le médecin lui conseilla d'accoucher à domicile. On aménagea la chambre avec toutes sortes d'appareils sophistiqués provenant du Royal Northern Hospital, auquel était rattaché Roberts.

On engagea une infirmière et une nurse à temps complet. La nurse, Margaret Latimer, surnommée Sissi par Barbara, se vit octroyer une chambre dans la résidence. Elle allait devenir aussi indispensable à Barbara que Ticki Tocquet.

Quand Barbara commença à avoir ses toutes premières contractions, le Dr Lane-Roberts vint l'examiner et, constatant que tout allait bien, il s'apprêtait à la laisser aux bons soins de la sage-femme quand Barbara le rappela.

– Je veux une césarienne, dit-elle.

– Je ne pense pas qu'une césarienne soit indispensable, répondit Lane-Roberts.

– Peut-être, mais j'en veux une quand même.

Le docteur regarda le comte Reventlow, qui lui rendit son regard confus, embarrassé.

– Vous avez une raison de vouloir absolument une césarienne?

– Non, je trouve simplement que c'est plus facile comme ça.

Le docteur comprit alors qu'il était inutile d'argumenter, et procéda à l'anesthésie, puis à la césarienne.

La naissance se déroula donc sans difficulté. Et Barbara mit au monde un magnifique et robuste petit garçon blond aux yeux bleus. Il pesait trois kilos sept cent cinquante grammes. Cet heureux événement lui valut la première page du *New York Times*, où l'on put lire que les Reventlow avaient décidé d'élever leur enfant en Angleterre, car ils pensaient que les risques de kidnapping étaient moins grands qu'aux États-Unis. L'enfant n'avait pas encore de nom, précisait-on, car, comme l'avait déclaré le comte Reventlow à la presse, « selon une coutume danoise, cela porte malheur à l'enfant que de lui donner un prénom avant que sa mère ait complètement récupéré des fatigues de l'accouchement ». Reventlow avait également dit aux journalistes que les parents de Barbara étaient venus spécialement de New York pour la naissance de l'enfant, et qu'ils étaient presque aussi émus que lui-même et son épouse.

La joie qu'éprouva Barbara après la naissance de son fils fut de courte durée. En effet, le lendemain de la césarienne, elle commença à avoir de la fièvre, des crampes abdominales, et des hémorragies. Lane-Roberts ne réussit pas à faire tomber sa fièvre en lui donnant des médicaments. Aussi décida-t-il d'appeler à la rescousse lord Horder, son éminent confrère, médecin du prince de Galles. Quand lord Horder arriva au chevet de la malade, sa pression artérielle avait encore baissé, et son état était grave.

Horder décida d'opérer sur-le-champ. Barbara subit l'ablation d'un ovaire, mais son état ne s'améliora pas pour autant. Elle continuait à avoir de la fièvre, à saigner et à s'affaiblir. Les médecins, impuissants, parlaient à nouveau de l'opérer, et on avait même appelé un prêtre pour lui donner l'extrême-onction quand, soudain, la fièvre commença à tomber. Barbara était sauvée.

Elle retrouva vite ses forces et, dix jours après l'accouchement, était de nouveau sur pied. Ce fut en lisant un roman à l'eau de rose qu'elle tomba par hasard sur le prénom Lance, qui signifie « vaillant et sincère » (une abréviation de Lancelot, célèbre chevalier de la Table ronde), et décida d'appeler son fils Lance.

L'enfant fut baptisé le 11 juin, à Londres. Soixante-dix personnes environ purent voir ce beau bébé de trois mois et demi qui, après la cérémonie, fut reconduit avec sa nurse dans une limousine gris et noir garée devant l'église. Une escorte de motards lui ouvrait le chemin.

Pour réduire les risques de kidnapping, Barbara et Court décidèrent de déménager. Ils entendirent parler d'une élégante propriété qui était à louer dans le centre de Londres. Elle était située sur un ancien terrain de chasse royal et disposait de plus de six hectares de terrain au bord de Regent's Park. C'était la plus grande résidence privée londonienne après Buckingham Palace.

Cette maison de maître, qui s'appelait St. Dunstan's Lodge, était de couleur crème et de style Régence. Decimus Burton en avait dessiné les plans en 1825 pour le compte du troisième marquis de Hertford, qui en avait paraît-il fait un harem. Le célèbre banquier américain Otto Kahn l'acheta en 1914, mais il dut la quitter pendant la Première Guerre mondiale et en fit don au gouvernement britannique, qui la transforma en hôpital. On y soigna les soldats blessés sur le front. Puis ce fut lord Rothermere, le magnat de la presse, qui la racheta. Et après un incendie au début de 1936, elle fut mise aux enchères.

Un après-midi, Barbara et Court prirent leur voiture pour aller voir la maison. Une rue qui n'en finissait plus, des pelouses immenses, des noisetiers, des frênes et des tilleuls leur donnèrent vraiment l'impression de se trouver très loin de la ville.

Barbara acheta immédiatement la maison et la fit reconstruire en style géorgien. Il y eut trois corps de bâtiments en brique rouge et un toit en ardoise. Elle la baptisa Winfield House, en souvenir de son grand-père.

Sheila Milbanke aida Barbara dans la décoration intérieure de la demeure. Elles choisirent ensemble des meubles, des papiers peints, et « tout alla bien, jusqu'à l'arrivée d'oncle Hans », commenta Barbara.

L'oncle Hans, c'était Hans Sieben, un Allemand qui avait étudié le design à Berlin, avant d'émigrer aux États-Unis après la Première Guerre mondiale et de travailler pour William Baumgarten. Le premier chantier confié à Sieben avait été le réaménagement complet des maisons Woolworth sur la Quatre-Vingtième Rue Est. A la fin des années vingt, Sieben s'installa à Londres pour y créer sa propre entreprise. Et quand il entendit parler de la décoration de Winfield House, il prit contact avec Barbara et se fit engager comme conseiller. Il sut très vite tirer parti de la nature généreuse de Barbara, et se retrouva bientôt à la tête de tout le projet.

La première partie de son plan consista en l'aménagement d'une seconde salle à manger et en l'agrandissement de la cuisine. Il installa une nouvelle salle de musique, une bibliothèque, une salle de billard, un gymnase, une piscine intérieure et une piscine extérieure, et dix salles de bains modernes. Dans la salle de bains de Barbara, il y avait des porte-serviettes chauffants, un bain turc, des étagères en cristal et des robinets en or.

A l'extérieur de la maison, il fit construire trois serres, un court de tennis et une écurie.

En sous-sol, il y avait une cave à vins et deux garages pour dix voitures chacun. Dans le parc, il y avait une mare aux canards, un lac privé, une petite maison pour ranger tout le matériel de bateau.

Enfin, il fignola la décoration intérieure en créant une « Golden Room » (une pièce décorée avec de l'or à vingt-quatre carats), un jardin d'hiver, une salle à manger spécialement conçue pour le petit déjeuner, cinq suites pour les invités, et des quartiers réservés aux domestiques.

Tout le troisième étage de la maison avait été transformé en nursery et serait le domaine de Lance.

Après avoir dépensé 4,5 millions de dollars en gros œuvre et aménagements intérieurs, et plus de 2 millions de dollars en meubles et accessoires, Sieben fit installer un système d'alarme très performant, destiné à protéger les habitants de Winfield House des agressions en tout genre. Outre une clôture électrifiée, des caméras de surveillance, des serrures inviolables et des chambres fortes pour les objets de grande valeur, il y avait, par exemple, des fenêtres pare-balles dans toute la maison.

Mais là où le résultat final de tout ce travail impressionna le plus, ce fut dans les parties de la maison que Barbara avait ordonnancées elle-même. Son jardin d'hiver, par exemple, était un véritable musée d'art chinois dans lequel elle prit l'habitude de recevoir.

Il y avait cependant une ombre au tableau : le train de vie qu'elle menait à Winfield House et les dépenses inconsidérées auxquelles elle se livrait ne valaient rien à sa popularité. Déjà critiquée par la presse et détestée par les lecteurs populaires, sa manière de dépenser l'argent avec ostentation finit par avoir des répercussions graves au sein même des magasins Woolworth. Ce ne fut un secret pour personne qu'elle venait d'acquérir une collection de bijoux d'une valeur inestimable. Il s'agissait d'émeraudes ayant appartenu à la cantatrice Ganna Walska Leeds-McCormick – il y avait un bracelet, un diadème, un collier et des boucles d'oreilles – et qui avaient été offertes à l'origine par Napoléon III à la comtesse de Castiglione. Jules Glaenzer, le directeur des ventes chez Cartier, avait entendu dire que Barbara s'intéressait à ces bijoux et les lui avait vendus.

« Il se baladait avec les bijoux dans sa poche, a noté Barbara dans son journal. Il n'avait jamais de policiers ni de gardes du corps avec lui. Il arrivait chez vous, et il retournait sa poche sur un guéridon ou sur un lit. Aucune courbette, aucuns salamalecs, si courants chez les grands bijoutiers. Il ne faisait jamais l'article, il n'insistait pas. Vous étiez preneur ou vous ne l'étiez pas. »

Peu après l'épisode des émeraudes, Barbara partit en Égypte avec Court. Ils rentraient d'un voyage à dos de chameau dans le désert quand une grève éclata dans les magasins Woolworth.

Les grévistes demandaient un salaire minimum de 20 dollars par semaine, revendiquaient la semaine de quarante heures et le droit de former un syndicat. La direction refusa de leur donner satisfaction et les employés descendirent dans la rue.

Pendant ce temps, Barbara et Court profitaient des plaisirs de la vie en joyeuse compagnie. Ils faisaient la fête avec les ministres turc et italien accrédités à la cour du roi Farouk, la bégum Aga Khan (qui avait donné une aquarelle qu'elle avait peinte elle-même à Barbara) et le sixième comte de Carnarvon, dont le père avait présidé aux travaux de mise au jour du tombeau de Toutankhamon. Barbara donna une réception en l'honneur du jeune comte, qui lui rendit son invitation en organisant un brunch pour elle et son époux dans la chambre mortuaire de Toutankhamon. Le brunch fut servi dans des plats en or massif posés sur le magnifique sarcophage de Toutankhamon.

Dans une ultime tentative de se faire entendre, le comité de grève à New York fit parvenir un télégramme à Barbara, lui demandant d'intervenir personnellement :

COMTESSE BARBARA HUTTON
MENA HOUSE
LE CAIRE, ÉGYPTE

LES GRÉVISTES DES MAGASINS WOOLWORTH A NEW YORK DEMANDENT VOTRE INTERVENTION.

Que Barbara eût ou non voulu intervenir reste une question purement théorique. En effet, quand on apporta le télégramme, on le remit à Court, qui le lut, le glissa dans sa poche et oublia de le donner à Barbara. Aussi n'apprit-elle que bien plus tard l'existence de cette grève, alors qu'elle était déjà finie depuis plusieurs semaines.

Pour redorer son image de marque, elle accepta d'accorder une interview à Adela Rogers St. John, reporter dans l'un des journaux de Hearst. Ce long tête-à-tête, s'il donna une vision plutôt positive de Barbara, laissa néanmoins une part à la critique, notamment dans les commentaires de la journaliste en introduction à l'interview : « Il y a toujours eu quelque chose d'à la fois fascinant et totalement sans intérêt chez Barbara Hutton. Dans un sens, j'ai pu la sentir, elle, et ses millions, ainsi que la façon dont elle vit et dont elle s'amuse. »

Mais au fil de l'entrevue, Adela avait commencé à voir Barbara sous un meilleur jour, et à la considérer moins comme une victime de ses passions – et d'ailleurs, quelles passions ? – que de son entourage.

Il était généralement admis que les riches ne pouvaient comprendre les problèmes du citoyen moyen. Par conséquent, la tendance parmi les nantis était de se sentir coupable et d'oser à peine sortir dans la rue comme tout un chacun.

« Quelqu'un a dit un jour que les riches étaient différents, dit Barbara dans l'interview. Et peut-être est-ce vrai. Mais en ce qui me concerne, je ne suis que la représentante de la première génération de femmes de ma famille qui n'ont pas à faire la vaisselle, ou à confectionner leurs propres habits. Et j'ai l'intuition que si jamais je devais revenir à cette condition, je le pourrais. Je ne dis pas que cela me ferait plaisir, mais j'en serais tout à fait capable. Je ne me fais aucune illusion sur moi-même. J'aime mes amis, mais je me fiche pas mal de ma position sociale. C'est un terme qui ne signifie rien en réalité. Si l'on n'avait pas tout cet argent, on ne serait même pas dans le Bottin mondain. Et qu'est-ce que le Bottin mondain, sinon un prestigieux carnet d'adresses ? »

Venant de Marjorie Merriweather Post ou de Jessie Donahue, de tels propos eussent prêté à rire. Mais dans la bouche de Barbara, ils sonnaient déjà plus juste. Son sérieux et le regard franc qu'elle avait posé sur Adela convainquirent la journaliste que Barbara pensait ce qu'elle disait. Aussi la présenta-t-elle dans son article comme la petite fille d'un jeune homme sans le sou qui avait commencé dans la vie en gagnant trois dollars par semaine et qui était devenu milliardaire à force de travail et de persévérance, et non pas uniquement comme la riche héritière du multimillionnaire Frank Woolworth. « Elle n'a pas seulement hérité les millions de son grand-père, écrivit Adela, mais aussi ses qualités de détermination et sa capacité à gagner les millions en question. ... Je l'ai trouvée très gracieuse, intelligente et mûre. Je sais qu'elle n'a jamais connu les mêmes soucis que nous à propos du loyer et des factures à payer tous les mois, et je sais que ça l'a aidée d'être riche. Mais je sais aussi qu'elle a vécu des moments tragiques, qu'elle a souffert dans son cœur et qu'elle a dû affronter des angoisses dont vous et moi n'avons même pas idée. »

Barbara apprécia les efforts d'Adela pour dire la vérité. Elle envoya une lettre de remerciements à la journaliste, ainsi qu'un exemplaire de son recueil de poèmes, *L'Enchantée.* Quelques années plus tard, quand Adela eut besoin d'argent pour subvenir aux besoins d'une tante indigente, Barbara lui donna un chèque de 5 000 dollars. C'est là un de ces actes de générosité pour lesquels on ne lui rendit jamais justice.

9

En Angleterre, le grand événement des années 1936-1937 fut l'abdication du roi Édouard VIII, qui entendait épouser la femme qu'il aimait, Mrs. Wallis Warfield Simpson. Randolph Churchill, le fils de Winston, fut invité à la cérémonie au château de Candé, en France. Ami de Barbara depuis l'adolescence, il lui décrivit l'événement « comme une farce, comme le jour le plus noir dans l'histoire de l'Empire ».

Barbara défendit publiquement cette union. Elle dit à un journaliste qu'elle avait souvent rencontré Wallis lors de soirées mondaines et que « chaque femme a le droit inaliénable d'avoir une vie à elle ». Dans son journal intime, elle exprime un point de vue plus nuancé, notant qu'une femme qui était née américaine, qui avait divorcé deux fois et qui avait été cataloguée comme une aventurière par la reine mère ne pouvait décemment postuler au trône d'Angleterre. Wallis était « trop entière pour s'accommoder des règles de la société anglaise, dont les membres considèrent que l'argent et l'ambition sociale sont des choses trop dégradantes pour qu'on prenne seulement la peine de les mentionner ».

Le duc de Windsor eut également droit à un jugement sévère de la part de Barbara : « David n'a ni l'esprit ni la nature d'un monarque. Aux grandes barbes et à la préciosité de son grand-père, Édouard VII, et de son père, George V, il oppose un style résolument moderne. Mais il n'a aucun sens des grandes causes politiques et humanitaires. Il ne s'intéresse qu'au jardinage et à la mode. Ce ne sera pas une grande perte pour l'Angleterre. »

On peut trouver étrange qu'elle ait eu un jugement si dur à l'égard du duc de Windsor, quand on sait qu'elle était tenue en aussi piètre estime que lui par les grands d'Angleterre. Sa description de Wallis en tant qu'indésirable aurait aussi bien pu s'appliquer à elle, et fut la raison pour laquelle elle ne fit jamais vraiment partie de la haute société anglaise.

Douglas Fairbanks Jr., un ami de Barbara depuis ses débuts à New York, emploie le terme de « malentendu d'un million de dollars » pour décrire ses relations avec la classe dominante britannique. « La haute société ultraconservatrice anglaise ne l'a jamais comprise, dit-il. Avec son goût prononcé pour les voyages, ses divorces tapageurs, les titres douteux de ses maris, et le compte rendu quasi permanent et souvent sulfureux de ses faits et gestes dans la presse, elle heurtait très nettement leur sens édouardien de l'étiquette. Ils pouvaient certes admettre un écart amoureux discret et sans suite, mais leurs dérapages conjugaux ne se retrouvaient jamais à la une du *Times,* comme toutes les affaires privées concernant Barbara. Elle était plus un objet de curiosité que l'une des leurs. Elle avait beau être invitée partout où il fallait, traitée avec beaucoup d'égards, elle ne parvint néanmoins jamais à se faire réellement accepter dans cette société britannique aux règles strictes. Elle n'a certainement pas été heureuse à Londres, mais elle a su tirer parti des occasions mondaines auxquelles cette société lui offrait de participer. »

L'une de ces occasions fut le couronnement de George VI et de la reine Élisabeth, suivi par une semaine de festivités. La reine fit sa première apparition officielle lors d'une exposition botanique dans les jardins du Royal Hospital. Des milliers de fleurs roses avaient été agencées en formes de tentes sous lesquelles on prenait le thé. Toujours égale à elle-même, nota Barbara, Sa Majesté la reine, entourée de ses faux bourdons en jaquette et au visage impassible, voleta de bouquet en bouquet en humant leur senteur. Son éternel sourire aux lèvres, elle se frayait un chemin parmi les dignitaires, s'arrêtant uniquement pour boire une gorgée de thé. Révérences et sourires pincés. Larges chapeaux jaunes. Robes de satin. Tradition. Les Anglais vivent tellement dans le passé qu'on a l'impression que le présent n'existe pas vraiment.

Peu après, il y eut un festival Mozart au Covent Garden, auquel les Reventlow assistèrent en compagnie d'Emerald Cunard (née Maud Burke, et d'origine américaine, elle faisait la pluie et le beau temps dans la haute société londonienne depuis trente ans) et de Garrett et Joan Moore (le comte et la comtesse de Drogheda). Lord Drogheda et Barbara s'étaient rencontrés pour la première fois à Biarritz en 1926. « C'était la femme de mes rêves, se souvient-il. Elle était très attirante, avec un visage magnifique et d'immenses yeux bleus rehaussés par des sourcils foncés. Elle n'était pas très grande. Elle avait des mains adorables et des pieds ravissants, si petits qu'elle devait se faire faire des chaussures sur mesure. Elle avait une poitrine volumineuse, qui lui donnait un complexe. Par ailleurs, elle se trouvait trop grosse et passait son temps à suivre des régimes draconiens. Mes sentiments pour elle étaient très purs. Nous jouions ensemble au tennis et allions danser dans des boîtes de nuit ou dans les fêtes. Timide, elle n'aimait pas trop les mondanités. Elle y allait parce que cela se faisait. Mais une fois qu'elle y était, elle s'amusait généralement beaucoup. Il y avait énormément de filles très attirantes à Biarritz à cette époque, mais Barbara avait quelque chose de plus que les autres. Elle n'était pas seulement très belle, elle était en outre immensément riche, une combinaison rare. Elle est toujours restée très liée avec ma femme, Joan, qui était pianiste classique, et également avec moi, bien après l'adolescence. »

Si Barbara ne s'intégra jamais tout à fait à la société londonienne, elle y comptait néanmoins un certain nombre d'amis très chers, parmi lesquels Patsy Latham, la sœur de Garrett Moore, qui avait épousé sir Paul Latham à l'époque où Barbara s'était mariée avec Alexis. Les deux jeunes couples avaient d'ailleurs passé une partie de leur lune de miel ensemble à Venise. Elle était également en très bons termes avec Whitney et Daphne Straight. Whitney était le beau-fils de la comtesse de Nottingham.

Vers la fin du mois de juin, les Reventlow assistèrent à la finale de tennis de Wimbledon, et furent photographiés alors qu'ils étaient en train de plaisanter à l'extérieur du court avec l'as du tennis allemand, le baron Gottfried von Cramm. Ils avaient rencontré Gottfried lors de leur voyage en Égypte.

Von Cramm avait été sélectionné pour la finale des simples messieurs et devait jouer contre l'Américain Donald Budge. Pendant les cinq sets de ce match âprement disputé, et que gagna finalement Budge, Barbara prit délibérément le parti de von Cramm, applaudissant vigoureusement et montrant un fol enthousiasme chaque fois qu'il marquait un point ou faisait une belle balle. Ce favoritisme ne passa pas inaperçu, et énerva très vite Reventlow. Il avait beau rester assis et garder sa réserve, il n'en enregistrait pas moins les marques d'enthousiasme déplacées de sa femme. Après le match, quand ils se retrouvèrent dans leur Rolls sur le chemin de Winfield House, Reventlow était livide. Il commença à crier contre Barbara, puis, comme elle ne réagissait pas, il s'en prit à Clinton Gardiner, le chauffeur. Celui-ci répliqua, il y eut quelques échanges de propos aigres-doux, suivis bien entendu par des excuses en bonne et due forme de la part de Clinton. L'incident semblait clos. Mais il ne l'était pas en réalité, du moins pas pour Reventlow.

Le lendemain, dans l'après-midi, Barbara prit sa Lancia pour aller voir une amie. Et pendant son absence, Reventlow relança Gardiner sur la discussion de la veille. Une dispute éclata entre eux, à l'issue de laquelle Court renvoya le chauffeur. Il lui donna une heure pour faire ses bagages et quitter la maison.

Quand Barbara rentra, quelques heures plus tard, Court lui fit part du renvoi du chauffeur. Barbara était hors d'elle. De quel droit avait-il osé renvoyer « son » employé à elle ?

– Il ne sait pas rester à sa place, siffla Reventlow.

– Rester à sa place ? ricana Barbara. Tu me fais de la peine, Court. Tu te crois donc toujours au Moyen Age ?

– Peut-être. En tout cas, il faudrait que tu apprennes à apprécier le statut qui est le tien désormais, grâce à ton titre.

– Le statut ?

– Oui. Aujourd'hui tu es comtesse, grâce à moi.

– Et alors ? cria Barbara. Qui attache encore de l'importance à ça ? Je m'en fous comme de ma première chemise, de ton titre.

Reventlow gifla sa femme. Folle de rage, elle s'en fut à grands pas vers sa chambre, jeta au hasard quelques effets dans une valise, et sortit de la maison telle une furie. Elle retourna dans la clinique où elle avait déjà cherché refuge pendant les moments difficiles de son mariage avec Alexis.

Court apprit où elle se trouvait grâce à Ticki Tocquet, et tenta désespérément de la joindre. Mais le réceptionniste des lieux l'informa que Barbara ne prenait aucune communication. Alors il lui envoya des cadeaux, qu'elle lui retourna sans même les avoir ouverts. En désespoir de cause, il se rendit sur place, mais deux gardes l'empêchèrent de pénétrer dans la chambre de sa femme. Finalement, il fit une dernière tentative par l'intermédiaire de Ticki, à laquelle il remit une lettre d'excuse qu'il lui demanda d'aller porter à Barbara. Ticki semblait être la seule personne capable d'influencer Barbara et effectivement, le soir même, elle la ramenait à la maison.

Vers la mi-juillet, Barbara et Court partirent pour Venise. Ils prirent une suite au Grand Hôtel et passèrent leurs après-midi au Lido, où Barbara avait sa tente. En 1937, la saison d'été commença plus tôt et se termina plus tard que les autres années, probablement parce que les habitués commençaient à prendre de plus en plus au sérieux la possibilité d'une guerre. Il y eut d'autant plus de fêtes – dans les hôtels, sur les yachts, et dans les palais qui longeaient le Grand Canal.

Les Reventlow sortirent pratiquement tous les soirs, notamment avec le duc et la duchesse de Windsor. Mais la soirée la plus originale fut celle organisée par Elsa Maxwell au Palais Vendramin. Pour faire oublier le côté austère et solennel de l'intérieur de ce palais du XVe siècle, Elsa décida d'incorporer des effets sonores au décor. Elle se procura plusieurs ruches auprès d'un apiculteur, qu'elle cacha derrière d'épaisses tentures en velours. Les invités pouvaient donc admirer les sculptures en bois de Donatello et les peintures grandioses du Titien, tout en écoutant l'harmonieux bourdonnement des abeilles. Ce qui l'avait d'abord séduite comme une idée de génie affola la compagnie quand l'une des ruches s'ouvrit mystérieusement. Les abeilles s'échappèrent par centaines dans la grande salle du palais, créant une panique extrême parmi les invités qui se précipitèrent comme des fous vers la sortie. Certains allèrent jusqu'à plonger dans le canal pour échapper à l'essaim en furie.

En 1937, au palais de justice de New York, Barbara signa un acte de renonciation, par lequel elle abandonnait sa citoyenneté américaine et « tous droits et privilèges s'y rapportant ». La signature de ce document était le résultat d'une habile manipulation dont elle avait été plus ou moins la victime.

Cette idée avait germé dans l'esprit de Court pendant le printemps 1937. Il avait organisé un certain nombre de réunions entre Barbara, Clifford Turner, un conseiller financier londonien, Raymond Needham, un avocat et conseiller de la Banque d'Angleterre, et lui-même. Turner et Needham avaient expliqué aux Reventlow que Barbara, si elle renonçait à la nationalité américaine, n'aurait pratiquement plus d'impôts à payer, lesquels impôts s'élevaient à 400 000 dollars – 100 000 dollars d'impôts immobiliers sur sa résidence anglaise, et 300 000 dollars d'impôts sur les revenus à verser tous les ans au gouvernement américain.

On fit peu à peu admettre cette idée à Barbara, ce qui revenait tout bonnement à lui faire transférer tous ses fonds des États-Unis en Angleterre.

Outre l'économie des impôts, sa fortune ne serait pas réduite aux deux tiers par les taxes de succession que son fils aurait à payer, selon la loi américaine, lorsqu'elle disparaîtrait. Les droits de succession seraient alors réglés selon la loi danoise, nettement plus raisonnable. Ceci se ferait sans problème, puisque en épousant Court Barbara avait reçu d'office la nationalité danoise.

Il était bien entendu que, pour cesser de payer des impôts, Barbara devrait placer toute sa fortune dans une banque anglaise, sous forme d'un prêt privé à long terme au gouvernement britannique.

Barbara répugnait à abandonner la citoyenneté américaine, mais elle finit par capituler en se disant que c'était là la seule façon pour son fils d'hériter un jour de la totalité de sa fortune. Cette décision que Court l'avait tant pressée de prendre devait lui ouvrir les yeux sur la cupidité de son mari. Reventlow, qui était un homme de sang-froid, roublard et calculateur, ne voulait pas seulement un nid pour son fils, il voulait les œufs d'or pour lui.

Il avait un tempérament autoritaire qui, combiné avec le déplorable sens des affaires de Barbara, lui permit d'arriver à ses fins. Et si elle finit par capituler et prendre une décision qu'elle devait regretter plus tard, ce fut surtout pour avoir la paix. Le 3 septembre 1937, donc, les Reventlow embarquèrent à bord du *Queen Mary* à destination de New York.

Là-bas les attendaient Needham et Graham Mattison, un homme de loi rompu à la finance. Mattison dit à Barbara qu'il avait la ferme certitude que cette affaire pourrait se régler avec un minimum de publicité. Il suffisait pour cela que Barbara revienne seule à New York vers la mi-décembre, déclare officiellement qu'elle avait l'intention de passer les vacances de Noël avec sa famille, signe le document au palais de justice, et reparte à Londres par le même bateau le soir même.

Mais il y avait une entourloupe dans ce plan. Mattison, qui avait compris à quel point Reventlow aimait l'argent, et combien son mariage avec Barbara battait de l'aile, lui fit signer un document dans lequel il s'engageait à abandonner tous ses droits sur l'héritage de Barbara.

Reventlow n'avait aucune parade possible face à ce plan diabolique. Si jamais il refusait de signer, il avouait de façon implicite qu'il avait des vues inavouées sur la fortune de sa femme. Reventlow était coincé. Mattison s'était donc montré aussi retors avec lui qu'avec le Trésor américain. Et pour l'encourager à signer le document, il lui précisa que celui-ci stipulait qu'il toucherait un million de dollars en cas de divorce, deux millions si Barbara décédait avant lui – deux sommes parfaitement ridicules en regard de l'immense fortune de Barbara. Ce fut d'un air penaud que Court apposa sa signature sur le document, avant de s'en retourner en Angleterre.

Le 8 décembre, Barbara prenait le bateau pour New York comme prévu. A son arrivée à Manhattan, elle déclara aux journalistes qui l'attendaient : « Je suis venue passer Noël avec mon père. Je n'ai pas l'intention de rester en Europe jusqu'à la fin de mes jours. J'achèterai une maison ici, très bientôt. Peut-être à Long Island. » Tout ceci était pur mensonge, mais suffit néanmoins à contenter provisoirement les journalistes.

Le lendemain, le 16 décembre, elle se rendit au palais de justice, accompagnée de Graham Mattison. C'était l'heure du déjeuner et le palais était désert. Le juge et un clerc l'attendaient. Le clerc tendit une liasse de papiers à Barbara et lui expliqua comment les remplir. Elle était tellement nerveuse qu'elle écrivit que son mari était né à Berlin – ce qui n'était pas le cas – et qu'elle était née le 14 novembre – au lieu du 12! Quand elle dut déclarer qu'elle renonçait à la citoyenneté américaine et à tous les devoirs, droits et privilèges s'y rapportant, elle ne put que murmurer et ce fut d'une main tremblante qu'elle apposa ensuite sa signature au bas du document.

Elle réembarqua de nuit pour l'Angleterre, et échappa ainsi à toute publicité inopportune. Ses avocats, White et Case, attendirent le lendemain pour envoyer un communiqué officiel mais laconique à la presse. Ils déclarèrent notamment que la comtesse, le jour où elle avait épousé Court Reventlow, était devenue automatiquement sujet danois.

Somme toute, Barbara avait renoncé à la citoyenneté américaine sans réellement le désirer. Mais enfin c'était ainsi, et à présent elle était en route pour l'Europe.

Il y avait une chose que Graham Mattison n'avait pas prévue, c'était la réaction très vive qu'allait susciter l'annonce de la décision de Barbara aux États-Unis.

Le reproche de fond que lui fit l'Amérique fut de l'avoir trahie. Elle devait sa fortune à son pays, qui n'en tirait finalement que peu de profit. Néanmoins, ses fonds dormaient dans des banques américaines, et maintenant qu'elle allait les transférer sur un autre continent, on la considérait pratiquement comme une voleuse qui aurait pris l'argent et se serait enfuie.

Les adeptes du New Deal, prôné par le président Roosevelt, virent dans sa décision une « leçon de morale moderne » qui venait à point nommé pour montrer à l'Amérique qu'il y avait des choses à revoir dans ses lois sur les grosses fortunes et, d'une façon plus générale, dans son économie.

Mais pour la plupart des journalistes, des hommes d'État et des hauts fonctionnaires de l'Église, elle n'était que le diable réincarné, un odieux symbole d'avarice et de cupidité. « Son attitude est méprisable! » proclama le *New York Times*. « L'enfant la plus scandaleuse de la bonne société », pouvait-on entendre à la radio.

L'éditorialiste Westbrook Pegler fut le plus virulent dans ses attaques. Mais quand il finit par apprendre, quelques mois plus tard, que Barbara avait agi contre son gré, il reporta sa haine sur Reventlow. Il fut à cet égard le seul journaliste à lever le voile dans cette histoire.

Mais cette vague d'accusations entraîna de nouvelles protestations au sein du personnel des magasins Woolworth. Il y eut des grèves et des manifestations. Sur les banderoles, on pouvait lire : « BABS RENONCE A SA CITOYENNETÉ MAIS PAS À SES PROFITS » et encore « PENDANT QU'ON FAIT LA GRÈVE POUR DE MEILLEURS SALAIRES BABS PREND L'ARGENT ET S'ENFUIT ». Et de nouveau, le comité de grève envoya un télégramme à Barbara. Elle le reçut sur le bateau qui la ramenait en Angleterre. Le texte était le suivant : « URGENT QUE VOUS DONNIEZ DES ORDRES POUR QUE LES MILLIERS D'EMPLOYÉS QUI VIVENT AVEC DES SALAIRES DE MISÈRE PUISSENT OBTENIR DES SALAIRES DÉCENTS. » Barbara ne donna aucun ordre en ce sens. Et lorsqu'elle débarqua à Southampton, elle continua à se murer dans le silence.

A présent qu'elle avait renoncé à sa citoyenneté américaine, Barbara songeait très sérieusement à renoncer aussi à Court. On était en janvier 1938, et les Reventlow passaient des vacances à Saint-Moritz. Depuis dix-huit mois environ, il semblait qu'elle se conduisait avec davantage de maturité dans ses rôles de mère et d'épouse. Elle s'occupait très bien de son enfant et montrait un désir de plus en plus profond d'avoir une véritable vie de famille. Hélas, elle avait épousé Reventlow sur le coup d'une déception, et maintenant elle en avait assez de ses colères fréquentes et injustifiées, de sa jalousie maladive, de sa frivolité et de son manque de tendresse. Court était aussi collet monté qu'un vieil Anglais de bonne famille, atrocement conventionnel et partisan d'une vie routinière et réglée. Barbara était tout son contraire. Elle avait horreur des habitudes, vivait indifféremment le jour ou la nuit, agissait selon sa nature et savait jouir de l'instant présent. Dans d'autres circonstances, ces différences n'auraient pas été insurmontables. Mais pour Barbara Hutton, elles devinrent une véritable obsession, un obstacle absolument infranchissable.

Le producteur de théâtre Frederick Brisson a bien connu Barbara pendant toute la période où elle a vécu avec Reventlow. « Elle ne pouvait communiquer avec lui qu'à un niveau purement superficiel, dit-il. Il manquait vraiment de finesse, de sensibilité, et elle vivait sur le fil du rasoir. Je les ai souvent vus à Londres et à Paris. Il ne la laissait jamais en paix. Il voulait toujours qu'elle s'occupe de ses affaires, de son argent. Je n'avais jamais rencontré pareil goujat. »

La chose la plus gênante dans la personnalité de Reventlow était le besoin constant de manipuler les gens, et plus particulièrement sa femme. Il s'arrangeait pour éloigner d'elle toute personne susceptible de l'influencer dans un sens différent du sien. Il ne supportait pas Jimmy Donahue. Il détestait Graham Mattison, qui conseillait Barbara en affaires – conseils qui ne servaient pas ses propres intérêts. Il finit même par prendre en grippe les Milbanke, et plus particulièrement

John Milbanke, dont il s'était pourtant servi pour pénétrer dans la haute société londonienne. Dès lors qu'il vit en lui un rival – Milbanke donnait quelques conseils à Barbara sur la façon de gérer son argent –, il commença à le haïr.

La fin de ce mariage fut précipitée par de sérieux accrochages. Le premier fut provoqué par l'arrivée inopinée à Londres de Roussie Sert. Elle téléphona à Barbara, qui la reçut immédiatement. Roussie avait sombré dans la drogue et l'alcool et se complaisait dans le souvenir morbide d'Alexis. Elle ne parla que de lui pendant tout l'après-midi. Barbara essaya de la distraire de son mal, mais rien n'y fit. Et à l'heure du thé, Roussie refusa de boire et de manger. Elle se contenta d'avaler un verre de vodka et une demi-douzaine de Seconal.

Lorsque Court rentra le soir et qu'on l'informa de la visite de Roussie, il entra dans une colère noire – comme chaque fois d'ailleurs que le nom de Mdivani revenait sur le tapis. Il dit à sa femme qu'il ne voulait pas voir Roussie chez lui. Barbara lui rappela qu'il était ici « chez elle »

– Est-ce que tu sais que Roussie est morphinomane? aboya Reventlow.

– Elle pourrait être une meurtrière que ça ne changerait rien, dit Barbara. C'est mon amie, et elle sera toujours la bienvenue chez moi.

Vers la mi-mars, les Reventlow avaient provisoirement mis de côté leurs différends pour pouvoir profiter d'un voyage en Inde prévu depuis longtemps. Ils embarquèrent à bord d'un paquebot, et arrivèrent à Bombay deux semaines plus tard. Là, ils se rendirent à de nombreuses fêtes données en leur honneur par les dignitaires locaux. Ce fut à l'une de ces réceptions que Barbara rencontra quelqu'un qui allait jouer un rôle clé dans sa future séparation d'avec Court. Le prince Muassam Jah était le petit-fils de Nir Usman Ali, le dixième nizam d'Hyderabad, et l'un des hommes les plus riches du monde. On estimait sa fortune à deux milliards de dollars, ce qui n'était pas difficile à croire quand on voyait les piles de lingots d'or, les caisses pleines de diamants et de perles qu'il gardait dans son palais. Il avait trois cents voitures – toutes des Rolls, des Daimler et des Cadillac – sans mentionner un bon millier de serviteurs et cinq cents danseuses. Il avait trois femmes, quarante-deux concubines et de si nombreux enfants qu'il était impossible d'en faire le compte exact.

Mais il était aussi pingre que riche. Les gens invités chez lui à boire le thé n'avaient droit qu'à un petit gâteau sec chacun. Lui-même ne fumait que les cigarettes les moins chères, délaissait ses trois cents limousines pour une vieille Ford et portait le même costume hideux pendant des mois. Il était si mal habillé qu'on le prenait souvent pour un domestique. Il ne dormait jamais dans son palais, l'un des plus beaux de l'Inde, mais dans la chambrette blanchie à la chaux d'une petite maison des environs. Une chèvre blanche était depuis de nombreuses années sa compagne la plus proche. Cet animal restait en permanence à son côté et croquait des navets pendant qu'il mâchait du bétel, assis sur la véranda de sa maisonnette où il écrivait d'exquis poèmes en fumant de l'opium.

Le prince Muassam partageait l'amour de son grand-père pour la poésie. En fait, ce fut la sensibilité littéraire de Muassam qui, en premier lieu, séduisit Barbara. Dans les semaines qui suivirent son arrivée en Inde, elle le vit très souvent, d'abord à Bombay, puis à Falaknuma, le palais royal d'Hyderabad, avec sa célèbre bibliothèque de vingt mille volumes. Muassam lisait à Barbara ses poèmes sur l'Inde, et elle lui lisait ce qu'elle avait écrit sur la Chine.

Et pendant que se déroulaient ces délicieuses séances de lecture, Reventlow pratiquait la chasse au sanglier, un sport sanglant dans lequel un homme à cheval attaquait à coups d'épieu un animal sans défense. Mais il s'écoulait généralement un certain temps avant que le sanglier ne fût saigné. C'était là sans doute une bonne manière pour Court d'écouler son agressivité naturelle.

De nombreuses années plus tard, Reventlow devait dire à un journaliste que sa femme avait montré « un intérêt tout à fait hors de proportion pour le prince, mais je pensais qu'il s'agissait d'une de ces tocades sans importance qui serait oubliée dès notre retour en Angleterre. Ce que j'ignorais alors, c'était que Barbara allait être reprise par sa frénésie poétique et que Muassam deviendrait son correspondant ».

L'inévitable confrontation entre les époux eut lieu un mois après leur retour, le jour où Reventlow entra sans prévenir dans la chambre de sa femme et vit une grande photographie de Muassam sur sa table de nuit. A côté du cliché, il y avait une épaisse enveloppe avec le sceau du prince.

– Où as-tu eu tout ça? demanda Court.

– C'est un ami qui me l'a envoyé.

– Pourrais-je voir?

Et sans attendre de réponse, Court saisit l'enveloppe et lut la lettre qu'elle contenait. Son visage devint livide. Le prince déclarait son amour à Barbara, lui disait que sa vie n'avait plus aucun sens sans elle, et l'invitait à revenir en Inde au plus vite.

– Depuis combien de temps cela dure-t-il? demanda Court, d'une voix blanche.

– Euh... quelques semaines, répondit Barbara.

– Mais il y a seulement quelques semaines que nous sommes rentrés, lui rappela-t-il.

– Et alors ? Qu'y a-t-il de mal à avoir un correspondant à l'étranger ? Je ne comprends même pas ce que Muassam essaie de me dire.

– Ah non ? Eh bien moi je vois très bien ce qu'il veut dire. Et je t'ordonne de lui écrire sur-le-champ pour lui demander de cesser immédiatement de t'envoyer des lettres.

– Et si je refuse ?

– Si tu refuses, je devrai alors lui écrire moi-même. Et crois-moi, ce que j'aurai à lui dire ne sera pas très agréable à lire.

Quand il vit que Barbara n'avait aucune intention de lui obéir, Court prit la lettre du prince et sortit de la pièce à grands pas furieux. Et bien qu'elle sût qu'il pourrait utiliser cette lettre contre elle dans un proche avenir, elle resta pétrifiée, incapable de rien faire.

Mais la plus grande humiliation que son mari lui fit subir fut le spectacle pornographique auquel il la contraignit d'assister, dans le sous-sol d'un bar londonien. Cet épisode sordide avait énormément excité Court, qui tenta de prendre Barbara de force à leur retour à la maison. « Le fait qu'il pût me forcer à faire l'amour simplement parce qu'il avait des muscles et qu'il était plus fort que moi physiquement me semblait profondément injuste, devait-elle écrire plus tard. J'ai fini par me soumettre ce soir-là, mais j'ai refusé de prendre du plaisir. Et subitement j'ai réalisé que je n'avais plus les mêmes fantasmes que lui. Quand il en a eu fini avec moi, il m'a traînée par les cheveux jusque dans la salle de bains et il m'a dit : “ Tu as toujours eu un penchant inavoué pour la scatologie, Barbara. Eh bien tu vas maintenant avoir l'occasion d'en faire l'expérience. ” C'est alors qu'il m'a forcée à m'asseoir sur ses genoux pendant qu'il déféquait dans les toilettes. »

Le psychodrame Hutton-Reventlow allait atteindre son point culminant. Une semaine environ après cet incident, Barbara et Court furent invités à un dîner et à un bal chez sir Adrian et lady Baillie. Ce fut là que Barbara rencontra un jeune Allemand très blond avec qui elle n'arrêta pas de danser. Court la regardait, impuissant et agité, et ne pouvait vraisemblablement s'empêcher de faire un rapprochement avec la scène qui s'était déroulée quelques années plus tôt, quand il avait été le délicieux étranger, alors que ce soir il jouait le rôle du mari bafoué.

Si l'apparition d'un homme doté d'un titre de noblesse représentait un défi pour Barbara, elle pouvait se vanter cette fois d'avoir touché le gros lot. Son cavalier était le prince Frédéric de Prusse, le quatrième fils du prince Wilhelm et de la princesse Cécile d'Allemagne, le petit-fils de l'empereur Wilhelm II, l'arrière-arrière-petit-fils de la reine Victoria, et le filleul du roi George V, aux funérailles duquel il avait assisté en tant qu'envoyé officiel de l'Allemagne, en 1936. Frédéric avait vingt-six ans. Il était à Londres pour apprendre l'anglais et travaillait dans ce but à la banque Schroeder. Barbara le trouva attirant, intelligent, original – et surtout très utile. Grâce à lui, elle allait pouvoir se débarrasser de Court. Et le fait qu'il fît partie de la plus grande famille d'Allemagne n'en humilierait Court que davantage. Elle invita le prince à déjeuner et à faire une partie de tennis chez elle le lendemain.

Reventlow quitta la maison fou furieux avant que le prince n'arrive. Barbara et son invité déjeunèrent en tête à tête sur la terrasse, firent trois sets, puis plongèrent dans la piscine. Le prince venait de sortir de l'eau quand il se tordit la cheville. Barbara l'aida à monter l'escalier jusqu'à la chambre de son mari. Elle l'installa sur le lit et demanda à un domestique d'apporter de la glace et un bandage. Lorsque Court rentra à la maison, il trouva Frédéric sur son lit et Barbara à son côté, en train de lui masser la cheville.

Pendant les quatre semaines qui suivirent, on vit si souvent la Mercedes noire du prince garée devant la maison que certains domestiques se demandèrent s'il n'habitait pas désormais à Winfield House. Et en un sens, on pouvait dire que c'était le cas. Où que se tournassent les regards de Court, ils tombaient sur des indices de la présence du prince dans la maison. Barbara n'essayait pas de cacher ses intentions. Un matin, au petit déjeuner, elle dit à son mari : « Imagine un peu, Court. Je pourrais épouser l'homme qui sera peut-être un jour appelé à gouverner l'Allemagne. »

Reventlow comprit le message et partit s'installer à son club, sans demander de plus amples explications. Là, il reçut bientôt la visite de William Mitchell, qui était jusqu'à présent l'avocat-conseil de la famille, mais qui semblait désormais représenter Barbara. Il informa Reventlow du désir de Barbara de divorcer. Pour l'instant, elle gardait Lance. Par l'intermédiaire de Mitchell, elle faisait également savoir à son mari qu'elle était prête à lui verser deux millions de dollars, soit le double de ce qui avait été convenu à l'époque où elle avait renoncé à la citoyenneté américaine.

Mais Reventlow n'avait nulle intention de se laisser acheter. Il était encore très attaché à sa femme, en dépit de tout. Aussi dit-il à Mitchell qu'il avait des projets de vacances en France, et qu'il espérait que pendant son absence, Barbara se ressaisirait et qu'elle verrait enfin « son ridicule prince allemand » pour ce qu'il était, à savoir « un moins-que-rien de nazi ».

Avant son départ, Reventlow repassa à Winfield House pour récupérer quelques affaires. A cette occasion, il eut une conversation avec Robert Hawkes, le nouvel intendant. Il lui demanda de surveiller les faits et gestes de sa femme pendant les deux semaines où il serait parti, et de lui envoyer un petit rapport de temps à autre. Il lui promit qu'il serait généreusement payé en retour. Reventlow venait d'arriver à son hôtel en France quand on lui remit le premier rapport.

« J'ai commencé à dix-neuf heures cinquante, et j'ai remarqué que la voiture du prince Frédéric était garée dans la rue en face de l'entrée principale. La cuisinière est alors entrée à l'office et je lui ai demandé si elle avait eu une journée chargée. Elle m'a répondu : " Le prince Frédéric a passé toute la journée avec la comtesse. Je leur ai servi le déjeuner, le thé et le dîner. " A vingt et une heures, on m'a dit qu'ils étaient sortis faire un petit tour en voiture. Ils sont rentrés aux environs de vingt-deux heures trente. Peu après vingt-trois heures, j'ai remarqué que la porte du salon était ouverte, mais que la pièce était dans une demi-obscurité. Deux personnes étaient assises sur le canapé près de la cheminée, avec des cigarettes allumées à la main. A minuit, ils sont sortis du salon. Le prince Frédéric est monté dans sa voiture et il est parti. Quand je suis retourné à l'office, le premier valet m'a dit : " Ils ont l'air de plus en plus copains. J'ai l'impression que c'est sérieux ". »

Cinq jours plus tard, Reventlow recevait un deuxième compte rendu :

« Tard hier soir, quand je suis sorti pour fermer la porte du garage à clé, j'ai remarqué que la voiture du prince Frédéric était encore garée dans la rue. Il était plus de minuit. Et elle était toujours là à deux heures et demie. Ce matin, l'une des bonnes a dit que le prince avait passé la nuit dans l'une des chambres d'amis. Une deuxième bonne me l'a confirmé. »

Le dernier rapport de Hawkes causa un choc à Reventlow. L'intendant l'informait que Ticki Tocquet lui avait remis une enveloppe, l'avant-veille, vers midi. L'enveloppe contenait une avance d'une semaine sur son salaire en liquide. Sur ces entrefaites, William Mitchell était arrivé, lui avait dit qu'on savait qu'il espionnait Barbara et lui avait demandé de partir sur-le-champ.

Reventlow était furieux, mais il était surtout malheureux. Il éprouvait une sensation d'abandon, le sentiment que sans Barbara sa vie n'avait plus aucun sens. Aussi lui écrivit-il une lettre de Divonne, dans laquelle il la priait instamment d'envisager la possibilité d'une réconciliation, lui assurait qu'il l'aimait toujours et ferait tout ce qu'il pourrait pour que leur mariage marche bien désormais.

Comme elle ne lui répondait pas, il lui téléphona, et dans un accès de jalousie, il lui dit tout ce que Hawkes lui avait appris. Barbara n'essaya pas de nier qu'elle avait passé son temps avec Frédéric, mais elle reprocha à Court de l'avoir espionnée.

– Oh! Ce n'était certes pas utile de t'espionner pour savoir ce que tu fais. Tout Londres en parle.

– Et qu'est-ce que tu proposes de faire?

– Je rentre à Londres dans quelques jours, dit-il. Et si jamais je vois le prince Frédéric chez moi, je l'abats comme un chien.

Cette menace, aussi théâtrale qu'elle pût paraître, ne pouvait pour autant être prise à la légère. D'une part, Reventlow avait pris l'habitude de porter sur lui un revolver chargé – par mesure de sécurité, prétendait-il –, d'autre part, il était d'un caractère notoirement violent et pouvait se montrer capable de tout si on le provoquait. C'est du moins ce que Barbara croyait. Elle fit part de leur conversation téléphonique à Mitchell, qui, dès le lendemain, arrivait à Divonne avec une lettre de Barbara pour son mari :

« Cher Court,

» J'ai bien reçu ta lettre, qui ne me facilite pas la tâche. J'ai en effet quelque chose à te dire. J'ai beaucoup réfléchi, et il m'apparaît encore plus clairement qu'avant que ton attitude de l'année passée et particulièrement celle de ces dernières semaines m'empêche complètement d'envisager un retour à la vie commune.

» Je n'ai pas l'intention de rentrer dans les détails ni de te faire des reproches blessants. Nous nous sommes déjà dit toutes ces choses désagréables à entendre. Ce que je tiens à te dire en revanche, c'est que j'espère que tu vas bien, et que tout ce que je te souhaite, c'est d'avoir une vie heureuse, comme je l'espère pour moi-même. Ensemble, nous n'y arriverons pas... Je n'aurai aucune mauvaise pensée à ton égard, et je ne veux pas que tu en aies pour moi. Je te souhaite bonne chance.

» Il n'y a qu'une seule chose que je te demanderai, et je sais déjà que tu accepteras : n'essaie pas de me revoir, je t'en prie. Peut-être trouveras-tu cela un peu dur de ma part, mais je suis persuadée que tu finiras par admettre que j'ai raison et que toute rencontre ne ferait qu'aggraver les choses.

» Je veux te dire aussi ceci : j'ai pris cette décision seule, sans subir aucune influence. En ce qui concerne les détails juridiques, je m'en remets à Mr. Mitchell qui te donnera cette lettre de ma part. J'espère me montrer raisonnable, et je sais que tu le seras également.

» Ta toujours affectionnée,

» Barbara. »

La première réaction de Court à la lecture de cette lettre fut d'éclater en sanglots. Puis il se ressaisit et parla de se battre en duel, prétendant qu'un homme de la haute société anglaise lui avait écrit pour lui dire que s'il ne provoquait pas le prince, il ne serait plus autorisé à se montrer en public.

Avant la fin de la journée, cependant, Mitchell réussit à calmer Reventlow en lui promettant de tout faire pour que Barbara accepte de se réconcilier avec lui. Mais dès le lendemain matin, au petit déjeuner, Court se montra de nouveau vindicatif. Il ne voulait plus entendre parler de réconciliation, il exigeait une importante somme d'argent, et la garde de son enfant, ce qui était son droit.

– Dites à Barbara que j'ai l'intention de me conduire en gentleman, et que j'attends d'elle qu'elle se conduise en grande dame. Si elle essaie de me posséder d'une manière ou d'une autre, alors, je ne réponds plus de mes actes. Tout ce que je peux dire, c'est : « Que Dieu la protège et que Dieu me protège. »

– C'est une menace ? s'enquit Mitchell.

– Prenez-le comme vous voudrez, répondit le comte.

Mitchell le prit comme une menace. Et quand il rentra à Londres, il se rendit au commissariat de police avec Barbara et obtint quelques jours plus tard un mandat d'arrêt contre Reventlow. Parmi les charges retenues contre lui, il était stipulé « qu'ayant émis certaines menaces à l'encontre de sa femme, celle-ci craignait pour sa vie, ou du moins qu'il ne l'agresse physiquement ».

Le 2 juillet, Reventlow arrivait à Douvres avec son valet. Ses avocats l'attendaient, ainsi que des hommes de Scotland Yard, qui procédèrent immédiatement à son arrestation et l'emmenèrent au tribunal afin qu'il fût entendu. Sir Rollo Graham-Campbell, le magistrat, décida d'une date pour le procès – le 5 juillet – et relâcha Reventlow sous caution.

Les premiers jours du procès furent houleux et suivis avec avidité par plus de deux cents journalistes. Reventlow ne s'en tira pas si mal que cela, réussissant à paraître davantage comme un amoureux éconduit que comme un mari exécrable et violent. Néanmoins, un certain nombre de charges étant retenues contre lui, le moment vint où Barbara en personne fut appelée à témoigner. Quand son avocat l'informa, un soir, qu'elle devait le lendemain se présenter devant les juges, elle réalisa soudain que ses pensées les plus intimes allaient être jetées en pâture à la presse, et donc au pays tout entier. « Je veux simplement être heureuse », déclara-t-elle à son avocat. Et elle lui donna des directives pour qu'il retirât officiellement la plainte qu'elle avait déposée contre son mari. Seule la procédure de divorce devait continuer. Dès le lendemain, Court était libre.

Le 28 juillet, Barbara, Court, et leurs représentants légaux signaient un acte de séparation de corps à la légation royale danoise à Londres. Cet acte était valable aussi bien sous la loi danoise que sous la loi anglaise. Il stipulait que, tant que leur enfant serait petit, il passerait la majeure partie de l'année avec sa mère, et que lorsqu'il atteindrait l'âge scolaire, il passerait la moitié des vacances avec chacun de ses parents. Reventlow conservait un droit de regard sur l'éducation de son fils – choix des gouvernantes, des médecins et de l'enseignement religieux. Il aurait également son mot à dire dans l'hypothèse où son ex-épouse désirerait emmener son enfant en voyage pendant de longues périodes.

Selon cet accord, Court ne devait toucher aucune pension, indemnité, ou somme d'argent de quelque ordre qu'elle fût, hormis le million de dollars qu'on avait prévu de lui remettre en pareil cas. Il fut néanmoins porté gestionnaire d'une somme d'un million et demi de dollars que Barbara avait mise au nom de son fils. Par la suite, Court devait en utiliser une partie pour pourvoir à l'éducation de celui-ci.

Le père de Barbara, qui jugeait que Reventlow s'était bien conduit dans cette affaire, lui offrit un coupé Hispano-Suiza en dédommagement. Étant donné que Barbara lui avait déjà offert une superbe Duesenberg l'année précédente pour son anniversaire, Court utilisa l'automobile que lui avait donnée son beau-père comme une voiture de rechange.

10

« Les gens me disaient sans arrêt que Barbara essaierait de me prendre mon mari, remarque Jean Kennerley. Je ne le croyais pas. Morley et Barbara étaient comme frère et sœur. Et Barbara se montrait toujours très loyale envers ses amis. Mais il était néanmoins difficile d'oublier l'épisode du Mas Juny, l'histoire Alexis Mdivani-Louise Van Alen. La vérité, c'est que Barbara a effectivement essayé de séduire Morley. Mais cela s'est passé bien des années après que nous nous sommes rencontrés, quand sa personnalité était transformée par les drogues et l'alcool. Cela brisa une amitié de longue date entre elle et moi. Mais je lui laisse, encore aujourd'hui, le bénéfice du doute. C'était quelque chose qui ne serait pas arrivé dans des circonstances plus normales. »

A l'époque de sa séparation d'avec Court, Barbara a commencé à avoir la réputation d'une briseuse de ménages, réputation injustifiée s'il en est. En effet, c'est la presse à scandale qui fut à l'origine de toutes ces rumeurs selon lesquelles elle débauchait pratiquement un homme marié par semaine. Cela l'entraîna même à rompre avec certaines de ses amies pour avoir la paix. On lui a attribué beaucoup plus de romances qu'elle n'en a eu en réalité. Et si tous ces propos diffamatoires la perturbaient, ils déprimaient Reventlow tout autant qu'elle. Le comte, qui avait perdu foyer, femme et enfant, habitait à présent au Ritz, et n'avait qu'un seul motif de se réjouir, celui de se dire que tout était fini entre le prince Frédéric et Barbara. La famille du prince, ayant radicalement désapprouvé son histoire avec la riche héritière, l'avait contraint à rompre, ce qu'il avait fait sans protester.

A présent courait le bruit que Barbara était au mieux avec Howard Hughes. Et c'était vrai, même s'ils ne restèrent pas longtemps amants. Dans ses notes personnelles, Barbara parle d'une incompatibilité sexuelle entre elle et le milliardaire texan. « Il voulait absolument me faire jouir et, n'y parvenant pas, il s'énervait et m'empêchait de me faire plaisir toute seule. Je crois que Howard se mettait à paniquer dès qu'il se sentait incapable de contrôler une situation. Il voulait tout maîtriser. »

Si leur relation amoureuse dura peu, Barbara garda néanmoins Hughes comme ami un certain temps. Elle l'aida à pénétrer dans certains cercles fermés où il n'aurait jamais réussi à s'introduire sans elle. « Il avait un talent rare pour se faire des ennemis partout, nota-t-elle. Les gens le considéraient comme un milliardaire bègue et à moitié sourd, dont le seul intérêt dans la vie était l'argent. Pour ma part, je n'ai jamais rencontré un homme aussi peu matérialiste que lui. Il n'avait que deux costumes, et même pas de smoking – s'il en avait besoin, il en empruntait un. Il ne portait que des baskets – il avait les pieds sensibles – et quand il voyageait, il n'emportait qu'une espèce de boîte en carton dans laquelle il fourrait quelques chemises et quelques paires de chaussettes dépareillées. Il ne mangeait que des salades, et dormait plus volontiers sur des canapés que dans des lits – quand il dormait. Howard était une personne d'agréable compagnie. Il ne vous saoulait jamais de grandes idées, n'essayait pas de vous convaincre à tout prix, et avait les disputes en horreur. »

En août 1938, Sister, la nounou, emmena Lance en vacances avec elle dans le Yorkshire, pendant que Barbara se rendait à Venise avec Ticki Tocquet. Venise était calme, pour la saison. Mais Barbara apprécia cette absence totale d'agitation et passa beaucoup de temps à bavarder sur la plage avec des amies. Elle fut invitée à une croisière de trois jours sur le yacht de Daisy Fellowes. Parmi les réflexions de Daisy lors de ce petit voyage en mer, elle devait se souvenir de celles-ci : primo, les hommes, quelle que soit leur fortune, adorent être maltraités, et plus particulièrement par les femmes. Secundo, le seul moyen de rester jeune et en bonne santé est de s'astreindre à un régime composé exclusivement de caviar, de vodka et de saumon fumé.

Vers la mi-août arriva une lettre de Court, dans laquelle il priait instamment Barbara d'accepter de le voir. Il était en route pour Vienne, disait-il, il lui demandait la permission de faire un détour par Venise, « pour discuter de certaines choses avec elle ».

La première impulsion de Barbara fut de refuser, mais finalement elle accepta.

Ils passèrent une heure ensemble dans un café du Lido, et Court montra à Barbara des photos de Lance qu'il avait prises l'hiver précédent à Saint-Moritz. C'était clair qu'il était venu dans un seul but :

se réconcilier avec elle. Il devait d'ailleurs déclarer dans une interview accordée à un journaliste anglais plus tard dans la soirée :

« Dans mon pays, le mariage est considéré comme sacré. Il n'y a pas eu de divorce dans ma famille depuis huit cents ans. Barbara reste ma femme. Je l'aime toujours autant. Elle est si délicate, si fragile. Elle a des poignets si fins, si exquis. Notre enfant est encore trop petit pour se rendre compte de ce qui se passe. Mais dans l'avenir, quel genre de vie va-t-il avoir, ainsi transbahuté d'un lieu à un autre, toujours tiraillé entre sa mère et son père ? Je me dois pour lui d'avoir un foyer. Tous les enfants ont ce besoin. »

Mais l'échec de cette tentative de réconciliation devait s'avérer évident dès le lendemain matin. Court et Barbara prirent un petit déjeuner dans la salle à manger de l'hôtel en échangeant des propos des plus conventionnels. Puis Barbara le raccompagna à la porte. Il lui baisa la main. Il venait de passer un moment avec elle pour la dernière fois.

Vers la fin octobre, Barbara rentra à Londres pour se faire arracher une dent de sagesse. Une lettre du comte Heinrich Haugwitz-Reventlow l'attendait à la maison, lettre dans laquelle il lui demandait de lui renvoyer le bracelet d'émeraudes que sa famille lui avait offert en cadeau de mariage. « Ces émeraudes sont des bijoux de famille, écrivait-il, et comme vous ne faites plus partie de la famille, je pense qu'il est normal qu'ils nous soient retournés. »

Barbara, qui comprenait parfaitement le motif de cette requête, fut néanmoins très choquée par la manière dont celle-ci avait été formulée. Aussi écrivit-elle en retour : « Si ces émeraudes font partie du patrimoine familial, alors elles seront à Lance un jour. En aucun cas je n'aurais hésité à vous les renvoyer si vous me l'aviez demandé gentiment. Mais le ton de votre lettre m'a choquée. »

Quelques jours plus tard, elle recevait une autre lettre, de Court cette fois, et plaisante de surcroît. Il lui souhaitait bon anniversaire et lui envoyait des roses rouges. Elle lui répondit avec une grande délicatesse. Elle avait toujours été extrêmement sensible à la moindre marque de gentillesse.

Le 16 novembre, Barbara arriva à Paris, comme prévu. Elle était avec son dernier admirateur en date, Robert Sweeny, le célèbre joueur de golf. Robert Sweeny et son frère Charles étaient depuis peu la coqueluche des salons londoniens. Fêtés et invités partout, dans les plus belles demeures, ils avaient ce charme irlando-américain qui plaisait beaucoup aux dames. Bobby, plus particulièrement, avec sa bonne humeur, sa désinvolture, son côté enfant et ses yeux malicieux, avait tout de suite plu à Barbara. Grand, mince, très beau, il avait une voix douce et grave qui la troublait beaucoup. « C'est le plus délicieux des danseurs, devait-elle noter dans ses carnets. La première fois que je le vis, je réalisai deux choses : j'étais indubitablement attirée par lui, et lui par moi. »

Barbara se jeta dans cette aventure avec sa capacité d'abandon habituelle. Et pour la première fois de sa vie, elle se trouva en présence d'un homme qui la satisfaisait complètement au lit. Sa douceur, sa virilité et son absence d'inhibition aidèrent Barbara à se libérer tout à fait. Ils ne se quittaient plus. On les vit ensemble à Londres, à Paris, à Corinthe, et au Touquet où ils passèrent une partie de l'automne. Ils firent du cheval ensemble, jouèrent au jacquet. Ils dansèrent, ils s'amusèrent beaucoup, ils s'aimèrent comme des fous. En décembre, ils firent un petit voyage en Grèce. Et en janvier, ils partirent ensemble en Égypte, pendant que Lance était en Suisse avec son père. Jean Kennerley les accompagnait. « Après la brutalité de Court Reventlow, remarque-t-elle, Bobby Sweeny était comme une bouffée d'air frais. Avec lui, Barbara était heureuse, lumineuse. »

En avril, Sweeny rentra en Angleterre, et Barbara alla récupérer son fils en Suisse, avant de l'emmener, par bateau, aux États-Unis. Ils passèrent un mois à Palm Beach avec Franklyn Hutton et sa femme.

Vers la mi-juin, Barbara et Lance embarquèrent à bord du *Normandie* pour rentrer en Europe. Ils n'étaient pas sur le paquebot depuis vingt-quatre heures que Barbara se retrouva un soir, au dîner, en train de fixer un homme qu'elle avait l'impression de reconnaître. De son côté, l'homme n'arrêtait pas de la regarder. C'était Cary Grant.

Le lendemain soir, ils dînèrent ensemble et Barbara le trouva charmant, simple, plein d'humour. Il lui raconta ses débuts à Hollywood et la fit beaucoup rire. Il fit forte impression sur elle, et réciproquement. Quand ils débarquèrent à Cherbourg, ils échangèrent leurs coordonnées et promirent de se revoir.

Barbara était à peine arrivée en Angleterre qu'elle apprit que l'ambassade américaine à Londres envoyait des lettres alarmistes à tous les ressortissants américains résidant en Grande-Bretagne, les informant de l'imminence d'une guerre en Europe et leur conseillant de rentrer au plus vite aux États-Unis. A la place d'une lettre, Barbara reçut un coup de téléphone de l'ambassadeur Joseph Kennedy, lui proposant une entrevue dans les plus brefs délais. A l'issue de l'entretien qu'elle eut avec lui, elle était convaincue qu'il lui fallait quitter Londres au plus vite. Aussi procéda-t-elle à la fermeture de

Winfield House et au déménagement de ses meubles, pièces de collection, tapis d'Orient et autres choses encombrantes et fort chères qui emplissaient les lieux. Diana Cooper, l'une de ses amies, se souvient que Barbara fit emballer rien moins que trois cents paires de chaussures, pour ne mentionner que cela...

Au début du mois d'août 1939, Barbara et Bob Sweeny résidaient dans une villa située près de la plage Piccola Marina, dans l'île de Capri. Six semaines plus tard, ils partaient pour Biarritz où Barbara devait rencontrer Court qui était censé lui rendre son fils pour qu'elle l'emmenât avec elle aux États-Unis. Mais Court, qui avait passé des vacances dans le nord de la France avec Lance, refusa tout à coup de se séparer de lui. Graham Mattison dut négocier au téléphone depuis New York pendant plusieurs jours, et de son côté, Barbara dut signer un chèque de 250 000 dollars pour convaincre Court de lui rendre son fils.

Dès qu'elle l'eut récupéré, Barbara et son entourage partirent pour Gênes, où le comte Galeazzo Ciano usa de son influence personnelle pour leur obtenir des visas de sortie et des places à bord du paquebot italien, le *Conte di Savoia*. Barbara embarqua avec Sweeny, Lance, Sister, Ticki, six serviteurs, deux chiens et un chat persan. Le 22 octobre, elle arrivait à New York où elle était accueillie par une manifestation des employés des magasins Woolworth.

Cris, pamphlets et poings levés furent peu de choses, comparativement à la suite des événements. Dès qu'elle arriva à son hôtel, elle trouva une pile de lettres venimeuses qui l'attendaient. Ce déferlement d'injures anonymes ne cessa pas dans les jours qui suivirent, et Barbara dut subir d'autres humiliations. Un soir où elle sortait d'une fête hawaiienne, elle reçut des tomates et des œufs pourris en pleine figure. Un autre soir, c'est en sortant du théâtre que sa limousine fut bombardée de pierres.

La presse faisait des gorges chaudes de ces incidents et en inventait quelques autres, si bien que dans la population, la haine ne fit que monter à l'égard de Barbara Hutton. Son image de marque était au plus bas. Aussi finit-elle par se laisser convaincre qu'il lui fallait placer sa renommée entre les mains d'une personne efficace. Jessie Donahue la persuada que Steve Hannagan était l'homme de la situation.

Hannagan était un célèbre agent de publicité new-yorkais, qui, moyennant finances et sachant corrompre les journalistes qui pouvaient servir sa cause, vous redorait une réputation en quelques mois, voire quelques semaines. Une cascade d'articles sur Barbara, plus élogieux les uns que les autres, commença à paraître dans toute la presse new-yorkaise. On vit la riche héritière « convaincre son père, qui était sur le point de divorcer, de se réconcilier avec sa belle-mère », faire don de « dix ambulances tout équipées à la Croix-Rouge anglaise », et l'on assista ainsi à une série d'actes charitables plus ou moins fictifs. Le journaliste Maury Paul, qui avait touché 10 000 dollars pour encenser Barbara, alla même jusqu'à écrire que « bien qu'elle ait autrefois dépensé des sommes considérables chez les grands couturiers et qu'elle ait été désignée, quatre années de suite, comme la femme la plus élégante du monde, elle est prête, désormais, à sortir vêtue de haillons pour pouvoir donner son argent aux pauvres ».

Ainsi la publicité faite autour de son nom aida-t-elle Barbara à restaurer son image de marque, tout au moins pour quelque temps. Et l'annonce de son mariage prochain avec Bobby Sweeny vint à point nommé pour achever de convaincre l'opinion que Barbara était redevenue très proaméricaine.

Barbara passa l'hiver à Palm Beach avec Sweeny. Elle loua une maison de style espagnol où le duc de Windsor avait habité l'hiver précédent. Elle demanda à Mattison, qui s'était occupé des formalités de location, de trouver pour Sweeny un logement séparé à l'Everglades Club. Il ne s'agissait là encore que d'une manœuvre habile pour plaire à la galerie, car en réalité, Bob vécut avec elle à Palm Beach, n'utilisant le club que pour jouer au golf.

Cet hiver-là, Barbara essaya de se faire remarquer le moins possible, et n'assista qu'à de petites réunions intimes chez des gens qu'elle connaissait bien. Le seul événement d'importance au cours duquel on nota sa présence fut le mariage de son cousin Woolworth Donahue avec Mrs. Gretchen Wilson Hearst, ex-épouse de John Randolph Hearst, fils du célèbre magnat de la presse.

En février, Barbara décida de rentrer à New York avec Bobby. Elle commençait à s'ennuyer dans la petite colonie de gens à l'esprit mesquin et ultraconservateur qui l'entouraient à Palm Beach.

Mais bien qu'elle se sentît nettement plus à l'aise dans la bande des mondains new-yorkais, elle eut des envies de voyage dès les premiers signes du printemps. Elle pensait sérieusement à partir pour la Californie quelque temps, et voulait profiter de ce voyage pour présenter son fils à de vieux amis qu'elle avait sur la côte ouest. C'est un jeune stagiaire de l'agence Hannagan, Charles McCabe, qui fut chargé d'escorter Barbara jusqu'à San Francisco.

Là-bas, un autre employé, Ned Moss, attendait pour prendre le relais. D'emblée, Ned Moss s'étonna de ne pas voir Bob Sweeny dans la petite compagnie – Barbara était avec son fils, la nounou de son fils, Ticki, sa femme de chambre et son chauffeur. Il apprit par la suite que Barbara avait fait un chèque de 350 000 dollars à son amant, qui était reparti en Angleterre.

Moss accompagnait Barbara lors de toutes ses sorties. Pour le remercier, elle lui offrit une robe de chambre en soie et une montre en or de chez Van Cleef & Arpels.

Pendant sa dernière semaine à San Francisco, Barbara rendit visite à ses amies Harrie Hill Page et Susan Smith. Elle passa une partie de son temps avec Nini Martin et elle fut invitée à dîner chez Jane Christenson, une amie d'enfance, qui avait épousé le comte Marc de Tristan, un Français.

Avant de partir pour Hawaii, elle fit une dernière conférence de presse. A la fin de la conférence, s'apercevant tout à coup qu'elle n'avait pas de monnaie, elle demanda au portier de l'hôtel d'aller lui en faire, et lui tendit une enveloppe dans laquelle elle avait glissé un billet. Quand le portier remit l'enveloppe au caissier, il entendit celui-ci pousser une exclamation de surprise : c'était un billet de 10 000 dollars.

Cette histoire vint aux oreilles d'Herb Caen, un journaliste du *San Francisco Chronicle,* qui devait écrire quelques jours plus tard : « Elle n'a aucun sens de la valeur de l'argent. Elle est trop riche pour qu'il en soit autrement. Il est aussi naturel pour Miss Hutton de sortir un billet de 10 000 dollars de sa poche que pour vous ou moi de dépenser un billet de 5 dollars. »

Ned Moss se sentit soulagé quand Barbara partit pour Hawaii. Elle allait s'installer sur un petit atoll privé à une heure d'Honolulu, dans une propriété qui appartenait au millionnaire Chris R. Holmes, un ami de Doris Duke. Holmes était en voyage, et avait laissé à Barbara la libre disposition des lieux.

Il s'avéra hélas que Windward Island, aussi paradisiaque fût-elle, était un endroit plein de moustiques et de fourmis rouges géantes. Barbara y resta quinze jours en compagnie de son fils, de ses gens et de son amie Dorothy di Frasso, puis elle rentra en Californie.

Sa première réapparition en public fut très remarquée par la presse : il s'agissait d'un dîner en tête à tête avec Cary Grant, dans un restaurant chic de Los Angeles. Et c'est en lisant la presse, comme tout le monde, que Hannagan et Ned Moss apprirent qu'apparemment, Barbara avait un nouvel amant. Ils comprirent alors pourquoi Sweeny avait été congédié aussi vite : il fallait faire place nette pour son prestigieux successeur.

Hannagan procéda donc à une petite enquête, et découvrit que Barbara avait rencontré Grant sur le *Normandie,* qu'elle l'avait revu à Londres quelques semaines plus tard lors d'une fête donnée par

Dorothy di Frasso. Il apprit aussi qu'elle était allée le voir en cachette pendant son séjour à San Francisco.

Dès lors, Barbara et Cary se virent assez régulièrement. Leurs chemins se croisaient comme par enchantement à New York, Londres et Paris. Quand ils étaient séparés, ils se parlaient longuement par téléphone.

Les célèbres « commères » de Hollywood, Hedda Hopper et Louella Parsons, s'accordèrent pour dire que la liaison Grant-Hutton n'avait aucun avenir. Même s'ils semblaient très bien s'entendre, et formaient un très beau couple, il était évident qu'ils avaient des valeurs et des vies passées trop différentes.

Grant avait l'avantage d'avoir su dès le départ ce qu'il voulait faire. Né à Bristol le 18 janvier 1904, il s'était enfui de chez lui à treize ans avec une troupe d'artistes de music-hall itinérants. Il était parti sans regrets. Son père, tailleur de son état, était alcoolique; quant à sa mère, atteinte très jeune d'une maladie mentale, elle avait été internée peu après sa naissance.

Les artistes avec lesquels Cary quitta l'Angleterre s'appelaient les Pender Boys. Ensemble, ils firent une tournée aux États-Unis en 1920. Quand arriva le moment du retour au pays, Cary et quelques autres choisirent de rester sur le sol américain.

Pendant les quelques années qui suivirent, Cary fit toute une série de petits boulots – vendeur de cravates, par exemple – avant de se faire engager comme acteur. Il finit par décrocher un petit rôle dans la comédie musicale d'Otto Harbach et Oscar Hammerstein II, *Golden Dawn*, dont la première eut lieu à Broadway. Il signa ensuite un contrat de trois ans avec Hammerstein, et continua ainsi à jouer dans des opérettes et des comédies musicales avant de partir pour Hollywood et d'entamer une carrière de star.

Là-bas, il devint célèbre très vite, et fut le partenaire de nombreuses grandes dames du moment, telles que Carole Lombard, Rosalind Russell, Mae West, Marlene Dietrich, Katharine Hepburn.

A l'époque où il rencontra Barbara Hutton, Grant était l'une des stars les mieux payées de l'industrie cinématographique, à l'égal de Clark Gable, Spencer Tracy, John Wayne et Gary Cooper. Et en 1937, il contribua à briser la tyrannie qu'exerçaient les studios sur les acteurs, en devenant le premier comédien indépendant à Hollywood. « Cela n'a pas trop mal tourné, finalement, devait-il dire plus tard. Dès l'instant où je me suis dégagé du joug des contrats d'exclusivité, mon salaire est monté à 300 000 dollars par film. »

En 1940, Cary Grant vivait à Santa Monica, dans une superbe maison face à l'océan. Quand elle rentra d'Hawaii, Barbara loua l'ancienne maison de Buster Keaton pour un an. Cette sublime propriété, construite d'après les plans d'une villa italienne de la Renaissance, se trouvait derrière le Beverly Hills Hotel, au 1004, Hartford Way. Outre les trente pièces de la maison, il y avait plusieurs hectares de terrain avec des courts de tennis, des pelouses immenses, une piscine qui ressemblait à des thermes romains, et une rivière pleine de truites qui était éclairée la nuit.

A présent que Barbara était de nouveau dans la vie publique, Hannagan dut endiguer un flot de publicité concernant sa romance avec Cary Grant. Mais la tâche ne fut pas aussi difficile qu'il l'avait craint tout d'abord. Cary Grant détestait la publicité et s'en préservait, autant que faire se peut. Il évitait tous les lieux à la mode, et ne voyait Barbara qu'en privé. Il préférait les dîners en tête à tête à la maison, ou encore les soirées en petit comité chez des amis intimes. Ils allèrent néanmoins danser une ou deux fois au Catalina, un casino accessible seulement par bateau. L'orchestre de Tommy Dorsey jouait là-bas et, depuis peu, il y avait un nouveau chanteur qui s'appelait Frank Sinatra. Grant et Sinatra allaient devenir de grands amis. Quant à Barbara, elle résista au charme du chanteur, qu'elle décrivit comme « un égocentrique avec une belle voix ».

Tous les samedis soir, Cary invitait ses amis chez lui. Étant donné que la villa de Barbara se prêtait mieux à ce genre de réunions, il les organisa dorénavant chez elle. Les amis réguliers de Cary à cette époque étaient David Niven, James Stewart, Rosalind Russell, Frederick Brisson, la chanteuse et actrice Constance Moore et son imprésario et mari Johnny Maschio. Il y avait aussi Merle Oberon et son mari, sir Alexander Korda. Et puis Marlene Dietrich, le « prince » Mike Romanoff (le restaurateur), l'acteur Hugh Fenwich et l'excellent joueur de tennis amateur Bill Robertson, qui devait devenir par la suite l'intendant de Barbara.

« Nous avions choisi le samedi, parce que c'était le jour de congé des domestiques de Barbara, expliqua Cary Grant. Les invités faisaient eux-mêmes la cuisine et la vaisselle. Après dîner, nous allions dans le salon pour jouer aux charades. Parfois, nous nous rassemblions autour du piano et nous chantions. »

Selon Cary Grant, Barbara s'était d'abord montrée timide et avait eu du mal à s'intégrer dans ce petit groupe d'amis. « Et puis un soir, dit-il, Connie et Johnny Maschio vinrent dîner tous les deux, et après le repas, ils allèrent dans la chambre de Barbara pour voir une lampe chinoise qu'elle avait achetée à un antiquaire local. A un moment donné, Barbara mit un disque de musique chinoise sur l'électrophone et, cédant à une impulsion, elle envoya promener ses chaussures, et se mit à danser en rythme sur la musique. Nous ne comprenions pas grand-chose à cette danse bizarre et elle nous expliqua la signification de chaque mouvement, de chaque pas. C'était vraiment délicieux à voir et, la fois suivante, quand nous nous retrouvâmes en groupe, Johnny insista pour que Barbara répète sa performance. Elle se fit un peu prier, mais elle finit par accepter, et se lança de nouveau dans une série de mouvements compliqués et charmants. Et cet épisode rompit la glace entre Barbara et les autres membres du groupe.

» Bien des années plus tard, longtemps après notre divorce, j'ai compris que la danse et la poésie étaient des choses très importantes pour elle. Elle trouvait là un moyen de s'exprimer, quand sa vie ne lui en offrait par ailleurs jamais l'occasion. Elle n'était pas du genre à jouer " reines de la soirée ", de celles qui ne peuvent pas passer devant une vitrine sans y guetter leur reflet. Elle était intelligente et sensible, mais il lui manquait un moyen d'expression qui aurait collé avec sa personnalité, un art qui lui aurait permis d'en finir avec ses frustrations. Hélas, je ne comprenais rien à la danse ni à la poésie, et je ne l'ai jamais encouragée dans ce sens. Je crois que peu de gens l'ont fait. Et je suis certain que cette absence d'encouragement l'aura rendue tout aussi malheureuse qu'un certain nombre d'autres choses mentionnées plus souvent. »

Dans le courant du mois d'octobre 1940, Cary Grant commença un nouveau film et Barbara partit à San Francisco pour rendre visite à des amis. Un mois plus tard, elle était de retour à Los Angeles, et recevait presque aussitôt un télégramme de Charleston dans lequel sa belle-mère, Irene Hutton, lui apprenait que son père était tombé malade.

Toute la famille était déjà sur place quand Barbara arriva. Si son père fut conscient de sa présence à son côté, il n'avait néanmoins déjà plus la force de lui parler.

Il mourut le 2 décembre, à l'âge de soixante-trois ans. Sur son certificat de décès, il fut dit qu'il avait succombé à une maladie du foie, vraisemblablement une cirrhose.

Dans son testament, il fut à peine question de sa fille, si ce n'est pour dire « qu'étant donné la fortune dont elle dispose déjà, elle aura une vie confortable dans l'avenir, et pourra également offrir une vie aisée à ceux qu'elle aime ou qui pourraient lui devenir très chers. Par conséquent, je ne peux que lui adresser tous mes vœux de bonheur ».

La réaction de Barbara face à ce testament fut d'attaquer en justice les représentants légaux de son père à propos d'une dette de 530 000 dollars dont il ne s'était jamais acquitté à son égard. Irene Hutton, qui, en sa qualité d'exécutrice testamentaire, avait désormais à gérer une fortune de 5 millions de dollars, remboursa cette somme à Barbara sans protester. Les deux femmes restèrent d'ailleurs en très bons termes après la mort de Franklyn. Elles se virent régulièrement et Barbara se montra toujours très généreuse envers sa belle-mère au moment de Noël et des anniversaires.

Nombreux sont les historiens qui ont remarqué que l'implication graduelle des États-Unis dans le conflit européen eut un effet direct sur la vie sociale de la gent hollywoodienne. Les premières, les galas, les grandes fêtes sous la tente, qui jadis avaient pour but de promouvoir des films, constituaient désormais l'occasion de réunir des fonds pour l'armée. Les restaurants et les boîtes de nuit à la mode à Hollywood – Trocadero, Mocambo, Ciro's, Romanoff's, Player's – faisaient de meilleures affaires que jamais. Même les boutiques de luxe de Rodeo Drive à Beverly Hills voyaient leurs ventes augmenter considérablement. Ceci était dû à l'arrivée d'un nouveau contingent de résidents à Los Angeles, un mélange cosmopolite d'arrivistes, de riches héritières, de mondains en tout genre, de monarques détrônés, et d'aristocrates à l'ancienne mode, dont les vacances permanentes à l'étranger avaient été interrompues par la guerre.

La venue de ces aventuriers redonna de la couleur à la vie mondaine de Hollywood, qui tendait à s'alanguir. On fit soudain preuve d'élégance et de fantaisie pour s'habiller, on ressortit les diamants des coffres, et les fourrures de la naphtaline. William Randolph Hearst, qui avait l'habitude de donner de belles fêtes dans sa propriété de San Simeon, se surpassa, en faisant venir des orchestres de New York seulement pour une nuit, en recouvrant ses piscines pour en faire des pistes de danse, et en offrant d'incroyables feux d'artifice.

Certaines personnalités de Hollywood suivirent l'exemple de Hearst, organisant des bals costumés, des fêtes somptueuses sur la plage. Darryl F. Zanuck, Frances Goldwyn et Louis B. Mayer rivalisaient d'imagination pour plaire à leurs invités. Dorothy di Frasso eut un certain succès en donnant une fête en l'honneur de son scandaleux amant du moment, le ténébreux gangster Bugsy Siegel : elle invita quatre boxeurs à cette occasion et fit installer un ring dans son jardin. Quant à Elsa Maxwell, un soir où elle donnait un grand dîner et où elle se trouva à court de personnel à la cuisine, elle eut l'idée, plutôt que de tout annuler, de distribuer des assiettes en carton et des crayons à ses invités. Ce pseudo-concours de dessin fut remporté par un Chinois. Ensuite on mangea dans les assiettes décorées par les invités.

« Le problème dans ces fêtes, observa Cary Grant, c'était que la majorité des gens rencontraient Barbara pour la première fois et ne trouvaient jamais rien d'intéressant à lui dire. Ils n'étaient plus eux-mêmes en sa présence. Ils ne la traitaient pas comme une personne normale. Les gens qui étaient d'ordinaire brillants devenaient de parfaits imbéciles avec elle. Ils disaient des choses absurdes comme " Vous savez, vous êtes vraiment charmante, malgré tout l'argent que vous avez ", ce qui signifie que sa fortune était supposée la rendre insupportable. Ou encore : " C'est incroyable que vous puissiez être aussi normale avec une telle fortune! " Ils s'attendaient probablement à ce qu'elle fût folle. »

Grant se souvint qu'un jour, un célèbre metteur en scène hollywoodien demanda à Barbara, lors d'un grand dîner : « Dites-moi, qu'est-ce que ça fait d'avoir autant d'argent? » Tout le monde se tut subitement, et vingt-cinq paires d'yeux se tournèrent vers Barbara. Elle regarda le réalisateur droit dans les yeux, lui fit un grand sourire et répondit : « C'est merveilleux! »

En mars 1941, le roi Christian du Danemark valida l'acte de divorce qui mettait un terme légal au mariage de Barbara Hutton et de Court Reventlow. Barbara et Cary se rendirent à New York pour fêter l'événement et dînèrent en tête à tête au restaurant El Morocco.

Quelques mois plus tard, ils partirent au Mexique, et passèrent une partie de l'été chez Dorothy di Frasso, qui avait loué une hacienda à Mexico. Ils voyagèrent plusieurs semaines au Mexique incognito.

Leur mariage eut lieu le 8 juillet 1942, près d'Arrowhead Lake où Frank W. Vincent, l'agent de Cary, avait une maison d'été. Une semaine avant le mariage, le comédien adopta légalement le nom de Cary Grant (il s'appelait en réalité Archibald Leach) et remplit les dernières formalités qui allaient faire de lui un citoyen américain. Sur sa propre initiative, il signa un acte légal dans lequel il était stipulé qu'il ne demanderait aucun dédommagement matériel en cas de divorce avec Barbara.

Le révérend R. Paul Romeis, pasteur de l'église luthérienne de San Bernardino, présida à la cérémonie, qui se tint dans un grand patio surplombant le lac. Madeleine Haseltine, l'épouse du sculpteur Herbert Haseltine, fut le témoin de Barbara, Frank Vincent celui de Cary Grant. Bill Robertson et Frank Horn, le secrétaire de Cary, étaient également présents, ainsi que Ticki Tocquet.

Il n'y avait pas un seul journaliste dans les parages. John Miehle, un photographe de la R.K.O., fut le seul à prendre des photos, que l'on envoya à la presse dès le lendemain. A la fin de la cérémonie, il fit un cliché de Cary portant sa jeune épouse pour lui faire franchir le seuil de la maison de Frank Vincent. Cette photo fut publiée partout, et les journalistes baptisèrent le couple : « Cash and Cary ».

La presse allait faire d'autres allusions perverses à la fortune de Barbara. Louella Parsons, qui voyait plus les implications matérielles que le côté romantique d'un tel mariage, écrivit : « C'est un mariage d'argent qu'a fait hier Cary Grant en épousant Barbara Hutton lors d'une cérémonie privée près d'Arrowhead Lake. »

A Londres, un journaliste eut l'idée d'interviewer un homme qui avait connu Cary quand il était jeune et qu'il habitait Bristol. Et cet ancien camarade fit le commentaire suivant : « Maintenant, on va pouvoir prendre ce qu'on veut chez Woolworth à condition de sortir son porte-monnaie! »

11

Cette union hollywoodienne entre Cary Grant et Barbara Hutton opposa deux sous-cultures de la même envergure : le monde des stars du cinéma, et la haute société internationale. Cary Grant résuma ainsi leur dichotomie : « Elle aimait tout ce qui portait un titre – le prince Machin, la comtesse Truc – alors que je préférais les mordus de cinéma – David Niven, Jimmy Stewart, Rosalind Russell, Frederick Brisson. » Mais malgré cela, ce mariage offrit à Barbara comme une trêve dans une vie de malaise. Son côté autodestructeur s'atténua considérablement, et la superficialité de son existence parut s'effacer pour un temps. Si Cary Grant n'était pas tout à fait l'homme de ses rêves, il fut pour elle une sorte d'ange gardien, un rôle qu'aucun de ses précédents maris n'avait été capable de jouer.

« J'ai pu l'aider dans divers domaines, commenta Grant, mais pas dans tous. Je l'ai protégée d'une publicité scandaleuse pendant tout le temps où nous avons été mariés, du moins ai-je essayé. C'est moi qui ai insisté pour qu'elle se passe des services de Steve Hannagan. Hannagan avait rempli sa mission. Le plus dur avait été fait. Nous pouvions désormais nous passer de lui. »

En ceci, Cary commit peut-être une erreur de stratégie. Il prit tellement à cœur son rôle de défenseur public de Barbara face à la presse qu'il en oublia de se protéger lui-même. La presse l'avait toujours cordialement détesté. Elle ne lui pardonnait pas son détachement, son refus d'accorder de longues interviews, de se faire photographier à tout bout de champ. Aussi son union avec Barbara Hutton, Sac-à-fric, comme l'avait surnommée un journaliste, fut-elle pour la presse l'occasion rêvée de prendre sa revanche.

Albert Govoni, l'un des biographes de Cary, a mis l'accent sur le fait que l'acteur fut accusé d'un tas de vices parmi lesquels l'arrivisme et la cupidité n'étaient que les moindres. On a dit qu'il avait voulu devenir citoyen américain à tout prix, pour ne pas être enrôlé dans l'armée britannique pendant la guerre. Et on lui a souvent reproché d'être un affreux radin, homosexuel qui plus est (tout au moins bisexuel). Ce n'est qu'en 1977, lors d'une interview accordée au *New York Times Magazine*, qu'il devait répondre à ce sujet : « C'est ridicule, mais on nous accuse tous de cela. »

Il est aisé de le disculper d'une accusation de désertion. En effet, c'est l'ambassadeur de Grande-Bretagne aux États-Unis qui a refusé qu'il parte sur le front, jugeant que, pendant la guerre, il serait plus utile en tant qu'acteur, et qu'il devait absolument rester à Hollywood. Ceci n'empêcha pas Cary de participer de son mieux et à sa manière à la victoire des Alliés. Il fit des chèques substantiels à une organisation de secours en Angleterre – son cachet sur *The Philadelphia Story*, notamment, y passa presque totalement. Quand il tourna *Arsenic et vieilles dentelles*, il fit de nouveau un versement. Cette organisation encourageait alors les citoyens de tous les pays qui luttaient contre Hitler à envoyer des semences aux Anglais, incitant parallèlement ceux-ci à cultiver leurs propres légumes et fruits pendant la durée de la guerre.

Après l'attaque japonaise à Pearl Harbor et la déclaration de guerre de l'Amérique, Grant se porta volontaire pour entrer dans l'armée de l'air. Mais on refusa de le prendre à cause de son âge. Ceci ne l'empêcha nullement de continuer à lutter dans l'ombre, en faisant par exemple le tour des camps de G.I.s, et en tournant un petit film de dix minutes, *En route vers la victoire*, destiné à remonter le moral des troupes. Il était très populaire parmi les soldats.

De son côté, Barbara fit également preuve d'une grande générosité. Elle finança entièrement une clinique destinée à accueillir des blessés à San Francisco, et une autre à Santa Barbara. Elle envoya de grosses sommes d'argent à l'organisation française « France Forever », créée aux États-Unis pour aider la France libre et qui approvisionnait la Résistance en armes.

Mais on parlait moins de ces actes généreux que du train de vie mené par les Grant en cette période où tout le monde devait se serrer la ceinture. Ils avaient emménagé dans la superbe propriété de Douglas Fairbanks Jr. (celui-ci était à la guerre et la leur avait louée), sur Pacific Palisades. Il y avait un parc immense, plusieurs courts de tennis et, bien sûr, un sauna et une piscine. Les domestiques – vingt-neuf au total – se partageaient la maison d'amis, au fond du parc, plus trois autres maisons que les Grant durent louer pour leur procurer à tous un logement correct. Cette gabegie de personnel n'était pas sans agacer

Cary. Il remarqua un jour avec ironie que Barbara et lui avaient tant de bouches à nourrir qu'ils pouvaient s'estimer heureux quand il leur restait un sandwich à se mettre sous la dent.

C'était Barbara qui entretenait tous ces serviteurs. Néanmoins, cela coûtait si cher que Grant vit resurgir son angoisse de toujours : la peur de manquer.

Quand ils ne se querellaient pas à propos du nombre d'employés à Westridge, les Grant avaient l'air de bien s'amuser. Ils devinrent plus sociables qu'avant et furent invités à de nombreuses fêtes. Ils allèrent beaucoup au théâtre et au cinéma. Ils s'occupaient beaucoup de Lance, qu'ils emmenaient fréquemment au zoo, ou bien visiter les studios. Parfois, ils partaient passer la journée à la campagne.

Quand elle était en forme, Barbara pouvait se montrer fort drôle. Elle adorait jouer avec les mots et inventer des expressions dans un but déterminé. « Eddie Koch », par exemple, signifiait qu'il y avait du monde autour d'elle et qu'elle ne pouvait parler librement au téléphone avec son interlocuteur. Elle avait donné une couleur à chaque jour de la semaine. Le lundi était mauve, le mardi vert, le mercredi rouge, etc. « Je me sens si mauve aujourd'hui », disait-elle au début de la semaine. Et elle s'habillait en mauve, et elle se comportait comme quelqu'un habillé en mauve.

A un moment donné, les Grant eurent envie d'avoir un enfant. Mais au bout de plusieurs mois, Barbara n'était toujours pas enceinte. Aussi allèrent-ils consulter un spécialiste qui leur conseilla l'insémination artificielle. Ce fut sans résultat. Barbara, à qui l'on avait enlevé un ovaire à la suite de la naissance de Lance, ne pouvait apparemment plus être mère. Ils finirent donc par renoncer à cette idée. Cary Grant rejeta l'entière responsabilité de cet état de choses sur le corps médical, et non sur sa femme, qu'il considérait comme la victime de chirurgiens cupides et incapables.

Court Reventlow était arrivé aux États-Unis le 31 juillet 1940, et avait passé cette première année à Sun Valley, dans l'Idaho. Graham Mattison lui avait téléphoné pour l'assurer de l'intention de Barbara de rester en bons termes avec lui. Puis, comme preuve de sa bonne volonté, elle avait envoyé Lance passer plusieurs mois avec son père dans l'Idaho.

Le 30 juillet 1942, trois semaines après que Barbara fut devenue Mrs. Cary Grant, Court Reventlow épousa une artiste ravissante et enjouée, Margaret (Peggy) Astor Drayton, l'arrière-petite-fille de la riche et célèbre Mrs. William Astor. Après leur mariage, Court et Peggy s'installèrent à Pasadena, en Californie.

Il fut décidé que Lance passerait la moitié de l'année avec sa mère, et l'autre moitié chez son père. Hélas, les choses se gâtèrent. Quand Lance séjournait chez les Reventlow, il envoyait à sa mère des lettres en code dans lesquelles il parlait de Court en termes peu flatteurs. Peggy finit par découvrir ces lettres, l'existence du code, et elle en informa son mari, qui entra dans une colère noire. Dans l'une des lettres Lance avait écrit : « Je voudrais que mon père soit mort. » En outre, il s'avéra que Barbara encourageait Lance à employer des formules codées et à dénigrer son père.

Finalement, Reventlow intenta un procès contre Barbara, avec la ferme intention d'obtenir la garde de son fils à temps complet. Il argua du fait – réel – que Barbara n'envoyait pas son fils assez régulièrement à l'école, et qu'elle essayait de lui donner une mauvaise image de son père.

Barbara réagit aussitôt en prenant le célèbre avocat de Hollywood, Jerry Giesler, pour assurer sa défense. Celui-ci, sur l'instigation de sa cliente, proposa trois millions de dollars à Court Reventlow pour sortir définitivement de la vie de son fils. Cette offre fut rejetée avec fureur.

Néanmoins, Reventlow, qui connaissait bien Barbara et savait qu'elle était prête à tout pour arriver à ses fins, choisit la fuite, plutôt que d'avoir à témoigner devant un tribunal. Et le 27 juin 1944, quelques jours avant la date à laquelle il devait renvoyer Lance chez sa mère, il partit pour le Canada avec son fils, sa femme et sa belle-fille.

Barbara en resta sans voix. Quant à Giesler, il alla se plaindre chez le procureur général, qui lui demanda quel était le délit reproché à Court Reventlow. « Kidnapping », répondit Giesler. Le procureur lui rappela alors que l'on ne pouvait décemment accuser un père de kidnapper son propre fils, et lui conseilla d'en référer à la justice canadienne.

Sans parler des problèmes posés par Lance, il était évident que la romance de Cary et de Barbara n'avait plus l'éclat des premiers jours. Une certaine amertume s'était installée en eux, due en partie aux assauts quasi quotidiens des journalistes à leur égard.

La presse avait tendance à monter en épingle tout incident les concernant de près ou de loin. On fit des gorges chaudes d'une sale histoire dans laquelle se trouva impliqué Eric Gosta, le maître d'hôtel de Barbara. Un soir, Eric se querella avec James Fleming, la doublure d'Errol Flynn. Les deux hommes finirent par se battre. Eric reçut un coup de marteau sur la tête et fut hospitalisé. Cette histoire se retrouva à la une des journaux, uniquement parce que Eric travaillait pour Barbara.

Tout cela agaçait Grant, qui commençait à se demander si Barbara ne tirait pas un certain plaisir à faire autant parler d'elle dans la presse. Pis, il finit par la soupçonner de provoquer ce genre de publicité tapageuse. Et il se dit que, tant qu'il resterait marié avec elle, il serait l'une des cibles privilégiées des reporters de Hollywood, ce qui tôt ou tard nuirait à sa carrière.

Mais il y avait également entre eux des problèmes d'un tout autre ordre, et qui étaient son fait. Dudley Walker, le valet de Cary pendant ces années-là, se souvient que son maître fut bien souvent à l'origine des querelles qui éclataient à Westridge. « Qu'il ait fait de nombreuses donations pendant la guerre ne change rien : Grant était un affreux radin. Jamais il ne laissait de pourboires au restaurant. A la maison, il passait son temps à éteindre la lumière derrière tout le monde pour faire des économies d'électricité. Et quand il jetait une vieille chemise, il en décousait d'abord les boutons, prétendant qu'il en avait besoin pour les replacer sur d'autres chemises où il en manquait. La vérité, c'est qu'il était trop mesquin pour profiter de son argent. Je me souviens qu'il faisait des marques sur ses bouteilles de whisky pour voir si personne n'en buvait en son absence. Pourtant, il ne payait pas cet alcool, puisque c'était Barbara qui l'achetait – très cher d'ailleurs – au marché noir. Rien que pour les boissons, la note s'élevait à 3 500 dollars par mois, et c'était toujours elle qui réglait. Pourtant, Grant comptait toutes les bouteilles de Coca qui rentraient. Il avait une devise : pas de soda entre les repas. Et s'il surprenait un domestique en train de boire un soda, il le lui défalquait de son salaire.

» En revanche, Barbara était extrêmement généreuse. Et si les domestiques restaient, c'était uniquement pour elle. Elle leur faisait toujours des cadeaux à Noël, à Pâques, et pour leur anniversaire. Elle insistait pour que les femmes de chambre et les cuisinières portent les robes et les bijoux qu'elle leur offrait. Et elle ne leur offrait que des vêtements de prix. Souvent, elle leur donnait des habits qu'elle n'avait portés qu'une seule fois. Un jour, elle m'a offert une paire de boutons de manchette en or de chez Gump's, à San Francisco. Grant les a vus et lui a dit : " Tu ne devrais pas faire ça, Barbara. Tu n'as pas à donner quoi que ce soit à Dudley, c'est mon valet et c'est à moi de lui donner quelque chose. " Alors il m'a repris les boutons de manchette et à la place, il m'en a donné une vieille paire sans aucune valeur que lui avait un jour offerte Bugsy Siegel. Vous vous rendez compte ? S'il vous offrait une bouteille d'eau de Cologne à cinq dollars pour Noël, vous pouviez vous estimer heureux. Barbara, quant à elle, nous envoyait toujours dîner dans de grands restaurants nos jours de congé, et bien entendu, elle nous disait de prendre ce que nous voulions et de le faire porter sur son compte.

» Elle avait de la classe. Lui pas. A table, il se mettait fréquemment les doigts dans la bouche et les léchait. Il s'empiffrait alors qu'elle touchait à peine à la nourriture. Et puis, il avait le vin mauvais. Il lui arrivait de se montrer vraiment méchant, voire sadique, quand il avait bu. Il pouvait être vraiment salaud, cet homme-là. »

Vers la fin de l'année 1943, son mariage battant de l'aile, Cary se consacra essentiellement à son travail. Il tourna cinq films coup sur coup, dont *Arsenic et vieilles dentelles*. L'un de ces films, *Mr. Lucky*, produit par la R.K.O., était l'histoire d'un gangster – joué par lui – qu'une riche héritière vient remettre dans le droit chemin. Charles Turner, l'un des hommes de la R.K.O., avait insisté pour que Barbara jouât le rôle de l'héritière amoureuse du gangster. Turner pensait que Barbara avait tout pour être actrice. Elle était extrêmement sensible, très attirante, et il la croyait parfaitement capable de créer l'émotion à l'écran. Barbara avait bondi de joie à l'annonce de cette proposition. Mais hélas, Cary avait réussi à dissuader Turner de la prendre dans le film. Et Loraine Day avait décroché le rôle.

« Pendant que Cary passait des journées entières au studio, Barbara, elle, n'avait rien à faire, dit Frederick Brisson. Elle commença à dire que ce mariage n'allait pas durer. En fait, elle avait besoin de quelqu'un qui fût sans cesse à son côté. Et c'était vraiment dommage, parce que Cary l'aimait. Et il avait une bonne influence sur elle. Barbara s'est beaucoup épanouie pendant les premiers temps de leur mariage. Elle a acquis une certaine confiance en soi. Elle a mieux assumé le fait d'être riche. Il lui a sûrement fait vivre ses meilleurs moments. Il était délicieux avec elle. Jusqu'alors, je crois qu'elle ne s'était jamais frottée à la réalité. Dans le monde réel, les couples connaissent des hauts et des bas, les gens sortent de chez eux pour aller travailler. Mais pour une raison qui m'échappe, Barbara a toujours rejeté ce monde. Elle préférait l'univers qu'elle s'était créé, et que peuplaient des licornes et des chevaux ailés. »

Les amis de Barbara pensèrent tout d'abord que son mariage avec un acteur qui travaillait dur aurait un effet stabilisateur sur sa personnalité. Mais au fil du temps, cela l'ennuya d'avoir à respecter la discipline exigée par la carrière de son mari. Dans le passé, elle avait toujours subvenu aux besoins de ses époux, afin qu'ils ne travaillent pas et qu'ils restent financièrement dépendants d'elle. Grant était le premier sur lequel elle n'avait aucun pouvoir matériel.

De plus en plus frustrée par l'absence de Cary dans la journée, Barbara se mit à boire. « Quand elle n'avait plus d'alcool, elle était capable d'avaler un demi-litre de vinaigre, se souvient Frederick

Barbara Hutton à l'âge de trois ans (ci-dessous) et quinze années plus tard (ci-dessus) : une tendance à l'embonpoint dont l'héritière aura quelque mal à se défaire.

◀ Symbole de la puissance de l'empire Woolworth, le building du même nom. Erigé en 1913, il demeurera longtemps le plus haut gratte-ciel du monde.

▲ A vingt-trois ans, Barbara a réuss
perdre ses kilos superflus, et à deve
une beauté digne de Hollywood, com
le montre ce superbe portrait de Geor
Hoyningen-Heune.

▲ L'héritière Woolworth en compagnie de son premier mari, le prince Alexis Mdivani, au très sélect polo-club de Roehampton, près de Londres.

▶ Un « must » de l'époque : la comtesse visite les Pyramides à dos de chameau.

◀ Le comte et la comtesse Haugwitz-Reventlow. Toujours cette attirance des parvenus américains pour les titres de noblesse.

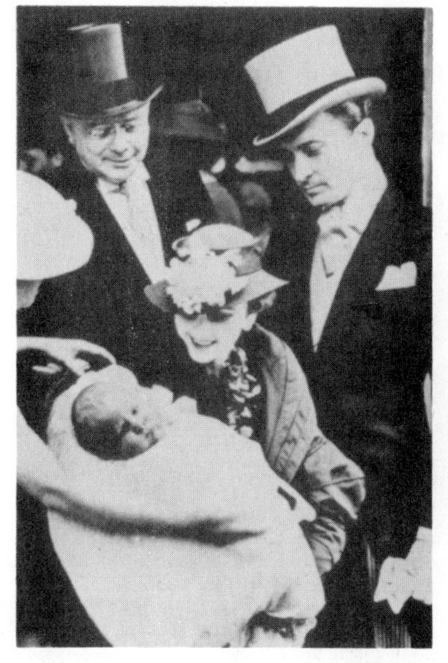

▲ Le comte et la comtesse vont faire baptiser leur fils Lance, quinze mois, à la chapelle de Marlborough, à Londres.

◀ « Babs (surnom de Barbara) renonce à sa citoyenneté, mais pas à ses profits. » Les vendeuses des magasins Woolworth, misérablement payées, hanteront toute sa vie l'héritière milliardaire.

▲ Barbara et Bobby Sweeney à l'Everglades Club de Palm Beach, en janvier 1940.

► La liaison de Barbara avec Howard Hughes sera de courte durée. Elle dira du multimilliardaire : « Jamais je n'ai rencontré un homme moins soucieux des biens matériels. »

◄ Cary Grant et Barbara Hutton le 10 juillet 1942, jour de leur mariage. Déjà, un visage infiniment las...

◀ Barbara à Saint-Moritz avec le quatrième de ses maris, le prince Igor Troubetzkoy.

Le playboy-diplomate Porfirio Rubirosa, qui fit longtemps les beaux jours de la presse à scandale, embrasse chastement Barbara sous les yeux de son fils Lance. Leur mariage — le cinquième pour elle, le quatrième pour lui — ne tiendra que cinquante-trois jours mais rapportera quelques millions de dollars à l'heureux élu.

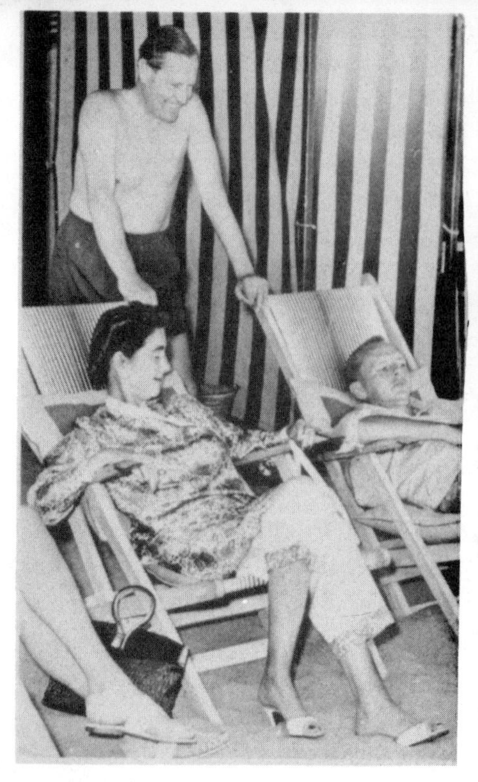

◄ Barbara entre deux vins, ou entre deux whiskies : ici, su la plage du Lido, à Venise, en compagnie de son sixième mar l'ex-champion de tennis Gottfried von Cramm (debout Comment ne se serait-elle pas consolée en buvant ? L mariage n'allait en effet jamais être consommé.

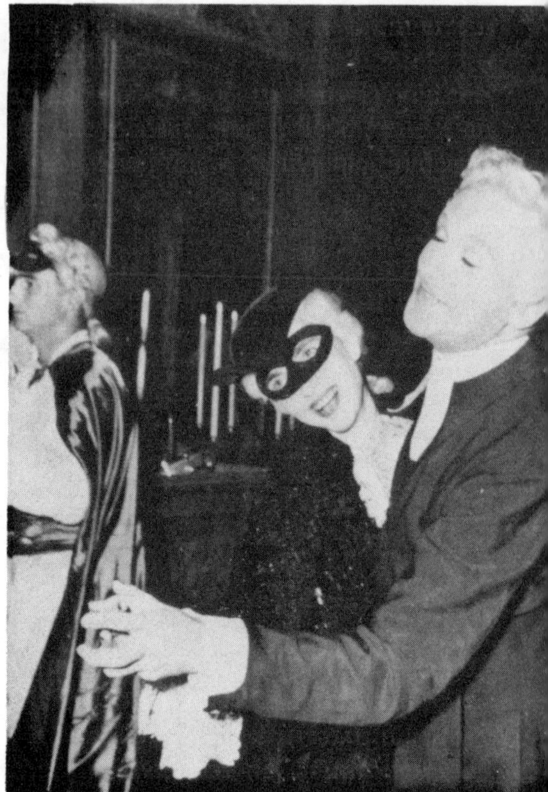

Au fameux bal masqué de Charles Bestegui dans le prestigieux Palazzo Labia, à Venise. Photographiée au cours de cette soirée, qualifiée par la presse de « party du siècle », Barbara danse avec Cecil Beaton.

◄ **Ami intime de l'héritière Hutton** le célèbre photographe anglais **réali**sera quelques-uns des plus **beau** portraits de Barbara. **Celui-ci** **été pris peu après** son **quarante**-neuvième anniversaire.

▲ De la source au delta : l'un des nnombrables Woolworth, ces magasins prix réduits précurseurs des grandes urfaces modernes, qui firent la fortune le leur fondateur… et de celle qui devait n hériter.

▶ La petite fille riche n'est plus qu'un ouvenir. Barbara Hutton, soixante ans, n compagnie de son dernier amant en date, le torero espagnol Angel Teruel, vingt-quatre ans (1972).

« Sumiya » (en japonais « la petite maison du coin ») à Cuernavaca (Mexique). Coût estimé : trois millions et demi de dollars. ▼

Le dernier voyage en Europe. Colin Frazer, son garde du corps australien, porte une Barbara pitoyable dans sa limousine, au sortir du Plaza Athénée. Elle ne reverra plus Paris.

Situé dans le cimetière de Woodlawn, à New York, le mausolée Woolworth abrite les restes de Barbara Hutton, petite fille très, très riche et qui fut très, très malheureuse toute sa vie durant.

Brisson. Je ne sais pas si on peut dire qu'elle était alcoolique, mais en tout cas elle buvait trop. En outre, elle prenait tous les soirs des tranquillisants pour dormir. Et l'effet conjugué de l'alcool et des neuroleptiques la déglinguait complètement. D'après Cary, cela faisait des mois qu'elle n'avait pas passé la nuit avec lui. Et quand ils avaient fait l'amour, elle l'avait prié de ne pas déranger sa coiffure. »

Barbara commença à organiser des fêtes chez elle le soir. Mais ces mondanités n'étaient pas du goût de Cary Grant. Lors de leur divorce, Barbara se plaignit devant le tribunal de l'attitude systématiquement hostile de son mari à l'égard de ses amis. « Il montait directement dans sa chambre en rentrant du studio. Et c'était bien rare qu'il redescende, prétextant qu'il devait apprendre son texte pour le lendemain. Si d'aventure il daignait se joindre à nous, il restait distant, et il était évident qu'il s'ennuyait. Ceci était fort gênant, et mes invités se sentaient alors de trop. »

Cary, qui se levait très tôt le matin et rentrait fatigué du studio, généralement assez tard, aurait sans doute préféré se relaxer en compagnie de sa femme, discuter tranquillement, écouter la radio. Mais quand il arrivait à la maison, Barbara, qui n'avait rien fait de la journée, n'avait plus qu'une envie : s'amuser avec ses amis.

Peu de temps avant son divorce d'avec Cary, elle jeta son dévolu sur l'un d'eux, Oleg Cassini, alors marié avec Gene Tierney. Elle lui demanda carrément de l'épouser, un soir à la fin du dîner. Oleg ne sut que dire, à la fois surpris et gêné. Ensuite, elle ne lui donna aucune nouvelle pendant trois semaines. Puis un soir, elle lui téléphona et lui demanda de la retrouver à Beverly Hills. Oleg se retrouva en tête à tête avec elle et une bouteille de Moët et Chandon dans un luxueux pied-à-terre qu'elle dit avoir acquis puis décoré pour lui. C'était à la fois somptueux et douillet. Il y avait des vases chinois dans tous les coins.

Barbara commença par allumer un bâton d'encens. Puis elle servit le champagne et se mit à lire certains de ses poèmes à Oleg. Plusieurs heures plus tard, elle parlait toujours, et Oleg se demandait s'il allait se passer quelque chose entre eux. Il lui prit la main, lui caressa les cheveux, et elle lui reparla alors mariage. Elle avait tout prévu : tout d'abord elle divorcerait, puis elle donnerait un million de dollars à Gene Tierney pour que celle-ci accepte de divorcer. Enfin, Oleg et elle-même se marieraient.

Bien qu'il ne sortît jamais rien de concret de tout cela, Oleg crut comprendre ce qui s'était passé dans la tête de Barbara : « La majorité des gens, quand ils ont besoin de changement, s'achètent une nouvelle voiture, un nouveau vêtement, ou bien, ils décident de redécorer la salle à manger. Mais ce schéma ne pouvait s'appliquer à Barbara, qui pouvait s'acheter tout ce qu'elle voulait. Ce n'était pas amusant pour elle de s'offrir quelque chose, alors elle essayait de s'offrir un nouveau mari.

» Les hommes étaient pour Barbara le meilleur des stimulants. Elle était toujours amoureuse de plusieurs hommes à la fois, mais le véritable amour était quelque chose de rare dans sa vie, quelque chose qui ressemblait plus à une amitié romantique et platonique qu'à une passion charnelle. Elle divisait les hommes en deux groupes : ceux qu'elle aimait et ceux avec lesquels elle couchait. Ses mariages étaient généralement dénués de sexe et ses histoires sensuelles dénuées d'amour. Cette incapacité qu'elle avait de combiner ces deux aspects de l'amour dans un seul homme explique certainement le fait qu'elle ait changé si souvent de mari. Elle espérait toujours rencontrer l'homme de ses rêves – un beau chevalier en armure brillante –, mais, par quelque fatalité, il demeurait inaccessible. »

Les Grant, qui avaient partagé de l'amour et bien des plaisirs pendant plusieurs années, ne partageaient désormais plus rien. C'était un peu comme si la muraille de Chine avait brusquement surgi entre eux, scindant leur maison en deux. Ils vivaient, dînaient, s'amusaient et dormaient chacun de leur côté. Finalement, un jour d'avril 1944, Cary remplit ses valises et ses sacs, et partit s'installer dans le pavillon d'amis des Brisson. Deux jours plus tard, Rosalind Russell invita Barbara à dîner. Et à la fin de la soirée, Cary et Barbara s'en furent dans la chambre de Frederick, où ils passèrent la nuit. Frederick alla dormir dans la chambre de Rosalind. Le lendemain matin, lorsque Brisson entra dans sa chambre pour y prendre une paire de chaussettes, il trouva Barbara seule dans le lit. Il entra alors dans la salle de bains pour prendre sa brosse à dents, et vit Cary allongé par terre, endormi. Frederick retourna dans la chambre de sa femme et lui dit : « Je crois qu'il y a encore un problème. »

Néanmoins, les Grant rentrèrent ensemble à Westridge. Le lendemain, Barbara offrait un bracelet en or et diamants d'une valeur de 40 000 dollars à Rosalind Russell, pour la remercier d'avoir favorisé une réconciliation avec Cary. Et le couple le plus fameux de Hollywood repartit d'un nouveau pied dans une relation toujours aussi capricieuse. On les vit ensemble dans de nombreuses réceptions, notamment chez Elsa Maxwell, le soir où elle fêta chez elle la marche victorieuse du général Leclerc sur Paris. Tous les gens qu'ils rencontraient lors de ces soirées étaient choqués par l'allure maladive de Barbara qui avait perdu beaucoup de poids et semblait exténuée. Parfois, elle et Cary ne s'adressaient pas la parole de la soirée.

« D'une manière générale, se souvient Frederick Brisson, on peut dire que Barbara et Cary avaient une relation d'amour-haine très marquée. Quand il était là, elle le détestait. Quand il partait, elle ne supportait pas son absence. »

Barbara passa l'après-midi du 14 août à modifier l'agencement du salon avec l'aide de Dudley Walker. Ils étaient en train d'accrocher des tableaux au mur quand Cary entra dans la pièce. Il inspecta les lieux d'un regard sévère et dit en grognant : « Non, Barbara, ça ne me plaît pas. Ce n'est pas ça que je veux. » Puis il tourna les talons et sortit du salon.

Barbara s'appuya contre Dudley et se mit à pleurer. Le serviteur essaya de la consoler. « Ne pleurez pas. Ne faites pas attention à lui », dit-il en lui caressant les cheveux.

Une heure plus tard, elle était assise au piano. De son côté, Grant buvait du rhum dans son bureau, tout en feuilletant un scénario. Quand Dudley vit le majordome descendre l'escalier une valise à la main, il courut prévenir Grant de ce qui était en train de se passer.

– Mr. Grant, votre femme pleure et elle a fait sa valise. Pourquoi n'iriez-vous pas la consoler?

Grant leva lentement la tête.

– Et si vous vous occupiez de ce qui vous regarde? aboya-t-il.

– Très bien, monsieur. J'essayais seulement d'arranger les choses, répondit Dudley.

Le temps qu'il revienne dans le salon, Barbara et la valise avaient disparu. Sans dire à personne où elle allait, Barbara s'installa chez Bill Robertson, à Magnolia Drive, Beverly Hills. Barbara s'était occupée peu de temps auparavant de la décoration de cette maison et avait procuré à Bill de précieux objets d'art japonais et chinois. Quand les journalistes retrouvèrent finalement sa trace et parvinrent à la localiser, elle ne fit aucun mystère sur le fait qu'elle avait quitté Cary, s'accusant d'ailleurs elle-même d'être la principale responsable de leurs différends. Et pour y voir un peu plus clair en elle-même à ce sujet, elle prit l'avion à destination de Washington D.C. et alla rendre visite à sa tante Marjorie.

Marjorie Post et Joseph E. Davies, son mari, étaient rentrés de Russie, et s'étaient installés dans une propriété d'Embassy Row. Davies avait été nommé auprès du secrétaire d'État aux Affaires étrangères, et avait écrit un livre, *Mission to Moscow*, sur la période durant laquelle il avait été ambassadeur en Russie. Quant à Marjorie, elle s'occupait à répertorier la masse d'objets d'art qu'elle avait rapportés d'Union soviétique.

Voici un extrait d'une conversation entre tante Marjorie et Barbara, au cours de laquelle Barbara se plaint d'avoir encore raté un mariage.

« Tu es trop impétueuse, dit Marjorie. Tu devrais essayer d'arranger les choses avec Cary.

– Peut-être n'ai-je tout simplement pas encore rencontré l'homme qu'il me faut.

– Absurde! Tu n'as déjà eu que trop de maris. A mon avis, il y a quelque chose que tu ne fais pas comme il faut.

– Ah oui? Quoi par exemple?

– As-tu essayé de rouler les hanches? On m'a dit que les hommes adoraient ça. »

Vers la fin du mois de septembre, Barbara regagna la côte ouest et s'installa au Mark Hopkins Hotel, à San Francisco. Jerry Giesler lui téléphona pour lui annoncer que les Reventlow avaient quitté Vancouver et vivaient désormais à Boston. Lance allait à l'école à Brookline. Giesler avait fourni de nouveaux documents au tribunal, tous défavorables à Court Reventlow. Il espérait en finir au plus vite avec cette bataille pénible entre Barbara et son ex-mari.

Barbara reçut un autre coup de téléphone, de Cary celui-ci. Il la supplia de le revoir. Elle accepta, et il prit aussitôt l'avion pour San Francisco. Le 4 octobre, sept semaines après leur séparation, les Grant annoncèrent leur réconciliation.

Ils repartirent pour Pacific Palisades, où les attendait une lettre de Douglas Fairbanks Jr. leur annonçant qu'il rentrait de la guerre et qu'il avait l'intention de se réinstaller dans sa maison. L'idée qu'avait en tête Cary pendant les semaines où il chercha une nouvelle demeure était de trouver une maison plus petite, dans laquelle ils ne pourraient loger que trois ou quatre serviteurs. Il se sentait particulièrement oppressé par la présence constante de Ticki Tocquet et de Margaret Latimer dans leur vie. Ticki et Sister couvaient Barbara comme deux mères poules, prenaient sa défense à la moindre occasion, et la protégeaient de tout ce qui était susceptible de mettre en danger son équilibre, – y compris son mari. Bien qu'il ne pût leur en vouloir de se dévouer corps et âme à Barbara, il était impatient de les voir reléguées à un statut de moindre importance dans la hiérarchie familiale.

Il trouva assez vite la maison qu'il cherchait. C'était une jolie bâtisse de deux étages, au 10615, Bellagio Drive, située non loin du Country Club de Bel Air. Cette maison était d'une taille honorable, mais néanmoins trop petite pour pouvoir loger plus de trois domestiques à demeure. Aussi le reste du personnel, y compris Ticki et

Sister, alla-t-il vivre ailleurs. Les Grant étaient seuls au moment où ils avaient le plus besoin d'intimité. Le soir, ils restaient tous les deux à la maison, refusant toute invitation. Ils passaient leurs week-ends à Palm Springs. Et ce nouvel arrangement sembla leur convenir un certain temps seulement. Sir Michael Duff, un membre de la haute société anglaise et un familier de Barbara, se souvient de l'incident suivant :

« J'étais de passage à Los Angeles avec Serge Obolenski, à l'époque où Barbara venait d'emménager à Bellagio Drive. Nous avons bien entendu téléphoné à Barbara pour lui demander si nous pouvions venir la voir. Elle nous a répondu que c'était impossible pendant les trois jours qui venaient, mais que nous pourrions lui rendre visite dans quatre jours, parce que ce jour-là Cary serait absent de la maison. Nous y allâmes, et nous étions en train de rire et de bavarder avec elle quand nous entendîmes du bruit dans le jardin. Barbara s'excusa et fonça vers la fenêtre. Quand elle revint, elle était blême et tremblante, et elle nous demanda de bien vouloir sortir de la maison par la porte de derrière. Elle nous demanda de lui pardonner d'agir de la sorte et nous expliqua que Cary serait furieux si jamais il nous trouvait chez lui. Nous partîmes sur-le-champ. Le lendemain, Barbara nous téléphona et nous dit qu'elle était désolée de nous avoir mis à la porte, mais qu'elle avait dû le faire parce que Cary détestait ses amis. Je trouvai cela assez surprenant. En effet, j'avais toujours trouvé Cary très sympathique. Aussi je dis à Barbara que s'il se conduisait vraiment comme elle le prétendait, je ne comprenais pas pourquoi elle restait mariée avec lui. “ Je n'ai pas l'intention de rester sa femme, m'informa-t-elle. Nous allons divorcer. ” »

Cary fut pratiquement le dernier à l'apprendre. Elle lui fit part de sa décision environ une semaine plus tard. La vie, lui dit-elle, était trop courte pour qu'elle continuât à compromettre la sienne plus longtemps en se sacrifiant à sa carrière. « Il est temps que nous arrêtions de nous décevoir mutuellement. De toute façon, nous avons toujours su l'un et l'autre que ça ne durerait pas. »

Le 15 février 1945, ils se séparaient de nouveau, cette fois définitivement. Le divorce fut prononcé rapidement, et sans histoire.

Cary devint alors un chapitre de plus dans l'histoire périllcuse des mariages et divorces de Barbara. Il fut le seul parmi tous ses époux qui ne réclamât jamais de compensation matérielle à son abandon. Néanmoins, il tira quelques bénéfices de cette union : une habileté à se bien conduire dans le monde, quelques toiles d'Utrillo et de Boudin, et une collection de bijoux masculins de tout premier ordre. Quant à Barbara, elle réalisait qu'à l'aube de ses trente-trois ans, avec trois divorces derrière elle, une nouvelle porte venait de se refermer derrière elle.

Par la suite, elle devait réfléchir, et avouer qu'il était difficile d'être la femme d'un acteur :

« A l'époque où nous étions mariés, Cary et moi ne sortions pratiquement jamais ensemble. Et je ne le voyais pour ainsi dire pas. En réalité je l'aimais, je veux dire que je l'aimais vraiment. Je voulais construire quelque chose avec lui, créer un vrai foyer pour Lance. Je voulais aimer et être aimée, je voulais devenir une vraie femme. Mais ce mariage n'était fait que de frustrations. Cary est très gentil mais son travail, c'est toute sa vie. »

La seule déclaration officielle qu'a faite Cary à propos de son divorce fut publiée dans le *Hollywood Reporter* :

« Je ne sais vraiment pas pourquoi ce mariage a été un échec. Cela aurait pu marcher entre nous, mais ça n'a pas été le cas, voilà tout. Il n'y a finalement rien d'extraordinaire à ça. Mais j'ai encore un sentiment très fort pour Barbara. Nous sommes de grands amis. Et je ne lui souhaite que du bien. Je voudrais la voir suprêmement heureuse. Je serai tellement content quand je la verrai souriante au bras d'un homme, ou souriante tout court. »

Cette déclaration est un bel exemple de la tendance qu'a toujours eue Cary Grant à dire le contraire de ce qu'il pensait. Quelques semaines après leur divorce, Barbara devait tomber amoureuse de Philip Reed, un acteur qui ressemblait beaucoup à Cary, lequel n'apprécia pas du tout de voir Barbara dans de tels bras. Reed devait confier plus tard au biographe Dean Jennings : « Cary me haïssait et il était persuadé que j'avais brisé son mariage, ce qui était tout à fait faux. Quand j'ai rencontré Barbara, ils avaient déjà divorcé. »

Reed allait aussi raconter à qui voulait l'entendre que Barbara était incapable d'avoir une relation normale avec un homme bien longtemps. Tôt ou tard, elle en avait assez, et alors, plus rien ne pouvait l'arrêter dans son acharnement à rompre. Reed mettait cette attitude sur le compte de l'éternel conflit qui s'opérait en elle, entre son désir ardent d'être aimée et son besoin inaliénable de liberté.

Ce ne sera qu'après sa rupture avec Reed que s'établiront des liens d'amitié réels entre elle et Cary. Grant ne cessera pas de lui montrer son affection en conservant des relations très étroites avec Lance. Pendant toute sa scolarité, Lance passera souvent des vacances chez Cary qui restera pour lui une image paternelle très forte. Et quand Grant se remariera avec Betsy Drake, le 25 décembre 1949, Barbara enverra de somptueux caftans à Betsy en gage d'amitié. « Barbara avait un don réel pour l'amitié, commenta Cary Grant. Elle avait des amis dans le monde entier. Mais je me demande si aucun de ses amis l'a jamais vraiment comprise. En fait, je doute que Barbara se soit jamais comprise elle-même. »

TROISIÈME PARTIE

La voyageuse

12

... Et ceux-là sont les vagabonds,
Les sans-foyer, les malheureux,
Qui ne trouvent un refuge,
Que par la grâce de Dieu.
Barbara HUTTON,
extrait de *La Voyageuse*, 1957

Errol Flynn eut pour ami pendant de nombreuses années un personnage tout aussi séduisant que lui, Frederick Joseph McEvoy. Freddie était un ami d'enfance de Flynn. Ils avaient grandi ensemble à Sydney, en Australie. Freddie, qui avait plus tard fait des études dans une école de jésuites à Stonyhurst, en Angleterre, s'était très vite passionné pour le sport. En quelques années, il était devenu un tireur d'élite. Il s'était mis à conduire des voitures de course, à faire de la plongée sous-marine et à boxer. Il avait été capitaine de l'équipe anglaise de bobsleigh aux jeux Olympiques d'hiver de Garmisch-Partenkirchen, en 1936. Un an plus tard, il devait mener la même équipe à la victoire aux championnats du monde de bobsleigh à Saint-Moritz.

McEvoy avait un goût immodéré pour le risque et l'aventure. Il avait exercé foule de métiers, tels que créateur en bijoux, joueur professionnel, trafiquant en tout genre et gigolo. Il avait le jeu dans la peau et, au fil des années, il gagna – et perdit – des fortunes dans tous les casinos d'Europe. Il était l'un de ces rares individus dont la vie ressemble à un roman d'aventures. Il reconnut un jour avoir tué un homme lors d'une bagarre dans un bar à Marseille. Une fois, il paria 10 000 dollars qu'il était capable de faire Paris-Cannes en voiture en moins de dix heures. Et effectivement, il couvrit la distance au volant d'une Talbot de course en un peu plus de neuf heures. Un soir, il gagna 25 000 dollars au backgammon à Monte Carlo, et le lendemain, il s'acheta une Maserati avec ses gains. L'argent lui brûlait les doigts, et il n'était pas rare qu'il misât sur des chevaux tout ce qu'il venait de gagner au jeu. Et si jamais il avait parié sur le bon cheval, il fêtait sa bonne fortune au champagne rosé, claironnant alors qu'il buvait le sang d'un bookmaker blessé.

De son propre aveu, McEvoy était un fripon, un escroc, qui usait de son intelligence, de ses charmes et d'une bonne dose de fourberie pour arriver à ses fins. Il faut dire qu'il était particulièrement beau, viril, et séduisant. Il était grand et mince avec de larges épaules. Il portait une fine moustache noire, il avait des lèvres sensuelles, une musculature superbe et de magnifiques yeux bleus lumineux. Sa ressemblance avec Flynn était si frappante qu'on eut du mal à les distinguer le jour où il assista son ami en tant que témoin à un procès pour viol à Hollywood.

Barbara Hutton fut frappée par cette extraordinaire ressemblance entre les deux hommes quand elle vit Freddie pour la première fois en 1935, dans le sud de la France. Malgré l'attirance qu'elle ressentait à son égard, elle le tint à distance, car elle connaissait sa réputation de séducteur sans cœur.

En 1940, McEvoy épousa une femme beaucoup plus âgée que lui, une dame de soixante-deux ans du nom de Beatrice Cartwright, héritière des pétroles Standard Oil. Si elle avait perdu toute sa beauté en vieillissant, elle n'en était pas moins riche comme Crésus et pouvait entretenir Freddie comme un roi. Il eut droit chaque année à 100 000 dollars d'argent de poche, sans compter une somptueuse garde-robe et une nouvelle voiture.

Ils divorcèrent en 1942, l'année où Freddie se remaria avec une autre héritière – la fille du président des pétroles du Kansas – jeune et jolie cette fois. Irene Wrightsman avait dix-huit ans quand elle épousa Freddie. Hélas, son père s'empressa de lui couper les vivres et le beau Freddie la quitta deux ans plus tard, après lui avoir fait un enfant. Il se mit à faire la navette entre Mexico et Beverly Hills, passant des armes, des bijoux et de l'alcool en contrebande entre le Mexique et les États-Unis. Il faisait équipe avec Flynn dans ce jeu dangereux. « On a frôlé la mort plusieurs fois et on s'est bien marrés », raconta McEvoy à Dorothy di Frasso. Lors de ses passages à Mexico, il habitait chez elle. Dorothy fut l'une des protectrices les plus généreuses de Freddie.

Et sa réputation d'amant hors pair faisait tache d'huile. Un jour qu'il rentrait chez Flynn, à Hollywood, Freddie trouva un message : « Si vous avez envie de moi, appelez-moi », signé : Barbara Grant.

Ce fut là le départ d'une histoire clandestine entre elle et lui, romance qui dura de novembre 1944 à mars 1945. Ils se retrouvaient généralement dans le pied-à-terre qu'avait Barbara à Beverly Hills. Barbara ne démentit pas la réputation de Freddie : il était effectivement un merveilleux amant. Mais il était plus que cela. Il était fin psychologue, il avait une connaissance profonde de toutes les subtilités et complexités de la nature humaine. Selon Barbara, il comprenait mieux les femmes que tous les hommes qu'elle avait connus jusqu'alors. Il était l'un de ces rares individus capables de lui remonter le moral dans ses périodes de dépression les plus intenses.

Pendant l'automne 1945, Barbara et Freddie vécurent tous les deux à New York – elle chez Joseph Davie au 16, Soixante-Douzième Rue Est, et lui dans un appartement de Park Avenue, chez John Perona, le propriétaire d'El Morocco. Freddie venait de se faire opérer d'un ulcère duodénal et était encore convalescent quand Barbara arriva à New York et lui téléphona pour prendre de ses nouvelles. Il s'avéra que l'opération n'avait affaibli sa puissance sexuelle en aucune manière.

Freddie fut généreusement récompensé de ses talents. Durant cette période, il reçut toute une série de cadeaux d'une valeur inestimable : des montres incrustées de diamants, des cabochons d'émeraude, une Ferrari rouge et un chèque de 50 000 dollars. Pour les vacances de Noël, les amants partirent faire du ski dans le New Hampshire. Ils louèrent à Franconia un charmant petit chalet que Barbara devait par la suite offrir à Freddie.

Quand ils rentrèrent à New York, Barbara eut des nouvelles de Graham Mattison, qui s'occupait désormais de régler les problèmes de garde concernant Lance. Il fut passé un accord entre les deux parties, qui stipulait que Barbara et Court garderaient Lance six mois de l'année chacun. Les conditions posées par Reventlow étaient les suivantes : en aucun cas Barbara ne pourrait vivre à l'étranger durant les périodes pendant lesquelles elle garderait Lance, et la somme d'argent allouée à Court pour frais d'éducation se monterait désormais à 5 millions de dollars, et non plus à 1,5 ainsi qu'il en avait été décidé à l'origine. Ce qui resterait sur cette somme à la majorité de Lance lui serait intégralement reversé. Barbara accepta les conditions de son ex-mari.

Lance revint bientôt vivre avec sa mère. Mais pendant tous ces mois durant lesquels il avait été séparé d'elle, son asthme avait empiré. Barbara l'emmena consulter plusieurs allergologues. L'un d'eux lui affirma que son fils était allergique à l'air conditionné. Un autre lui dit qu'il souffrait d'une allergie au pollen et lui suggéra de l'envoyer vivre au Nouveau-Mexique.

Lance partit finalement pour l'Arizona avec Ticki Tocquet et Sister, mais sans sa mère. En effet, Barbara dut quitter les États-Unis et s'installer un temps à Paris pour échapper aux retombées d'un scandale auquel s'était trouvé mêlé son cousin Jimmy Donahue. Celui-ci, bien connu dans le milieu homosexuel new-yorkaïs pour ses excentricités, avait cette fois passé les bornes : en compagnie de quelques amis, il avait entraîné chez lui un jeune soldat qui, sous l'effet de l'alcool, avait perdu conscience. Jimmy avait alors décidé de lui raser le pubis. Entre deux éclats de rire, il procédait à l'opération quand sa victime, revenant à lui, avait bougé. Et le rasoir s'était enfoncé dans la verge. Affolés, Jimmy et ses acolytes avaient enveloppé le soldat dans une couverture et, en voiture, l'avaient emmené jusqu'au pont de la Cinquante-Neuvième Rue, où ils l'avaient laissé. Quand la police l'avait retrouvé, il était en état de choc. Il ne se souvenait de rien, sinon qu'il avait suivi des hommes rencontrés dans un bar homosexuel.

Il ne fut pas difficile de remonter jusqu'à Jimmy. Mais Jessie Donahue fit en sorte qu'on ne parlât jamais de cette affaire dans la presse et qu'il n'y eût pas de jugement – elle signa un chèque de 200 000 dollars à la victime pour acheter son silence et le dissuader de porter plainte. Puis elle envoya Jimmy et l'un de ses amis – également impliqué dans l'affaire – vivre au Mexique. Ils y restèrent deux ans.

Barbara était donc de retour en Europe. Elle déclara aux journalistes qu'elle n'avait pu résister à l'envie d'y revenir et qu'elle allait passer plusieurs mois à Paris et à Londres. Étant donné que McEvoy l'avait rejointe à Paris, elle ne put faire autrement que de mentionner sa présence et elle surprit tout le monde en déclarant : « Je n'ai absolument pas l'intention de me marier encore une fois. A un moment donné, il faut devenir raisonnable. »

L'un dans l'autre, Barbara était plutôt contente d'être à Paris. Invitée à un bal chez la cousine de Silvia de Castellane, elle devait lui confier : « C'est la première fois de ma vie que j'ai l'impression d'être une femme libre. Depuis que je suis née, il y a toujours eu quelqu'un derrière mon dos pour me dire ce que je devais faire ou ne pas faire. D'abord ce fut mon père, puis mes maris. Et si je me suis toujours pliée à leurs désirs, c'est parce que je suis ce genre de personne qui ne supporte pas les affrontements. Dès qu'on se met à crier contre moi, je capitule pour avoir la paix. Aujourd'hui, je peux me balader à mon gré, plus personne ne trouve rien à y redire. »

Bien que Freddy McEvoy fût également à Paris à cette époque, il sut s'effacer pour laisser la place au nouveau prétendant de Barbara, le comte Alain d'Eudeville, futur héritier des champagnes Moët et Chandon. On les vit ensemble à Paris et à Cannes.

En juillet, le comte d'Eudeville accompagna Barbara à Londres. La raison majeure de ce voyage était de voir en quel état la guerre avait laissé Winfield House et de prendre une décision sur l'avenir de cette demeure.

Winfield House, qui avait servi de maison de convalescence pour soldats canadiens pendant la guerre, était assez endommagée. Barbara trouva sa demeure à l'abandon, toutes vitres soufflées et plafonds écroulés sous l'impact des bombes. Elle réfléchit quelques jours à ce qu'il convenait de faire, puis elle décida d'en faire don au gouvernement américain, comme résidence pour l'ambassadeur des États-Unis en Angleterre.

Le président Harry Truman lui envoya une lettre dans laquelle il la priait de bien vouloir lui octroyer un délai de réflexion. En effet, la maison devait être restaurée et remeublée. Par ailleurs, elle semblait un peu trop grande et chère à entretenir pour devenir la résidence d'un simple diplomate.

Barbara fut choquée quand elle reçut cette lettre. Et elle était prête à annuler son offre quand elle reçut une seconde missive émanant du cabinet du président, et dans laquelle on acceptait cette fois définitivement son offre.

Néanmoins, il fallut attendre neuf ans avant que Winfield House fût totalement restaurée. En effet, il était impossible de trouver des matériaux de construction après-guerre pour un usage privé, ceux-ci étant réservés en priorité à la restauration de tous les édifices d'utilité publique, tels que les hôpitaux et les écoles.

Le 8 janvier 1955, l'ambassadeur américain Winthrop Aldrich s'installait à Winfield House. A cette occasion, on donna une grande réception, présidée par la reine Élisabeth et le prince Philip. Barbara fut la première invitée. Mais elle déclina l'invitation. Elle écrivit à l'ambassadeur Aldrich : « A la vérité, je risque de me sentir mal à l'aise en une telle circonstance. Winfield House fait désormais partie de mon passé, et bien que je sois très heureuse de la savoir promise à une nouvelle existence, cette maison risque de faire resurgir en moi des sentiments liés à certains souvenirs – bons ou mauvais – que je préfère ne pas voir se rallumer. »

Pendant qu'elle séjournait à Londres, Barbara entendit parler d'un palais à vendre à Tanger, au Maroc, et l'automne venu, elle s'y rendit avec le comte d'Eudeville. Ils descendirent dans le plus grand hôtel de la ville, El Minzah. Le palais en question avait appartenu à un saint musulman du XIXe siècle, Sidi Hosni, qui lui avait donné son nom. C'était une immense bâtisse aux murs blancs crénelés, qui surplombait la petite rue Ben Raisul, dans la Casbah de Tanger, le plus vieux quartier de la ville. Barbara fut tout de suite fascinée, non seulement par l'aspect curieux de l'édifice, mais aussi par le côté romanesque de son histoire.

La propriété, qui comprenait à l'origine sept maisons individuelles entourant une bâtisse centrale de sept pièces, avait d'abord été une prison, puis un café maure, avant d'appartenir à Sidi Hosni. En 1925, ses descendants l'avaient vendue à Walter B. Harris, correspondant du *Times* au Maroc. Harris eut l'idée de relier les sept maisons entre elles, puis de relier le tout à la structure centrale. Mais il mourut avant que les travaux fussent achevés. En 1933, l'édifice devint la propriété de Maxwell Blake, représentant des États-Unis à Tanger. Celui-ci mit dix ans à faire achever les travaux et à meubler et décorer le palais avec du mobilier et des œuvres d'art qu'il fit venir des quatre coins de l'Orient. Il s'alloua les services du dernier des grands artisans maures qui travaillait et peignait encore la pierre à l'ancienne. Cet homme, borgne, et qui avait appartenu à une tribu, composa des arabesques d'une finesse inégalable. Une fois terminé, le palais ressemblait à un gigantesque rayon de miel, une sorte de Casbah miniature avec des corridors, des pièces et des terrasses situées à différents niveaux et reliées entre elles par une multitude de passerelles et escaliers.

Au début de l'année 1946, Blake décida de retourner vivre aux États-Unis avec sa femme, et de vendre le palais. Le général Franco, dictateur espagnol, dépêcha une équipe de spécialistes à Tanger pour savoir si ce palais représentait un bon investissement. Ayant dû recevoir un avis favorable à l'acquisition de la demeure, il fit une offre de 50 000 dollars à Blake – la plus belle offre qu'on lui eût jamais faite... jusqu'à l'arrivée de Barbara Hutton.

Celle-ci lui proposa le double, et l'affaire fut conclue sur-le-champ. Elle accepta de garder à son service tous les domestiques de Blake – sept Espagnols très dévoués et leurs familles. Ruth, la fille de Blake, et Reginald Hopwood, son gendre, s'étaient toujours beaucoup plu à Sidi Hosni. Barbara les invita à rester. La majeure partie de l'année, ils continuèrent à occuper l'un des plus grands appartements du palais. Durant les mois où Barbara était là, ils émigraient dans l'aile réservée aux invités.

Barbara se lança dans de folles dépenses pour redécorer le palais à son goût. Elle fit venir des meubles du monde entier, mais la majorité du mobilier fut créée par Adolfo de Velasco, un ébéniste de Marrakech. Elle acheta un grand nombre d'objets d'art chez Jacques Robert, un marchand suisse, qui avait une boutique à Tanger. Elle fit également l'acquisition d'une extraordinaire tapisserie auprès du maharaja de Tripura. Cette pièce unique, connue sous le nom de « Tapisserie d'un million de dollars », était tissée de fils d'or, et chargée de diamants, perles, rubis et émeraudes; plusieurs gros coussins allaient avec, tout aussi richement décorés.

A la verrerie de Murano, Barbara commanda divers objets utilitaires, notamment un gigantesque lustre aux couleurs pastel. La Compagnie thaïlandaise de la soie lui envoya par rouleaux entiers des soieries magnifiques qui rehaussèrent encore les nombreux ornements. Elle acheta trente horloges à boîtier d'or de chez Van Cleef et Arpels, à 10 000 dollars chacune. Sidi Hosni devint par ailleurs un véritable musée recelant des trésors tels que des Fragonard, des Braque, des Manet, des Kandinsky, des Dali, des Greco et des Paul Klee.

Tout en ajoutant à la magnificence de Sidi Hosni, Barbara réalisait à quel point la majeure partie des habitants de Tanger vivaient dans la misère. Aussi se fit-elle un devoir de contribuer à l'amélioration des conditions de vie de toutes ces familles de déshérités qui hantaient la médina.

Elle entra en contact avec Mohammed Omar Hajoui, délégué local du tourisme marocain, et lui demanda une liste de tous les organismes de charité auxquels elle pourrait faire des dons. Et dans les mois qui suivirent, elle envoya de nombreux chèques anonymes à ces diverses organisations.

Puis, au fil des années, elle créa une soupe populaire pour les Rifains qui, poussés par la famine, avaient dû fuir leurs montagnes et s'installer à Tanger. Elle leur fit donner des vêtements, offrit des jouets aux enfants. Son organisation fut bientôt capable de nourrir plus de mille personnes par jour.

Dans les années soixante, elle passa un accord avec l'École américaine, située au pied du Rif, selon lequel, chaque année, une douzaine d'enfants parmi les plus pauvres de Tanger pourraient suivre l'enseignement de l'école gratuitement. Elle pourvoyait aux frais d'étude, habillait les enfants, et fit même construire un dortoir pour eux sur le terrain de l'école. Les enfants suivaient l'enseignement primaire, et s'ils montraient des dispositions particulières, on les envoyait plus tard au collège. Parmi tous ces actes philanthropiques, ce fut celui-là qui procura le plus de satisfaction à Barbara.

Dans un certain sens, on peut dire que Barbara a lancé Tanger. La majorité des riches Américains et des Anglais fortunés qui s'installaient alors dans cette ville achetaient à La Montagne, une banlieue résidentielle où les maisons disparaissaient sous une luxuriante végétation. Le fait que Barbara ait outrepassé cette règle et choisi de s'installer en plein cœur de la Casbah fut jugé au départ insensé. Mais d'autres personnes comme il faut vinrent à suivre son exemple – l'industriel Gerhard Voigt, Yves Vidal, Malcolm Forbes – et Tanger devint un lieu à la mode doublé d'un paradis fiscal, situé à quelques heures seulement de l'Espagne. Cette ville attira du même coup nombre de touristes.

Conscient de l'importance du rôle que jouait Barbara dans le développement du tourisme à Tanger, Hajoui fit le maximum pour lui être agréable. Il lui rendit de multiples services. Il l'introduisit notamment dans la plupart des vieilles familles de l'aristocratie marocaine. Pour elle, il usait de son influence, et sur tous les plans. Il y eut par exemple l'épisode des Rolls-Royce.

Barbara fit venir plusieurs Rolls d'Angleterre, qu'elle entreposa quelque temps dans un garage derrière le palais. Mais le jour où elle voulut sortir avec l'une de ces somptueuses automobiles, elle s'aperçut que les rues de la Médina étaient trop étroites pour permettre le passage d'une Rolls. Aussi Hajoui s'empressa-t-il de faire voter un décret selon lequel toutes les rues de Tanger devaient être suffisamment larges pour que l'on pût y rouler en Rolls. Les rues qui ne répondaient pas à ce critère furent élargies.

Dans toute la presse, on parlait des fêtes données par Barbara à Sidi Hosni. C'était Hajoui qui engageait les artistes chargés de distraire les invités. Barbara avait une préférence pour les danseuses du ventre et les fameux « Hommes bleus », des descendants de nomades berbères qui chantaient et dansaient divinement bien.

« Tous les touristes voulaient assister à ces fêtes, se souvient Hajoui. Et il y eut bientôt un marché noir où l'on vendit des invitations à prix d'or. Ceux qui ne parvenaient pas à s'en procurer désiraient au moins voir le palais. Sidi Hosni était devenu l'une des meilleures attractions touristiques de la ville. Tout le monde s'extasiait devant ce palais avec sa petite guérite et son drapeau américain flottant sur le toit. Les guides locaux disaient : " Et voici Sidi Hosni, le palais de Son Altesse Sérénissime Barbara Hutton, la reine de la Médina! "

» Ses fêtes attiraient du beau monde : Charlie et Oona, Greta et Cecil, Ari et la Callas. On invitait chaque fois deux cents personnes, mais généralement, il en venait mille. Les gens amenaient leurs amis, ce qui est courant au Maroc. D'autres venaient juste pour voir. Et bientôt, il s'avéra que l'on repartait les poches pleines de pierres précieuses arrachées aux tapisseries ou aux coussins. Barbara dut s'allouer les services de gardes armés qui patrouillaient en civil à travers la foule. »

L'écrivain américain Paul Bowles, et sa femme Jane, également écrivain, vivaient à Tanger en 1947, dans un petit appartement situé à quelques rues seulement du palais de Barbara. Dans son autobiographie *Sans s'arrêter*, Paul Bowles décrit Sidi Hosni comme « le jardin d'Allah où chantaient les rossignols, où jaillissaient les fontaines et où l'on tapait dans ses mains pour réclamer la venue des musiciens.

» Dans tout ce qui l'entourait, elle trouvait matière à rêver, et s'ingéniait à transformer la réalité en une espèce de grande fantasmagorie permanente qui semblait lui convenir tout à fait. Je me souviens qu'un été elle fit venir trente chameliers et leurs chameaux du Sahara, rien que pour servir de garde d'honneur à ses invités. Après la fête, les chameliers restèrent camper plusieurs jours dans l'enceinte du palais, apparemment pas pressés de retourner dans le désert. »

Les fêtes de Barbara avaient généralement lieu sur le toit en terrasse du palais. David Herbert, le second fils du seizième comte de Pembroke, se rappelle qu'elle y faisait dresser de grandes tentes marocaines éclairées par un jeu de lumières très savant. « Je me souviens qu'un soir elle était assise sur un trône rouge et or, et qu'elle portait la fameuse tiare d'émeraudes et de diamants qui avait appartenu à la Grande Catherine. Mais il lui arrivait aussi de donner dans la simplicité et d'inviter ses voisins, des gens pauvres pour la plupart, qui se régalaient des spectacles de danse du ventre, que Barbara elle-même affectionnait tout particulièrement. »

Les fêtes mises à part, Sidi Hosni représentait essentiellement un refuge pour Barbara. C'était un lieu magique, une île de tranquillité que de hauts murs protégeaient du monde extérieur, et où Barbara se sentait à l'abri des jugements péremptoires et de la jalousie de ses contemporains. Elle n'entendait plus que les chants qui s'élevaient de la mosquée et les cris des jeunes Arabes en train de jouer. L'un de ses voisins était musicien et elle se délectait à l'écouter jouer de la guitare à longueur de journée.

Elle pouvait rester assise des heures sur sa terrasse, à l'ombre d'un figuier, contemplant la mer au loin. Elle adorait cette impression de langueur qui se dégageait de Tanger. Elle aimait aussi les plages et allait souvent nager dans la mer. Vers cinq heures le soir, elle allait fréquemment boire un thé à la menthe chez Mme Porte, une Française qui avait ouvert un salon de thé à Tanger. Barbara se promenait ensuite dans le Grand Socco, et s'arrêtait dans des petits cafés pour écouter les conteurs arabes. Elle parlait suffisamment bien leur langue pour comprendre leurs histoires merveilleuses. A la nuit tombée, elle allait parfois sur la plage de Robinson avec ses amis les Hopwood. Là, ils allumaient un feu et pique-niquaient sous les étoiles.

« Quand j'ai rencontré Barbara, dit Ruth Hopwood, elle pesait cinquante-huit kilos et avait l'air en pleine forme. Elle était très belle ainsi, mais ne cessait pourtant de se lamenter sur son poids. Elle voulait absolument peser cinquante kilos, c'était une véritable obsession. Pourtant, elle adorait manger, et préférait les choses qui font grossir. Elle s'astreignait généralement à un régime sévère, mais il lui arrivait de se gaver tout à coup, sans raison. C'était une personne qui ne connaissait de juste milieu en rien. Elle était toujours extrêmement heureuse, ou extrêmement malheureuse. L'une de ses expressions favorites était : " Je hais la modération. "

» En ce qui concerne les hommes, elle allait sans cesse de l'adoration au dégoût. Quand elle arriva à Tanger, en 1946, elle était folle du comte d'Eudeville. Mais quand elle rompit avec lui, elle me jura ses grands dieux que plus jamais, elle ne se remarierait. Et bien entendu, je ne tardai pas à apprendre qu'elle allait bientôt épouser le prince Igor Troubetzkoï. »

A trente-cinq ans, le prince Igor Nicolaïevitch Troubetzkoï avait un corps d'athlète et un visage de chérubin. Il avait des fossettes, un grand front, des yeux verts malicieux, des cheveux châtain clair et une très belle bouche. Il devait son beau corps musclé à sa carrière de coureur cycliste. Il avait gagné les championnats français de cyclisme amateur en 1931 et il était devenu par la suite coureur professionnel. Puis il s'était employé à des tâches d'un autre genre.

Il travaillait alors pour Freddie McEvoy, qui s'était spécialisé depuis peu dans la revente clandestine de jeeps de l'armée américaine. Freddie donnait aussi dans le commerce des devises étrangères. Il fournissait de l'argent français à qui pouvait lui donner des dollars américains ou des francs suisses en échange. Igor était son homme de main. C'était lui qui se chargeait des transactions avec les clients dans les arrière-salles de bistrots louches.

Barbara n'avait vu Troubetzkoï qu'une seule fois, avant de partir à Tanger. De retour à Paris, la première chose qu'elle fit fut d'appeler McEvoy pour l'inviter à prendre une tasse de thé. Là, elle l'interrogea à propos d'Igor. Elle voulait tout savoir sur lui, et Freddie, qui était un homme de sens pratique, répondit de bonne grâce.

Le prince Igor était né la même année que Barbara. Son père, le prince Nicolas Troubetzkoï, d'origine lituanienne, et sa mère, la comtesse Catherine Moussine Pouchkine, et avaient fui la Russie en 1905 pour les États-Unis. Youka, le fils aîné, était né à Los Angeles, Igor à Paris, et la famille s'était finalement installée à Nice, où les garçons avaient fait leurs études.

Satisfaite des révélations de Freddie, Barbara se dit qu'elle apprendrait de la bouche d'Igor lui-même ce qu'elle désirait savoir de plus à son sujet. Le fait qu'il possédât un titre de noblesse était suffisant. Elle demanda son numéro de téléphone à Freddie, qui le lui donna. Elle invita Igor à dîner le lendemain soir dans sa suite au Ritz. Il arriva avec un bouquet de fleurs. Quelques heures plus tard, Barbara l'invitait à passer dans son boudoir. Igor devait dire plus tard à propos de cette soirée : « Elle a téléphoné. Nous avons dîné et – mon Dieu – tout est allé si vite! »

A New York, Youka déclara à la presse que Barbara n'était pas du tout la femme qu'elle avait la réputation d'être. Il la dépeignit comme une personne très intelligente, sensible, généreuse, chaleureuse et pleine d'humour. « Elle n'a pas eu de chance avec tous ces hommes qui ont gravité autour d'elle pendant tant d'années. Ils ne s'intéressaient qu'à son argent, ce qui n'est pas le cas d'Igor, fort heureusement. Et je suis très touché de les voir si bien ensemble. Je suis très content pour eux. Avec Igor, Barbara sera comblée. »

Youka avait à la fois tort et raison en ce qui concernait son frère. Certes, Igor n'était ni calculateur ni intéressé – plutôt naïf et innocent – , mais il n'en était pas moins impressionné par la fortune de Barbara. Elle fit avec lui la tournée des magasins de luxe, et chaque fois qu'elle lui offrait quelque chose, il ne pouvait s'empêcher d'écarquiller les yeux en voyant le prix des cadeaux en question. Barbara emmenait souvent Silvia de Castellane, Jean Kennerley et leurs enfants respectifs quand elle avait des achats à faire. Magnanime, elle habillait alors les deux familles pour la saison.

Igor était aussi fort impressionné par tous les chèques anonymes qu'envoyait Barbara à diverses œuvres de charité.

« Quand Barbara donnait de l'argent à quelqu'un, elle le faisait toujours avec beaucoup de délicatesse, de sorte que la personne en question ne se sente pas gênée. Dans les magasins, même si elle avait conscience de payer le prix fort, elle ne protestait jamais. " Il faut bien qu'ils vivent eux aussi ", disait-elle. Un jour, elle dépensa une fortune chez un ébéniste auquel elle avait commandé quatre chaises pour sa suite au Ritz. Et quand une dame de sa connaissance lui dit qu'elle s'était fait avoir car les chaises n'étaient vraiment pas confortables, elle répondit du tac au tac : " Tant mieux si ces chaises sont inconfortables. Comme ça, les gens de votre espèce ne pourront y rester assis longtemps à me raconter des choses ennuyeuses. " »

Et bien que la fortune de Barbara eût quelque chose à voir avec les sentiments que lui portait Igor, l'attirance première que celui-ci ressentit à son égard fut d'ordre essentiellement physique.

« Elle n'était pas très grande, dit-il. Mais elle avait des muscles longs, des seins magnifiques, des pieds et des mains de poupée, de très beaux yeux et de très beaux cheveux. Elle avait aussi quelque chose de rare qu'on appelle la présence. Quand quelqu'un a de la présence, les autres s'en rendent compte immédiatement. Certaines personnes dégagent quelque chose de tel que lorsqu'ils arrivent dans un lieu, tous les regards convergent vers eux. Et cela n'a rien à voir avec la beauté, la richesse ou la confiance en soi. Maria Callas, Charles de Gaulle et Marilyn Monroe étaient de ceux-là. Jacqueline Kennedy Onassis et Greta Garbo également. Barbara Hutton aussi. Elle ne s'en servait pas, mais elle avait un magnétisme certain. »

Barbara et Igor passèrent pratiquement tout l'hiver ensemble, d'abord à Paris, puis à Saint-Moritz, où les rejoignirent Freddie McEvoy et le baron Edward von Falz-Fein, un Russe qui vivait la plupart du temps au Liechtenstein. Falz-Fein passa des heures à discuter avec Barbara, pendant qu'Igor et Freddie faisaient du ski.

Quelques semaines plus tard, le peintre Savely Sorine et Anya, son épouse, arrivèrent de New York, ce qui mit la puce à l'oreille de Freddie. Aussi interrogea-t-il Igor, qui finit par admettre que si les Sorine étaient là, c'était pour assister à son mariage avec Barbara.

Le même soir, quand il regagna sa chambre, Freddie trouva une enveloppe posée sur son oreiller. A l'intérieur, il y avait un chèque de 100 000 dollars et un petit mot de Barbara : « Merci pour tout, Freddie. Et particulièrement pour Pixie. » Pixie était le surnom affectueux que Barbara avait donné à Igor.

Au départ, il était prévu que le mariage aurait lieu à Saint-Moritz. Barbara avait déjà envoyé plusieurs invitations à des personnalités européennes – et notamment au roi Pierre II de Yougoslavie. Mais deux semaines avant la cérémonie, la presse eut vent du mariage et une nuée de reporters arrivèrent à Saint-Moritz.

Il fallut improviser une nouvelle stratégie. Barbara et Igor organisèrent alors une conférence de presse au cours de laquelle ils déclarèrent qu'ils allaient finalement se marier à Paris. Et ils prirent aussitôt le train pour Paris. Mais en gare de Zurich, ils quittèrent le train incognito et prirent un taxi jusqu'au Grand Hôtel Dolder, où les Sorine les rejoignirent bientôt. Le 1er mars 1947, les deux couples louèrent une voiture avec chauffeur, et se firent conduire à Coire, un petit village pittoresque situé à une centaine de kilomètres de Zurich. L'après-midi même, Lucius Chiamara, le maire de Coire, les mariait.

Barbara et Igor repartirent à Zurich, où ils passèrent encore une semaine. Puis de Zurich ils allèrent à Berne, où ils descendirent à l'hôtel Bellevue. Terrassée par la grippe, Barbara ne devait voir que le plafond de sa chambre pendant les dix jours qui suivirent.

Leur lune de miel prit fin le 1er avril quand ils rentrèrent à Paris. Aux journalistes qui les attendaient à la gare, Barbara déclara : « Je n'ai jamais été aussi heureuse. Et je sens que notre lune de miel va durer au moins quarante ans. »

Mais ceci n'était qu'une déclaration pour épater la galerie. En effet, à peine étaient-ils arrivés au Ritz que Barbara imposa sa loi : ils feraient « suite » à part et ne sortiraient le soir que si Barbara en avait envie. Étant donné que depuis leur mariage ils avaient toujours passé la nuit dans le même lit, Igor fut très surpris par cette attitude, mais il décida de ne pas s'en formaliser outre mesure.

En guise de remerciement, Barbara organisa un grand dîner au Ritz en son honneur, quelques semaines plus tard. La cuisine la plus fine fut servie à ses invités, mais Barbara ne toucha pas à son assiette. Le plus souvent, elle se contentait de café noir et de cigarettes pour tout repas, ce qui obligeait Igor à faire de fréquentes escapades au restaurant du coin pour pouvoir manger à sa faim.

Non seulement elle ne mangeait pas dans la journée, mais la nuit, elle ne dormait pas. Igor pouvait l'entendre se retourner des heures dans son lit sans parvenir à trouver le sommeil. Parfois aussi, elle sortait faire de longues promenades solitaires dans Paris, et ne rentrait qu'aux premières lueurs de l'aube. Il lui arrivait également de tirer profit de ses insomnies pour écrire de la poésie ou encore pour téléphoner à des amis. Elle passait des coups de fil dans le monde entier, et pouvait parler avec le baron von Cramm plusieurs heures d'affilée. Ils entretenaient de surcroît une correspondance régulière. Et ce qui ennuyait Igor dans cette histoire, c'est que Barbara refusât d'en parler. Elle faisait parfois allusion à von Cramm en l'appelant « mon joueur de tennis », mais elle s'obstinait à ne répondre à aucune question que son mari lui posait. Il finit par renoncer à l'interroger.

Mais ce qui troublait le plus Igor dans le caractère de sa femme, c'étaient encore ses changements d'humeur fréquents et subits, cette capacité qu'elle avait de passer en quelques secondes de l'euphorie la plus complète à la détresse la plus totale. Elle changeait aussi très souvent d'idées, et ses sentiments à l'égard des gens étaient des plus fluctuants. Elle était tout à fait capable de détester un jour ce qu'elle avait adoré la veille. Les exemples de son inconstance dans ses attachements abondent. Igor se souvient qu'il lui avait offert un petit chien qu'elle s'était mise à aimer au point de l'emmener partout avec elle et de le nourrir avec du filet mignon. Et puis un jour, sans raison apparente, elle s'était lassée du chien, avait sonné sa bonne et lui avait dit : « Prenez cette chose, et rendez-la à Igor. »

Par ailleurs, l'un des problèmes majeurs de Barbara à cette époque était son accoutumance aux tranquillisants et autres médicaments. Elle en abusait et son comportement s'en ressentait grandement. « Cela lui coupait l'appétit, modifiait son sommeil, et affaiblissait sa libido », se souvient Igor. Avalant des amphétamines le matin, des calmants le soir, Barbara était toujours dans un état second.

Vers la fin du mois de mai, les Troubetzkoï partirent pour Cannes. Mais au bout d'une semaine, Barbara déclara qu'elle préférait la montagne, aussi allèrent-ils s'installer dans les Alpes suisses, dans un châlet surplombant le lac de Thoune. Le 1er juillet, Lance arriva de Newport, où habitaient désormais les Reventlow. La présence de son fils eut un effet stimulant sur Barbara, qui redevint active et retrouva la joie de vivre. Mais dès que Lance repartit, à la fin de l'été, elle sombra de nouveau dans la dépression.

Quelques semaines après le départ de son fils, Barbara se plaignit de violentes douleurs sur le côté gauche. Igor l'emmena immédiatement à l'hôpital Salem de Berne. Là, un urologue de renom l'examina et diagnostiqua une inflammation des reins, ce qui était assez grave à cette époque.

En quelques jours son état s'aggrava, et elle fit appeler von Cramm à son chevet. Celui-ci quitta Hanovre dès qu'il apprit que Barbara était malade et passa près d'elle une semaine, au terme de laquelle Barbara se sentit nettement mieux. Igor vécut la présence du joueur de tennis comme une humiliation. Dans un moment grave, sa femme avait besoin d'un autre homme pour la réconforter... Von Cramm quitta Berne avec une nouvelle garde-robe et un gros chèque – des cadeaux de Barbara.

A la fin de l'année, Barbara était en convalescence à Gstaad, et son état s'améliorait de jour en jour, au point qu'elle put même faire du ski. Mais un matin, elle ressentit brusquement de violentes douleurs dans l'abdomen. Igor la conduisit une nouvelle fois à l'hôpital de Berne où l'on diagnostiqua une occlusion intestinale et une tumeur à l'ovaire droit. Elle fut opérée deux fois. Et pour tout le monde, ces deux interventions chirurgicales furent considérées comme un succès. Pour tout le monde, sauf pour Barbara, qui supportait mal le fait qu'on ait dû lui enlever son second ovaire, la rendant ainsi définitivement stérile.

Après une longue convalescence, elle rentra à Paris, où elle renoua avec toutes ses mauvaises habitudes du passé. Elle recommença à tenir Igor à l'écart de ses nuits, se mit à boire plus que de raison, et à se bourrer de médicaments. Cependant, elle écrivit plus qu'elle n'avait jamais écrit.

« Dans ses poèmes, elle se comparait fréquemment à un coquillage échoué sur la plage, dit Igor. Un promeneur le ramassait parfois, l'admirait quelques instants, puis le reposait là où il l'avait trouvé. Parfois aussi, il l'enterrait dans le sable. Barbara était hantée par le sentiment du manque. Et ce manque, c'était l'absence d'une présence maternelle et affectueuse dans son enfance. Ce thème revenait sans cesse dans sa poésie. »

Igor, qui se flattait d'être un expert en graphologie, se mit à étudier l'écriture de sa femme pour essayer de découvrir ce qui clochait en elle. « C'était aussi compliqué que d'essayer de déchiffrer des hiéroglyphes. Mais une fois que vous aviez tout décrypté, c'était clair comme de l'eau de roche. Tout transparaissait dans son écriture : ses angoisses, ses phobies, le côté excessif de son caractère. » Igor finit par la convaincre qu'une psychothérapie lui ferait le plus grand bien, et il entra même en contact avec Jung, qui accepta de prendre Barbara en analyse. Hélas, elle ne devait pas le rencontrer. Une nouvelle occlusion intestinale obligea son médecin à la réopérer, et à lui enlever cette fois une partie de l'intestin.

Barbara mit des mois à recouvrer sa forme, de longs mois pendant lesquels Igor s'interrogea sur son propre sort. Que pourrait-il bien faire de ses journées, hormis le garde-malade ? Il finit par caresser l'idée de devenir coureur automobile. Et bien que cette perspective n'enchantât pas Barbara, elle lui donna une grosse somme d'argent avec laquelle il s'acheta immédiatement une Alfa Roméo de compétition. Il termina second à Pau, ce qui l'encouragea à courir à Monte-Carlo. Mais là il fut moins chanceux. Il eut un accident – il entra en collision avec une autre voiture – et songea alors à se trouver un autre métier.

« Je voulais travailler, dit-il, mais Barbara ne supportait pas l'idée que je puisse avoir un boulot régulier. Elle voulait bien me laisser travailler quelques mois par an, mais quelques mois seulement. Je ne pouvais donc rien faire à fond. »

Finalement, Igor décida de se lancer dans l'immobilier. Ainsi il avait des horaires très souples, ce qui lui permettait de concilier vie professionnelle et vie privée. Il avait l'intention d'acheter de vieilles maisons pour les retaper et les revendre. Il décida que la première maison qu'il trouverait serait pour lui et Barbara.

Il acheta finalement une vieille bâtisse à Gif-sur-Yvette, dans laquelle il n'y avait ni eau ni électricité. Il fit lui-même les travaux pour la rendre habitable. Puis il la peignit entièrement, construisit un nouveau garage, et y aménagea une cuisine rustique, une bibliothèque, une salle de jeux, et des chambres d'amis. Il s'assura enfin que toutes les cheminées étaient en état de marche. Et quand tout fut fini, il invita Barbara à venir voir la maison. Mais soit elle était malade, soit elle se sentait trop fatiguée pour l'accompagner. Des semaines passèrent, puis des mois. Les excuses invoquées par sa femme se faisaient de plus en plus fallacieuses. Et Igor finit par comprendre qu'elle n'avait nulle envie de venir voir cette maison, encore moins d'y vivre un jour. Igor ne résuma jamais mieux la situation que le jour où il dit à un ami : « J'avais une maison, mais pas de foyer. »

13

En juin 1949, peu de temps après que Lance l'eut rejointe pour les vacances, Barbara fut invitée à dîner chez Elsie Mendl, à Versailles. Lors de cette soirée, on lui présenta Gerald Van der Kemp, le nouveau conservateur du château de Versailles, qui était chargé de la restauration des bâtiments et du parc royaux. Barbara lui apprit qu'elle possédait le tapis de la Savonnerie, qui avait appartenu à Marie-Antoinette. Et proposa de lui en faire cadeau. « Je ne m'y attendais pas, et j'étais heureux comme un gamin, se souvient Van der Kemp. » Elle donna également une commode qui avait été faite pour Louis XVI, et un chèque important destiné à l'achat de meubles pour la chambre de Marie-Antoinette. Elle reçut la Légion d'honneur pour ce geste généreux.

Sa santé était encore fragile, et elle passa tout le mois de juillet en Suisse, dans des cliniques spécialisées dans les cures de rajeunissement. Ces divers traitements n'eurent qu'un effet limité sur le mal dont elle souffrait, et qui était une espèce de fatigue et de lassitude chroniques.

En août, elle était à Venise avec Lance et Igor. Et ce fut de là qu'Igor téléphona à Reventlow pour lui demander si Lance pouvait rester quelques semaines de plus avec sa mère. Reventlow refusa catégoriquement et exigea qu'on lui renvoie son fils au plus tard le 1er septembre.

Mais Barbara ne l'entendait pas de cette oreille. Aussi décida-t-elle de garder Lance avec elle.

Reventlow fit porter le différend devant le tribunal qui lui donna finalement raison, bien que son ex-femme eût argué de l'état de santé inquiétant de son fils pour le garder auprès d'elle. Elle déclara également, par avocat interposé, que Court se désintéressait de Lance depuis la naissance de Richard, son deuxième fils. Le juge décida que Lance retournerait chez son père, tant qu'on n'aurait pas réuni une commission d'experts médicaux chargés de l'examiner. L'enfant avait en effet des crises d'asthme de plus en plus fréquentes et sa mère avait mis l'accent sur le fait qu'habiter Newport, une ville humide et froide, ne pourrait que faire empirer sa maladie.

Selon Peggy Reventlow, Barbara accepta néanmoins de renvoyer Lance aux États-Unis. Mais quand Peggy vint le chercher avec son mari à New York, au débarcadère, il n'était déjà plus là. Plus rapide qu'eux, Graham Mattison l'avait emmené au Waldorf Astoria.

« Nous avons retrouvé Lance dans une chambre de l'hôtel, entouré de toute une clique de docteurs, avocats, gardes du corps, détectives privés à la solde de Barbara. Lance avait l'air assez perturbé. Il affichait une hostilité tout à fait disproportionnée à l'égard de son père, un peu comme si on l'avait hypnotisé. Il regardait sans arrêt Mattison, pour voir si celui-ci approuvait tout ce qu'il disait. Visiblement, Mattison nous avait doublés. Il avait agi derrière notre dos, et réussi à obtenir un document officiel du juge, une espèce de permission exceptionnelle grâce à laquelle Barbara pourrait garder son fils pendant que l'on procéderait à un supplément d'enquête sur Court et moi-même. Je ne sais plus bien comment Mattison s'y est pris, toujours est-il que nous quittâmes le Waldorf avec la ferme impression que Barbara avait gagné. Elle avait réussi à faire croire à son fils que son père le haïssait. C'était un odieux mensonge. Lance n'avait que quatorze ans alors, et mon mari ne devait plus jamais entendre parler de lui. »

L'arrivée de Lance à New York fut bientôt suivie par celle de sa mère à bord du *Queen Mary*. Elle se plaignit à nouveau de divers maux, et alla passer une semaine à l'hôpital de Lenox Hill, où les médecins constatèrent qu'en réalité elle se portait très bien, physiquement du moins.

Jessie Donahue finit par la convaincre d'aller voir un psychiatre, qui diagnostiqua une anorexie mentale. Telle était la source de ses maux. Elle avait manqué d'amour durant son enfance, et si elle refusait à présent de s'alimenter normalement, c'était qu'inconsciemment elle avait envie d'attirer l'attention sur elle. Mais le fait de découvrir la cause d'un mal n'en fait pas pour autant disparaître les symptômes. Barbara continua à manger toujours aussi peu.

Igor Troubetzkoï arriva à New York vers la fin octobre. Et il dut attendre trois jours avant que sa femme, qui s'était enfermée dans la suite 3910 de l'hôtel Pierre, consentît à le voir. « Elle était teeeeelle-ment fatiguée! » dit-il en ironisant. « Elle ne comprenait pas pourquoi elle était revenue à New York, et ne voyait pas pourquoi je l'y avais suivie. » Vers la mi-mars, Barbara inscrivit son fils dans une école près de Tucson, en Arizona, puis elle rentra en France en bateau. Igor la rejoignit début avril.

Ce fut par l'intermédiaire du comte Jean de Baglion que Barbara fit la connaissance du prince Henri de La Tour d'Auvergne, un jeune aristocrate français de trente ans, dont le grand-père avait été ministre des Affaires étrangères. Henri, qui était agent de change, était un homme raffiné, plein d'esprit et de fantaisie. Il écrivait des poèmes et dévorait les livres. Barbara commença à le fréquenter et très vite, ils se mirent à passer des week-ends ensemble, chez lui, dans sa maison de Paris, à Deauville ou bien à Nice.

Le plus curieux dans cette histoire était que Barbara ne cherchait absolument pas à se cacher. « Troubetzkoï savait parfaitement ce qu'il en était, mais il n'osait rien dire, de peur de perdre Barbara », dit Jean de Baglion.

Néanmoins, il finit par exploser, un soir, après un dîner. Jimmy Donahue, qui pouvait se montrer très cruel, fit une allusion désobligeante à la liaison de Barbara avec Henri. Igor n'y tint plus et, quelques heures plus tard, il avait une explication orageuse avec sa femme, faisait ses valises, et quittait la maison.

Il roula jusqu'à Cannes, prit une chambre dans un hôtel, et s'y enferma trois semaines pour écrire un roman qu'il intitula *Ma vie avec Barbara Hutton*. Il n'avait pas l'intention de le publier tout de suite, mais il n'était pas exclu qu'il y songe dans l'avenir.

Ce fut à Cannes qu'il retrouva par hasard Errol Flynn, lequel était accompagné de Melvin Belli, un célèbre avocat de San Francisco spécialisé dans les affaires de divorces. Il accepta de représenter Igor dans son divorce d'avec Barbara Hutton. Il prendrait vingt pour cent de toutes les sommes qu'il réussirait à obtenir en dédommagement pour son client, plus les frais.

Igor espérait récupérer plusieurs millions de dollars. Mais aussi rusé et talentueux qu'il fût, Belli ne put obtenir que 900 000 dollars qu'Igor refusa, par fierté. « Je ne veux pas être un millionnaire à quatre-vingt-dix pour cent », déclara Igor lors de la dernière entrevue entre les deux parties, qui eut lieu au Ritz à Paris. « Je veux être un vrai millionnaire. Alors ce sera un million minimum, ou rien. » Mattison ne céda pas, et Igor ne toucha rien.

De son côté, Barbara faisait des déclarations régulières à la presse, dans lesquelles elle disait s'indigner d'apprendre que son mari avait l'intention de la poursuivre en justice. « Il ne s'intéresse qu'à l'argent de grand-père, dit-elle. Je n'ai jamais rencontré un homme aussi mesquin qu'Igor. » Et à propos d'Henri de La Tour d'Auvergne : « C'est tout de même incroyable que l'on ne puisse pas sortir avec un homme en tout bien tout honneur sans provoquer un scandale. »

En fait, c'était elle qui attisait le feu. Un soir où elle dînait au El Morocco avec Henri, elle se mit sous la table et commença à scander le rythme de la musique avec son couteau et sa fourchette. Jimmy Donahue, son cousin, n'avait rien à lui envier. Il s'affichait de plus en plus souvent au bras de la duchesse de Windsor – sans le duc. Il devait d'ailleurs défrayer la chronique pendant trois ans à ce propos, accompagnant la duchesse un peu partout, devenant l'ami inséparable du couple prestigieux, et partageant le lit de la dame, ce qui était tout de même croustillant, vu qu'il était un homosexuel notoire! Néanmoins, le duc de Windsor ne fit jamais le moindre commentaire à propos de cette affaire, et seul Jimmy, en 1954, quand cette histoire eut pris fin, se permit d'y faire allusion en déclarant à un journaliste qui l'arrêta sur la Cinquième Avenue, au bras de sa nouvelle conquête, un jeune homme très efféminé : « Laissez-moi vous présenter le garçon qui a piqué l'amant de la dame qui a fait trébucher son mari du trône de la bonne vieille Angleterre. »

Au début de l'année 1951, Barbara Hutton s'installa un certain temps à l'Arizona Inn de Tucson, un hôtel situé à quelques kilomètres de la pension de Lance. Francis Ryan, alors maître d'hôtel dans cet établissement, se souvient d'avoir servi Barbara plusieurs fois durant son séjour. « Ils prenaient généralement leurs repas dans leurs chambres. Il fallait un menu différent pour Lance, Ticki et Barbara. Elle était exigeante, mais donnait des pourboires faramineux. Un soir où elle dînait exceptionnellement dans la salle à manger elle fut si impressionnée par les musiciens qu'elle leur donna cent dollars à chacun pour qu'ils viennent jouer à sa table. »

Henri de La Tour d'Auvergne vint passer un week-end avec elle dans l'Arizona, avant de partir pour Montréal où il allait désormais travailler. « Et il me laisse ici, écrivit Barbara dans son journal. Il m'abandonne au triste spectacle des cactus sans vie et des lapins faméliques. »

Pendant son séjour, elle devait avoir une brève aventure avec Michael Wilding, acteur anglais et futur mari d'Elizabeth Taylor. Wilding était venu passer quelques jours à l'Arizona Inn avec ses amis Stewart Granger et Jean Simmons, qui venaient de se marier et dont il avait été le témoin. Un soir, il remarqua une femme seule au bar. Elle lui sourit, et il s'approcha de sa table. Il se présenta et ils burent une bouteille de dom pérignon ensemble. Puis ils en burent une deuxième dans la suite de Barbara. Et Wilding passa le reste de la nuit avec elle.

Le lendemain, il l'invita à dîner au bord de la piscine avec Stewart et Jean. Elle arriva à l'heure, particulièrement élégante, très bien maquillée, ne portant pour tout bijou qu'un solitaire à la main droite. Ceci surprit Granger qui savait qu'elle possédait une extraordinaire collection de bijoux. « Elle ne toucha pratiquement pas à la nourriture et, après le dîner, elle complimenta Jean pour sa bague de fiançailles. Puis elle lui dit qu'elle voulait la voir de plus près. Alors Jean avança la main, et Barbara lui mit pratiquement son solitaire sous le nez. Et tout en examinant notre pauvre petite bague d'un air ironique, Barbara ôta la sienne et la jeta au visage de Jean. Je lui aurais volontiers botté les fesses pour avoir voulu humilier ma femme d'une façon aussi éhontée. »

A la fin de l'été, Melvin Belli reçut un télégramme d'Igor Troubetzkoï lui demandant d'abandonner toute action en justice contre sa femme. Cette missive surprit Belli, et le nouvel état d'esprit de son client l'intrigua fort pendant plusieurs jours, jusqu'au moment où il tomba par hasard sur une interview de Barbara, dans laquelle elle déclarait qu'Igor était venu la voir pour s'excuser de tout le désagrément qu'il lui avait causé. A la fin de l'interview, Barbara dénonçait « tous ces gens égoïstes et cupides qui avaient eu une mauvaise influence sur Igor ces derniers mois et l'avaient manipulé afin qu'il essaye de lui soutirer de l'argent ».

Igor ne tarda d'ailleurs pas à annoncer à Belli qu'il désirait dorénavant se passer de ses services. Il régla lui-même cette histoire de divorce en traitant directement avec Mattison. Il fut stipulé sur les documents officiels qu'il pourrait garder la maison de Gif-sur-Yvette, qu'il aurait droit à une nouvelle voiture et qu'il bénéficierait par ailleurs d'une rente à vie de mille dollars par mois.

Igor continua à faire des apparitions dans la vie de Barbara longtemps après qu'ils eurent divorcé. Howard D. Jones, consul américain à Tanger de 1968 à 1971, se souvient d'une étrange rencontre qu'il fit un jour à Sidi Hosni, en 1969. Il avait reçu un coup de téléphone du secrétaire de Barbara quelques heures plus tôt, lui demandant de passer au palais car Barbara était très déprimée et avait besoin de le voir. « Quand je suis entré dans sa chambre, il y avait là un monsieur agenouillé au pied de son lit, dans l'attitude de la prière. Je lui fis un rapide salut, pensant qu'il s'agissait d'un prélat. Et immédiatement Barbara me reprocha de ne pas montrer au prince Igor, son quatrième mari, tout le respect qu'il méritait. »

Au début du mois de novembre 1951, Barbara était de retour à Paris, dans sa suite du Ritz. Le 4 novembre, très exactement dix jours avant son trente-neuvième anniversaire, elle apprit que le yacht transportant Freddie McEvoy et sa nouvelle fiancée, Claude Filatre, avait sombré lors d'une tempête au large de Casablanca. Les corps de McEvoy, de sa fiancée, et des trois membres de l'équipage furent retrouvés quelques jours plus tard.

Aussitôt qu'elle apprit cette horrible nouvelle, Barbara téléphona au baron Gottfried von Cramm à Hanovre, qui tenta de la consoler du mieux qu'il put. Il lui proposa de la retrouver à Cologne. Ainsi ils seraient ensemble pour son anniversaire. « Cela te fera du bien, tu verras », lui dit-il.

Il était venu à la gare pour l'accueillir, et comme elle avait bu pendant tout le voyage, elle s'écroula et se laissa conduire jusqu'à l'Excelsior, où Gottfried avait réservé deux suites séparées. Mais ce séjour fut des plus pénibles pour Barbara. Outre le fait qu'elle avait du chagrin, elle fut harcelée sans cesse par des journalistes qui la guettaient jour et nuit devant l'hôtel. Elle finit par se cloîtrer dans sa chambre, où on lui remit chaque jour une centaine de lettres dans lesquelles des inconnus lui demandaient de l'argent ou bien lui faisaient carrément des menaces de mort. Elle passa sa soirée d'anniversaire dans son lit avec une bouteille de gin.

A la fin du mois de novembre, Gottfried l'accompagna à Francfort où elle prit un avion pour New York. L'avion fit une brève escale à Londres pour refaire le plein de carburant, et là, Barbara refusa de quitter l'appareil avec les autres passagers, arguant du fait qu'elle avait un billet pour New York, et qu'elle ne bougerait pas de son siège jusqu'à l'arrivée.

Durant les six mois qui suivirent, ses pérégrinations la conduisirent tour à tour à Tucson, Mexico, Acapulco, Cuernavaca et San Francisco. Vers juin 1952, elle partit pour Hillsborough, près de Burlingame, la ville où elle avait vécu enfant. Elle s'installa dans une maison de dix pièces avec son fils, Ticki Toquet, sa femme de chambre Helen Munier, et Antonia et José Gonzales, un couple de domestiques qui étaient à son service à Tanger et l'accompagnaient souvent dans ses voyages.

La plupart du temps, Barbara restait seule, ne sortant que pour rendre visite à de vieux amis tels que Susan Smith ou Harrie Hill Page. A l'occasion, elle prenait sa voiture pour aller fouiner chez les antiquaires de Chinatown.

Quelques semaines après son arrivée à Hillsborough, elle reçut la visite de Jimmy Donahue, qui l'entraîna dans des boîtes de nuit. Dans l'une d'elles, le Deep, Barbara eut un coup de foudre pour une chanteuse égyptienne qui s'appelait Amuziata Buetti. Elle revint l'écouter trois soirs de suite, puis elle alla la voir dans les coulisses et l'invita à passer sa prochaine soirée de congé à Hillsborough.

Amuziata accepta l'invitation. Et ce qui la frappa le plus chez Barbara, ce fut son élégance exquise. « Il y avait dans ses tenues une recherche extraordinaire. Elle portait des vêtements de style oriental, mais toujours avec un jabot et des manchettes en dentelle. L'effet était si saisissant que personne n'a probablement jamais cherché à voir au-delà des apparences. En réalité, je crois que Barbara s'habillait ainsi pour créer une espèce d'écran protecteur entre elle et les autres. »

Quand elle eut passé deux mois à Hillsborough, Barbara décida qu'il était temps de bouger. Elle partit donc à Honolulu avec son petit groupe, auquel s'était joint David Pleydell-Bouverie, un ancien amant à elle, qui vivait alors en Californie du Nord. Tout le monde s'installa au Royal Hawaiian Hotel. Bouverie resta deux semaines puis il partit, définitivement convaincu qu'il ne pourrait jamais s'entendre avec Barbara. Celle-ci passa encore un mois à Honolulu pour assister à un bal que donna Doris Duke dans sa somptueuse maison, Shangri-La.

Au début du mois de septembre, Barbara était à Los Angeles, chez Irene Selznick. Irene était partie à New York pour quelque temps et lui avait prêté sa maison. Curieusement, cette demeure était située tout près de l'ancienne résidence de Buster Keaton – où Barbara avait vécu avec Cary Grant –, et où habitait actuellement Cobina Wright, une amie de Barbara devenue chroniqueuse mondaine au *Los Angeles Herald-Examiner*.

Cobina, toujours pleine d'énergie et d'enthousiasme, décida d'organiser une fête pour le retour de Barbara à Hollywood. Elle commanda un immense gâteau et du champagne. Mais le soir de la réception, Barbara se sentit trop mal pour venir – c'est du moins ce qu'elle prétendit. En dernier recours, on lui envoya l'acteur Gilbert Roland, qui ne réussit pas à la convaincre de sortir mais passa en revanche la nuit chez elle.

Cobina était sur le point d'écrire un article sur cette nouvelle romance, quand Gilbert lui apprit qu'il avait essayé de joindre Barbara à de nombreuses reprises depuis cette fameuse nuit, et qu'elle était toujours sortie. En réalité, elle se calfeutrait chez elle, buvait, et prenait plus de médicaments que jamais. Le Dr Hollins, son médecin, finit par la faire transporter à l'hôpital. On procéda à toute une série d'examens, et, comme d'habitude, il s'avéra qu'elle était en très bonne santé. Elle était elle-même sa pire ennemie.

Le 1er février 1953, de retour chez elle, elle s'écroula sur son lit. Les médecins avaient eu beau la rassurer sur sa santé, elle n'en restait pas moins persuadée qu'elle n'en avait plus pour longtemps à vivre. Aussi continua-t-elle à abuser de médicaments. Un soir où elle n'arrivait encore pas à s'endormir, elle avala vingt-quatre comprimés de Seconal d'un coup.

L'inévitable se produisit. Le Dr Hollins fut réveillé en pleine nuit par un coup de téléphone de l'hôpital. Quand il arriva sur place, Barbara respirait à peine et sa tension était très faible. On lui fit un lavage d'estomac, et à l'aube, elle était complètement hors de danger.

De retour chez elle, Barbara nia le fait qu'elle avait tenté de se suicider. « Je voulais seulement dormir », dit-elle. Le Dr Hollins, qui était particulièrement dévoué à ses patients, lui rendait visite plusieurs fois par jour, et l'écoutait attentivement, chaque fois qu'elle avait besoin de lui parler. Il finit par lui suggérer de voir un psychanalyste. Elle lui répondit qu'elle allait envisager la question.

Ce fut à cette époque que Doris Duke arriva en Californie. Elle venait d'acheter la maison de Rudolph Valentino et était en train d'en revoir la décoration. Dès qu'elle apprit que Barbara avait fait une tentative de suicide, elle vint la voir, accompagnée d'un petit homme originaire de Mysore, en Inde, qui se faisait appeler le yogi Rao. Le yogi enseignait la méditation transcendantale, et avait aidé Doris à surmonter plusieurs épreuves. Aussi était-elle persuadée qu'il pourrait faire quelque chose pour Barbara.

Quelles que fussent les méthodes de Rao, elles n'étaient pas bon marché. Barbara s'engagea à suivre cinquante-deux cours de méditation d'une heure chacun... et à mille dollars le cours. Elle se montra très discrète sur ce qui se passait durant ces cours. Tout ce que l'on réussit à savoir, c'était qu'elle répétait des mantras pendant des heures, qu'il y avait un tapis de prière, et des bougies.

Quand ces cours eurent pris fin, le yogi reprit le chemin de Mysore, et Barbara retourna voir le Dr Hollins. Pour elle, il était beaucoup plus qu'un médecin, il était une image paternelle. Elle lui demandait des conseils sur la façon d'élever son fils. Et comme la majorité des amis de Barbara, Hollins pensait que Lance était trop gâté. Il roulait dans des voitures de sport hors de prix, fréquentait tous les bars et boîtes de nuit à la mode et avait tendance à boire un peu trop.

Ses professeurs le décrivaient comme un brillant élève qui avait du mal à se faire des amis. Son meilleur copain s'appelait Bruce Kessler. C'était chez Bruce qu'il passait pratiquement tout son temps quand il n'était pas à l'école, et la mère de Bruce, Nina, était comme une seconde mère pour lui. Quant à Cary Grant, il jouait le rôle du père.

Lance avait hérité les cheveux châtain clair et le corps d'athlète de

Court Reventlow, mais il avait les traits délicats de sa mère. « Lance se montrait protecteur envers sa mère, mais il n'a jamais été très proche d'elle, se souvient Bruce Kessler. Ils se respectaient l'un l'autre, mais ils étaient très différents. Lance avait beau dépenser des fortunes en voitures, il n'avait pas cette manie de claquer de l'argent pour tout et rien, comme le faisait Barbara. Et puis il ne comprenait pas ce besoin qu'elle avait de bouger tout le temps, de changer sans cesse de maris et d'amants. Il lui arrivait fréquemment de plaisanter à ce sujet. »

Vers la mi-mars, Barbara reçut un coup de téléphone d'Anya Sorine lui annonçant que Savely Sorine, son mari, était en train de mourir d'un cancer. Barbara prit immédiatement l'avion pour New York afin de se rendre au chevet du grand peintre russe qu'elle avait toujours adoré. Ce fut un choc pour elle de voir cet homme autrefois robuste réduit à l'état de squelette ambulant, et elle fit don au Mount Sinai Hospital d'un chèque de 100 000 dollars pour la recherche contre le cancer. Lorsque Savely mourut, quelques mois plus tard, elle fit un nouveau chèque à cette fondation.

Après la mort de son ami, elle rentra à Paris.

14

Barbara arriva à Paris à la fin du mois de mars 1953. Elle accepta de se laisser interviewer par Art Buchwald, du *New York Herald Tribune*, qui devait garder un très bon souvenir de cet entretien.

Quelques semaines après son arrivée à Paris, Barbara sombrait de nouveau dans la dépression. Elle passait ses journées au lit, vidant un nombre considérable de bouteilles de whisky. Dès que son médecin parisien, le Dr Robert de Gennes, faisait disparaître les bouteilles, elle se débrouillait pour s'en procurer d'autres presque immédiatement. Un jour, elle s'ouvrit les veines et la gorge avec un rasoir.

Elle fut heureusement de nouveau sur pied pour l'arrivée de son fils au mois de mai. Lance était accompagné de deux amis, Leland Rosenberg et Manuel de Moya. Ils partirent tous trois à Londres fin mai, pour assister au couronnement de la reine Élisabeth, puis ils rentrèrent à Paris et s'installèrent quinze jours dans la suite de Barbara au Ritz. Huit jours plus tard, ils décidèrent d'aller à Deauville pour les championnats de polo. Cette fois, Barbara les accompagna. Ce fut pendant son séjour à Deauville que Barbara rencontra le célèbre Porfirio Rubirosa. Rubi, qui participait au championnat de polo, était à Deauville avec l'extravagante actrice hongroise Zsa Zsa Gabor, qui venait de se brouiller avec son troisième mari, George Sanders.

Porfirio Rubirosa était ambassadeur de la république Dominicaine. Il avait représenté son pays en Allemagne, en Belgique, en Angleterre, en Argentine et en France, divers pays où il avait davantage brillé par ses dons de play-boy étalon que par sa qualité de diplomate. Ses exploits sexuels lui avaient valu le surnom de « Toujours Prêt », et aucune des nombreuses dames qui avaient déjà eu l'honneur de partager sa couche n'avait démenti cette affirmation.

Rubirosa n'avait rien du sauvage venu de la république des bananes que les chroniqueurs avaient coutume de présenter à leurs lecteurs. Il avait grandi à Paris, fait ses études dans les meilleures écoles et même entamé une carrière militaire. A vingt ans, il était capitaine.

Très tôt, il s'était passionné pour le sport. En 1930, il battit, avec l'équipe dominicaine de polo, les Nicaraguayens sur leur propre terrain. C'était l'année où le dictateur Trujillo accédait au pouvoir. Tout de suite, il prit Rubi en sympathie et l'envoya quelque temps plus tard chercher sa fille à l'aéroport.

Flor de Oro, qui avait alors dix-sept ans, tomba immédiatement amoureuse de lui. Bien qu'il ne fût ni particulièrement grand ou beau, il avait un magnétisme extraordinaire. C'était un homme passionné qui dégageait une joie de vivre qu'elle trouva irrésistible. Il donnait l'impression d'être violent et téméraire, mais il avait l'âme d'un grand romantique. « C'était un dur avec des manières d'aristocrate », dit l'une de ses anciennes conquêtes. « Il ne draguait jamais les femmes, c'étaient elles qui lui couraient après », affirme une autre. Rubi a écrit ce qu'il fallait faire pour conquérir une femme riche et puissante. « Ne contrariez jamais une femme, dit-il. Une femme n'aime pas être contrariée. Elle préfère qu'on l'aime. » Rubi était rusé, manipulateur, drôle, sûr de lui, débonnaire. C'était un interlocuteur de choix, qui avait de surcroît une voix agréable et sensuelle. Il connaissait Flor depuis deux ans quand il l'épousa. Trujillo déclara le jour du mariage fête nationale et, par la suite, expédia le jeune couple à Berlin.

A partir de ce moment-là, la vie de Rubi ressemble à un scénario de film dans lequel aurait pu jouer Errol Flynn. Les journalistes se mirent à le traquer de Monte Carlo à Saint-Moritz, en passant par le casino de Cannes, les boîtes de nuit londoniennes et les clubs de jazz parisiens. Il courait au Mans, faisait des paris à Longchamp, jouait du bongo et de la guitare. Il monta sa propre équipe de polo, excella en tant que boxeur amateur, apprit à piloter un avion et se prit de passion pour les objets d'art et les antiquités. Par ailleurs, il avait la réputation d'être un fin gourmet. Tels étaient ses plaisirs. Quant à ses affaires, elles consistaient exclusivement à débaucher des femmes, à les aimer, puis à les laisser tomber. A un reporter qui lui demandait s'il lui arrivait de travailler, il répondit : « Je n'ai pas le temps de travailler. »

Cinq ans après leur mariage et alors qu'ils venaient de s'installer à Paris, Flor Trujillo lui annonça qu'elle voulait divorcer. Très grand seigneur, Rubirosa approuva cette idée. Et au lieu de le condamner, son beau-père le récompensa en lui donnant une promotion au sein du corps diplomatique dominicain, disant à qui voulait l'entendre que Rubirosa était un diplomate accompli. « Il est parfait pour ce genre de travail, disait Trujillo, parce que les femmes l'adorent et que c'est un menteur sensationnel. » Peut-être le dictateur pensait-il qu'il fallait avoir des qualités de diplomate hors pair pour réussir à passer cinq ans avec sa fille. Dans l'avenir, Flor devait collectionner une série de maris, neuf pour être exact.

Après son divorce, Rubi eut des activités illicites, telles que sortir des bijoux d'Espagne en fraude pendant la guerre civile ou encore procurer des visas de sortie à des juifs au début de la Seconde Guerre mondiale. Ainsi que l'a résumé son frère, César : « Il a fait fortune en vendant des visas aux juifs. Mais il n'était pas le seul, n'est-ce pas ? » Le prix d'un visa de survie variait de 300 à 3 000 dollars, selon l'offre et la demande. Rubirosa en vendit des centaines. Et bien qu'il ne le niât jamais vraiment, il mit toujours l'accent sur le fait que lui aussi avait été une victime des nazis : « J'ai été arrêté deux fois par la Gestapo, et envoyé dans des camps d'internement, une fois en France, et une fois en Allemagne. » Ce qu'il omettait de préciser, c'était que les camps en question étaient en réalité des centres de détention pour diplomates. Il y avait vécu dans le luxe et avait passé ses journées à jouer au polo avec des dignitaires allemands.

En 1942, il épousa l'actrice française Danielle Darrieux, dont il se sépara cinq ans plus tard sans drame. « C'était un très grand amour, et nous nous étions juré de nous quitter dès que cette passion donnerait des signes d'affaiblissement. Nous avons respecté notre vœu de ne pas ruiner une si belle histoire et avons divorcé à l'amiable. »

En 1947, il épousa Doris Duke. Il devait rester marié treize mois avec elle et recevoir un certain nombre de cadeaux durant cette période, tels qu'un chèque de 500 000 dollars, une écurie de chevaux pour jouer au polo, plusieurs voitures de course, un avion biplace, et une splendide maison rue de Bellechasse, à Paris.

Pour gagner le cœur de Barbara Hutton, il réunit quelques amis musiciens, dont le baron Elie de Rothschild, et lui fit la sérénade un matin à l'aube, sous les fenêtres de son hôtel à Deauville. Barbara fut très émue par ce geste car elle en conclut que seul un homme amoureux pouvait agir ainsi.

Elle s'était toujours demandé ce qui pouvait bien rendre les femmes aussi vulnérables au charme de Rubirosa. Elle n'avait jamais vraiment compris pourquoi Doris Duke l'avait épousé. Elle n'allait plus tarder à le découvrir.

« Il aime faire plaisir aux femmes, parce que ça le rend heureux de les voir contentes. C'est un magicien, capable de transformer la soirée la plus banale en une nuit extraordinaire. » Dans son journal, Barbara dit également à propos de lui : « Il est infatigable et il a un sexe d'une taille incroyable. Son secret au lit, c'est qu'il pratique une technique égyptienne appelée " Imsak ". Peu importe le degré d'excitation auquel il arrive, jamais il ne s'autorise à jouir. Ce qui lui plaît dans l'amour, c'est de garder un contrôle total de ses sens tout en amenant les femmes à perdre totalement le leur. »

On a raconté beaucoup d'histoires extravagantes sur les exploits sexuels de Rubirosa et sur l'organe extraordinaire dont la nature l'avait doté. Il n'en reste pas moins qu'il possédait vraisemblablement des attributs virils hors du commun. Et cette particularité somme toute flatteuse qu'on lui prêtait devint si célèbre qu'il était courant de demander le « Rubirosa » dans tous les grands restaurants européens, chaque fois qu'on avait besoin du poivrier. Qu'on ait pu comparer son sexe à un poivrier de vingt-cinq centimètres de haut explique peut-être qu'il ait eu autant de succès auprès des femmes de tous les continents. Parmi ses nombreuses conquêtes, il y a des noms aussi prestigieux que Veronica Lake, Dolores Del Rio, Joan Crawford, Jayne Mansfield, Marilyn Monroe, Susan Hayward, Tina Onassis et Evita Perón.

En 1952 et 1953, Rubirosa se trouva mêlé à deux divorces retentissants. Il provoqua la rupture entre Richard J. Reynolds, l'un des héritiers du tabac, et sa femme Mariane O'Brien. Robert Sweeny, un ancien amant de Barbara Hutton, accusa lui aussi son épouse Joanne Connelley, l'héritière des pétroles texans, de l'avoir trompé avec le célèbre play-boy. La publicité scandaleuse que l'on fit autour de ces deux affaires eut des répercussions fâcheuses sur la carrière de Rubi. Trujillo le démit de ses fonctions d'ambassadeur et lui retira son passeport diplomatique. Ayant perdu statut social et source de revenus, le beau Dominicain se retrouva dans la position gênante de celui qui n'avait plus d'autre choix que de pourchasser Barbara Hutton.

Et il parvint à ses fins. Il finit par la rendre folle de lui à force de douces attentions, de prévenance, d'excessive galanterie. Ce fut Barbara qui lui demanda de l'épouser. Et bien qu'il continuât à fréquenter Zsa Zsa Gabor pratiquement jusqu'à son mariage avec Barbara, curieusement, celle-ci ne sembla pas en prendre ombrage. Une semaine avant la cérémonie, toute la presse parla de l'œil au beurre noir que Rubirosa avait fait à Zsa Zsa. Zsa Zsa elle-même organisa une conférence de presse au cours de laquelle elle expliqua qu'il l'avait frappée parce qu'elle avait refusé de l'épouser.

« Il m'a suppliée une dernière fois de l'épouser, et comme je l'ai envoyé promener, il m'a donné un coup de poing dans l'œil. Je suis la femme la plus heureuse du monde. Le fait qu'il m'ait frappée prouve qu'il m'aime. Une femme qui n'a jamais été battue par un homme est une femme qui n'a jamais été aimée. »

Rubi démentit cette version devant la presse et jura ses grands dieux à Barbara que tout ce que racontait Zsa Zsa était pure invention. Barbara était trop éprise pour ne pas le croire. Néanmoins, Zsa Zsa avait lancé la mode du couvre-œil. Et de Los Angeles à New York, il fut bientôt très prisé de se balader en tout lieu mondain avec un bandeau noir sur le visage.

Bien que sa famille, son ex-mari Cary Grant et tous ses amis aient tenté de dissuader Barbara d'épouser Rubirosa, elle n'en sauta pas moins le pas une nouvelle fois. La cérémonie eut lieu à l'ambassade dominicaine à New York et fut célébrée en espagnol, par le consul général Joaquin Salazar. Ramfis Trujillo, le fils du dictateur (qui, entre-temps, avait pardonné à Rubi) était témoin. Assistaient aussi à ce mariage Lance, Jimmy Donahue, Irene, la belle-mère de Barbara, et Leland Rosenberg, récemment engagé par Rubi comme homme de confiance.

Après l'échange des alliances, les mariés burent du champagne et posèrent pour la presse. Barbara avait l'air épuisé. « Que ressentez-vous ? » lui demanda un reporter. Ce à quoi elle répondit : « J'ai l'impression qu'on vient de me donner un coup sur la tête, et je me sens fatiguée à en mourir. »

Et quand ils arrivèrent à l'hôtel Pierre, où une grande réception avait été organisée pour eux, Barbara ne tenait pratiquement plus debout. Elle s'évanouit au bout d'une demi-heure, au milieu de ses invités, et on dut la reconduire dans sa suite.

Aussi les festivités continuèrent-elles sans elle... et sans le marié, qui disparut pendant plusieurs heures pour réapparaître à l'aube avec une danseuse, sur la Trente-Huitième Rue Est, non loin de la garçonnière de Leland Rosenberg.

Pour Barbara, la deuxième soirée fut encore pire que la première. Elle glissa dans sa baignoire et se cassa la cheville gauche. Les journalistes firent des gorges chaudes de cette histoire. Ils prétendirent que Rubi avait pris goût à frapper les femmes avec Zsa Zsa, et qu'il n'avait pu s'empêcher d'en faire autant avec son épouse. En réalité, il s'agissait bien d'un accident. Barbara fut plâtrée, ce qui retarda leurs projets de lune de miel.

Ils partirent néanmoins une semaine plus tard à Palm Beach. Barbara, qui se déplaçait en fauteuil roulant, avait loué pour l'occasion un Super Constellation de l'Eastern Airlines. Ce voyage lui coûta 4 500 dollars, et la location de la maison du maharaja de Baroda pour trois mois à Palm Beach, 30 000 dollars. Il faut dire que cette magnifique demeure regorgeait d'œuvres d'art et comptait six domestiques permanents. Une infirmière dormait dans une petite chambre attenant à celle de Barbara. Quant à Rubi, il avait établi ses quartiers dans l'aile opposée de la maison.

Le fait qu'ils fussent physiquement séparés – dû à la fois à l'état de Barbara et au manque d'attirance physique qu'éprouvait Rubi à son égard – ne diminua en rien la générosité dont faisait preuve Barbara envers son nouvel époux, et le plaisir avec lequel celui-ci dépensait son argent. Comme cadeau de mariage, elle lui offrit un B 25, le même avion que lui avait offert Doris Duke quelques années auparavant, mais qu'il avait vendu. Et peu avant son quarante-cinquième anniversaire, le 22 janvier, elle lui demanda s'il y avait quelque chose qui lui ferait particulièrement plaisir. Avec le plus grand naturel, il lui répondit qu'il y avait dans son pays d'origine une plantation de citrons de deux cents hectares à vendre et que ce serait un bon investissement. Barbara lui donna l'argent nécessaire à l'achat de la plantation.

Elle lui offrit aussi une écurie de chevaux pour le polo et organisa une fête somptueuse pour son anniversaire. Elle fit venir un orchestre et une troupe de danseurs de flamenco, ainsi que le guitariste cubain Chago Rodrigo, que Rubi adorait et qui chanta des ballades latino-américaines toute la soirée. Mais le cœur n'y était pas. Barbara se retira très tôt dans sa chambre. Quant à Rubi, on le vit errer seul sur la terrasse, un verre à la main.

Une semaine plus tard, les Rubirosa se rendirent à une fête donnée par Mary Sanford, à laquelle Barbara retrouva Cobina Wright. Cobina fut attristée de constater à quel point Barbara avait l'air malheureux. Elle ne se déplaçait encore qu'avec une béquille. Finalement, elles s'installèrent toutes deux dans un coin, et là, Barbara se mit à pleurer.

– Qu'y a-t-il, chérie? demanda Cobina.

– C'est Rubi, sanglota Barbara. Un de ces jours, il va me laisser tomber.

Cobina essaya de consoler Barbara. Et dans les jours qui suivirent, elle n'entendit que propos médisants à l'égard de son amie et de Rubi. La lente désintégration de leur union était l'unique sujet de conversation dans les salons.

Rubi trompait Barbara sans arrêt. Et le fait qu'il possédait une garçonnière sur Peruvian Avenue n'était un mystère pour personne. Il écumait généralement les boîtes de nuit de Palm Beach, ramassait ce qu'il trouvait de mieux, puis emportait sa proie jusque chez lui, après l'avoir bien imbibée de champagne. Et qu'elles fussent duchesses ou call-girls, manucures ou actrices lui était parfaitement égal. Rubi aimait toutes les femmes, pourvu qu'elles fussent jolies et douées au lit. Il lui arrivait également de draguer sur le yacht de Ramfis Trujillo, à Miami, ou encore sur le terrain de polo de Delray. Il ne restait sage que lorsque Barbara l'accompagnait, c'est-à-dire rarement.

Quand il ne butinait pas, qu'il ne jouait pas au polo ou ne traînait pas dans les boîtes, Rubi passait son temps à dépenser l'argent de Barbara sur Worth Avenue. Durant son court séjour à Palm Beach, il s'offrit soixante costumes, vingt paires de chaussures, cinquante pyjamas de soie, des douzaines de pull-overs, chemises et vestes de sport. Résultat : il figura en bonne place sur la liste de l'homme le mieux habillé de l'année 1954.

De fait, il coûtait très cher à Barbara, et Graham Mattison commença à s'alarmer. Il écrivit une lettre à Barbara, dans laquelle il la mit en garde contre ses dépenses excessives. Néanmoins, Barbara « valait » encore 25 millions de dollars, selon un article récent du magazine *Fortune*, qui la classait parmi les cinq cents citoyens les plus riches des États-Unis.

Cette lettre resta sans réponse. Il devenait d'ailleurs de plus en plus difficile d'entrer en contact avec Barbara, même par téléphone. Sa tante Jessie, qui l'appelait deux fois par jour, n'arrivait jamais à lui parler. Elle tombait toujours sur Leland Rosenberg, qui lui répondait invariablement que Mrs. Rubirosa était occupée. En fait, Rosenberg, qui était désormais majordome chez Barbara, menait les domestiques à la baguette et avait tendance à se conduire comme un cerbère dès qu'on essayait d'approcher Barbara. Un jour, il tenta même d'empêcher une amie de Barbara de pénétrer dans son boudoir.

Rubi partit bientôt rejoindre Zsa Zsa Gabor à Phoenix, dans l'Arizona, où elle tournait dans une comédie de Dean Martin et Jerry Lewis. Cette visite, qui devait rester clandestine, fit les beaux jours de reporters malins. Rubi ne pouvait en effet passer toutes ses journées caché derrière les buissons...

Néanmoins, quand il revint à la maison, Barbara ne lui fit aucun reproche, et ils semblèrent même si bien s'entendre pendant la semaine qui suivit son retour que le bruit commença à courir que leur mariage pouvait être sauvé.

Un soir, les Rubirosa invitèrent un couple d'amis dans la cave à vin du célèbre restaurant le Moulin rouge. Rubi chanta avec un guitariste qui s'était joint à eux et tout le monde passa une très bonne soirée.

Aussi Barbara voulut-elle renouveler l'expérience et invita-t-elle cette fois une douzaine de couples d'amis au Moulin rouge. Rubi avait pour sa part convié Chago Rodrigo, qui choisit de chanter *Just a Gigolo* en premier, ce qui était somme toute d'assez mauvais goût. Mais Rubirosa, au lieu d'en prendre ombrage, apprécia tellement la chanson qu'il demanda à Chago de la rechanter. Barbara ne dit plus un mot jusqu'à la fin du repas, et au moment du dessert elle se leva, vint vers Rubi, et lui donna une gifle si violente qu'il manqua tomber de son siège. Puis elle sortit du restaurant.

Le lendemain, Barbara quitta la maison de Baroda pour s'installer avec Jessie Donahue à l'Everglades Club. Elle refusa de parler aux journalistes, laissant ce soin à Jessie, qui déclara : « Barbara en a bel et bien fini avec cet homme dégoûtant. » Trois semaines plus tard, un communiqué officiel parvenait aux journaux, dans lequel Barbara affichait une attitude dépassionnée à l'égard de Rubirosa : « Nous regrettons de vous apprendre que nous avons décidé d'un commun accord de nous séparer. Cette séparation étant d'un caractère tout à fait amical, toute autre affirmation doit être considérée comme fausse. »

C'était la cinquième fois que Barbara quittait un homme « en toute amitié ». Officiellement, le mariage avait duré cinquante-trois jours, et allait marquer la fin de la carrière de Rubi en tant qu'étalon professionnel. Pendant les sept semaines durant lesquelles ils étaient restés mariés, Rubi avait amassé la coquette somme de 3,5 millions de dollars, dont 1 million en cadeaux et 2,5 millions en espèces, soit 66 000 dollars environ par jour.

Rubirosa, qui n'avait jamais fait de commentaire officiel à propos de ses autres mariages, fit cette fois une déclaration à la presse, sans doute parce qu'il craignait des représailles : « Je ne pense pas que Barbara soit une malade, simplement, elle ne veut d'aucune manière participer à une vie active. Elle préfère rester au lit toute la journée avec des livres. Après plusieurs semaines d'une telle existence, je savais que notre mariage n'avait aucune chance de durer. J'ai fait de mon mieux pour supporter tout cela, parce que je savais que si je la quittais, je passerais pour le méchant, le traître. A quarante-cinq ans, je suis encore un homme en très bonne santé. Je commence ma journée de bonne heure, je prends un copieux petit déjeuner, puis je vais faire du sport. L'idée qu'une personne en bonne santé comme Barbara puisse passer toutes ses journées au lit me terrifie. Je souhaite sincèrement à ma femme qu'elle trouve la force de changer d'habitudes. »

Leur divorce fut prononcé le 30 juillet 1955. Aussitôt, Rubi partit rejoindre Zsa Zsa Gabor à Paris. Ils restèrent ensemble pendant les six mois qui suivirent et on les vit assister à tous les grands événements mondains tels que matches de polo et courses de voitures. Ils se montrèrent beaucoup dans les boîtes de nuit à la mode, les casinos et sur les yachts de milliardaires.

Ils se séparèrent au début de l'année 1956. Zsa Zsa Gabor retourna à

Hollywood où elle épousa successivement plusieurs hommes d'affaires très riches, tout en continuant sa carrière.

Si Zsa Zsa avait toujours voulu devenir l'une des reines de Hollywood, l'ambition majeure de Rubi était de rester éternellement jeune. Fin 1956, à l'âge de quarante-sept ans, il épousa sa cinquième et dernière épouse, une starlette française de dix-huit ans, pétillante et écervelée, Odile Bérard. Il l'avait vue pour la première fois sur la couverture de *Paris-Match*, et il était immédiatement tombé amoureux d'elle. Étant donné que la recherche du plaisir et d'une vie agréable étaient les deux choses qui semblaient motiver Odile avant tout, elle et Rubi étaient vraiment bien assortis. En fait, ils étaient toujours mari et femme en 1965, l'année où Rubi, qui conduisait assez vite, percuta un arbre dans le bois de Boulogne au petit matin. Il mourut dans l'ambulance qui le conduisait à l'hôpital. Quelque deux cent cinquante amis assistèrent à ses funérailles à Paris. Mais ni Barbara ni Zsa Zsa n'étaient là. Interviewée par un journaliste le jour de l'enterrement, Barbara fit le commentaire suivant : « Je n'ai aucune rancune à l'égard de Rubi. A sa manière, il était un parfait gentleman. Simplement, il était né quelques siècles trop tôt. »

15

Barbara passa une partie de l'été 1954 à Tanger. C'est là qu'elle fit la connaissance de Daniel Rudd, un Américain de vingt-huit ans, décorateur et collectionneur d'objets d'art. Vers la fin de l'été, ils passèrent plusieurs week-ends ensemble en Espagne. Puis Barbara partit pour un mois à La Havane avec Margaret Latimer. Elle passa les trois derniers mois de l'année à Cuernavaca, et, début 1955, elle se rendit à Los Angeles où son fils l'attendait.

Lance était en train de quitter un appartement avec jardin sur Selma Avenue à Hollywood, pour s'installer dans une petite maison de North Knoll Drive, à Benedict Canyon. Il avait laissé tomber le collège après un semestre, car il s'intéressait désormais trop sérieusement à la course automobile pour envisager de poursuivre des études. Barbara avait engagé Dudley Walker, l'ancien valet de Cary Grant, pour s'occuper de lui. Et le rôle de Dudley prit plus d'importance de jour en jour. « J'étais comme une mère pour lui, dit Dudley. Je m'occupais des factures, des courses, je réglais toutes ses dépenses, parce qu'il ne pouvait disposer de sa fortune avant d'avoir vingt et un ans. Sa mère lui donnait 1 000 dollars par mois, mais sa note de téléphone mensuelle atteignait déjà 800 dollars. Il était comme sa mère : incapable de gérer un budget. Et à la fin du mois, il était toujours fauché. C'est moi qui devais lui avancer un peu d'argent sur mes propres deniers. Mais, bien sûr, Barbara me remboursait toujours. »

Un soir de janvier, Barbara emmena Lance et sa petite amie dîner dehors. Quand elle regagna son hôtel, en fin de soirée, elle eut la surprise de trouver des cadeaux dans sa suite. La direction de l'hôtel lui avait fait porter des fruits exotiques, des fromages fins et deux bouteilles de vin français – un pouilly-fuissé et un château-lafite-rothschild. Barbara goûta au vin et se sentit bientôt l'esprit pétillant. Elle se souvint alors qu'on lui avait parlé d'un endroit où l'on s'amusait bien la nuit et où on rencontrait des gens intéressants. Elle appela un taxi et s'y fit conduire. Googie's – c'était le nom de l'endroit en question – se révéla être un modeste café avec un juke-box, des tables recouvertes de nappes à carreaux bleu et blanc. Les murs étaient couverts de photos de stars hollywoodiennes, et il y avait un monde fou. Ne trouvant aucune table libre, Barbara se faufila à travers la foule pour ressortir. Et c'est à ce moment-là qu'elle se trouva nez à nez avec un jeune homme en jean et pull à col roulé. Il l'invita à sa table et lui commanda aussitôt à boire. Il lui dit qu'il était acteur et que son premier grand film allait bientôt sortir. Le film s'appelait *A l'est d'Eden*, et le jeune homme James Dean.

Bien qu'il n'eût que vingt-trois ans et fût assez peu connu à cette époque, James Dean plut tout de suite à Barbara. Peut-être était-ce son irrévérencieux sens de l'humour. « Alors vous êtes la dame qui devient un peu plus riche chaque fois que sonne un tiroir-caisse dans un magasin Woolworth! » lui dit-il entre deux bouchées de hamburger. Barbara éclata de rire et Dean lui raconta alors qu'il avait été démonstrateur d'ouvre-bouteilles durant une semaine, et qu'il avait aussi fait du porte-à-porte pendant quelques jours pour vendre des encyclopédies. La majorité des ménagères lui avaient claqué la porte au nez. « Madame, auriez-vous l'obligeance de rouvrir, ma cravate est coincée! » imita-t-il, avant d'éclater de rire.

Barbara se sentit très vite étonnamment proche de Dean, qui semblait beaucoup s'intéresser à ses semblables. Il posa à Barbara une foule de questions sur ses voyages, les gens qu'elle aimait, les poèmes qu'elle écrivait. Il l'écouta ainsi pendant des heures, l'interrompant rarement. Quand elle décida qu'il était temps de partir, il la suivit et lui proposa de la raccompagner sur sa moto. Barbara monta à l'arrière sans hésiter. Et Dean commença à prendre de la vitesse. « Si tu réussis ce test, tu peux réussir tous les autres », lui cria-t-il. Elle dut réussir, car, arrivés à son hôtel, il lui annonça sans plus de façon qu'il entrait avec elle.

Une fois à l'intérieur, Barbara ouvrit une bouteille de champagne, et ce fut au tour de James Dean de se raconter. Il lui parla de l'ivresse qu'il éprouvait chaque fois qu'il prenait des risques. Il lui dit aussi que ce qui l'intéressait dans la vie, c'étaient les moments intenses.

Ils burent et parlèrent beaucoup. La présence de James Dean avait un effet curieux sur Barbara, annihilant tous ses préjugés et tous ses tabous. Avec lui, elle n'avait plus peur d'aller chercher au fond d'elle-même ce qu'elle n'avait peut-être jamais osé exprimer.

A un moment donné, James Dean s'allongea sur le canapé et posa sa tête sur les genoux de Barbara.

« Il était tard, nous avions pas mal bu, et je lui demandai de rester, écrivit-elle. Il a enlevé sa chemise, son pantalon, puis il s'est glissé dans le lit. Je l'ai rejoint tout de suite. Nous avons fait l'amour plusieurs fois, puis nous avons somnolé, puis nous avons refait l'amour, et ainsi jusqu'au matin. Alors il a commandé du café noir et des œufs brouillés. Je l'ai regardé manger, puis sortir et monter sur sa moto, avant de démarrer et partir. Pour toujours [1]. »

Barbara resta à Los Angeles jusqu'au printemps, puis elle décida de voyager un peu. Elle passa quelques semaines à Paris, puis à Madrid, avant de s'installer pour quelques mois à Tanger, où elle arriva vers le 15 juillet. Ce fut de là qu'elle envoya une lettre au baron Gottfried von Cramm, lui demandant de venir la rejoindre. Il arriva quelques jours plus tard.

Comparé à Rubirosa, von Cramm était la crème des hommes. Comme toujours, il se montra courtois, gentil et d'agréable compagnie. Un soir, Barbara lui fit sa danse chinoise – celle dont elle avait régalé Cary Grant quelques années plus tôt. Un autre soir, elle fit venir des danseuses du ventre, auxquelles elle jeta des pierres précieuses pour les féliciter de leur performance.

Le 11 octobre, de retour à Paris, elle envoya une lettre aux Kennerley, leur annonçant qu'elle venait de gagner le cœur de son champion de tennis, et cette fois-ci pour de bon.

« Juste quelques lignes pour vous dire que Gottfried et moi allons nous marier, ici, à Paris, le 25 octobre. Imaginez un peu! Après toutes ces années – dix-huit pour être exacte. Bien sûr, j'aurais sans doute été beaucoup plus heureuse si je l'avais épousé plus tôt. Mais je ne me plains pas, parce que maintenant, je suis la femme la plus heureuse du monde.

» Il a passé tout l'été avec moi à Tanger, et de toute ma vie, personne n'a jamais été aussi tendre et gentil avec moi.

» J'espère que je ne vous ennuie pas avec tout cela, mais j'ai pensé que s'il y avait une personne à prévenir, c'était bien vous... »

Jean Kennerley, qui avait toujours encouragé Barbara à avoir une relation plus intime avec le baron, fut ravie d'apprendre cette nouvelle.

1. James Dean devait mourir le 30 septembre 1955, au volant de sa Porsche 550, sur une route de Californie. Il avait vingt-quatre ans. Barbara envoya vingt-quatre roses blanches pour ses funérailles dans l'Indiana.

En fin de compte, ils se marièrent en novembre 1955, à Versailles, dans la plus stricte intimité.

Ce mariage ne devait jamais être consommé. Von Cramm, aussi sportif et viril fût-il, avait toujours eu un penchant pour les garçons. Il fit néanmoins des efforts méritoires pour contenter sa femme, hélas, sans succès. Une certaine animosité s'installa très vite entre eux, dès les premiers mois de leur union, qu'ils passèrent ensemble à Cuernavaca. Et au printemps 1956, ils commencèrent à vivre périodiquement chacun de leur côté. Barbara voyageait et donnait des réceptions ici et là. Gottfried partait souvent pour Hambourg, où il avait une école de tennis et une société d'import-export.

Ils ne se retrouvèrent même pas pour fêter Noël, que Barbara passa à Paris en compagnie de Ticki Tocquet et de Jean de Baglion. Ticki offrit à Barbara un pull-over qu'elle avait tricoté elle-même, et Jean lui fit cadeau de deux volumes de poésie française. En échange, ils eurent droit tous les deux à de somptueux cadeaux : un étui à cigarettes en or de chez Cartier pour Jean, et des boucles d'oreilles en diamants pour Ticki.

« Barbara faisait toujours des cadeaux fabuleux. Elle avait également pour habitude d'offrir des vacances extraordinaires à ses amis les plus chers, dit Baglion. Si j'ai pu voir le monde, c'est grâce à elle, car je n'avais pas les moyens de voyager. Barbara donnait sans compter. Elle a toujours énormément gâté les quatre enfants de Silvia de Castellane. Elle a installé Tony Pawson dans un appartement à Paris qui valait 100 000 dollars. Elle a acheté des maisons pour Ticki, Sister, Antonia et José Gonzales. C'est elle qui m'a offert mon appartement de la rue Washington. Je me souviens qu'elle a envoyé plusieurs centaines de milliers de dollars à un fonds de secours pour les familles sinistrées à la suite d'une inondation dans la vallée du Pô, en Italie. Sa générosité était sans limites. Pour vous donner un exemple, quand Ticki mourut, en 1959, elle laissa derrière elle des biens évalués à plus de deux millions de dollars. »

Au début de l'année 1957, les von Cramm partirent pour Cuernavaca. Quatre semaines plus tard, Gottfried rentrait à Paris et Barbara prenait l'avion pour Los Angeles, afin de préparer l'anniversaire de Lance, qui allait avoir vingt et un ans. A cette occasion, il allait hériter d'une somme de 8 millions de dollars, qui lui rapporterait 1 million de dollars d'intérêts par an. Barbara lui avait déjà donné un chèque de 1,5 million de dollars pour son anniversaire, grâce auquel il s'était fait construire une superbe maison à Beverly Hills. C'est là que, sur les conseils de sa mère, il invita quarante personnes à dîner le soir de son anniversaire.

Gould Morrison, l'un des amis de Lance, se souvient que sa maison, surnommée « le palais de l'orgasme », devint très vite le point de ralliement des filles et des fils de bon nombre des célébrités de Hollywood. « La plupart d'entre eux, dit Gould, avaient pour occupation cette activité aristocratique qui consiste à ne rien faire, une fonction qu'ils honoraient avec distinction. Comme la majorité des membres de la *jet set*, ils s'ennuyaient à mourir. Et en dépit de sa carrière de coureur automobile, Lance souffrait lui aussi d'un immense ennui. Aussi avait-il pris pour habitude d'y remédier en menant une vie sexuelle intense. Ses fêtes se terminaient invariablement en orgies. Lance était un garçon sympathique, mais trop gâté. De ma vie, je n'ai rencontré plus grand jouisseur. »

Peu après son vingt et unième anniversaire, Lance fit la connaissance de Jill St. John, une jolie rousse aux yeux noisette et aux mensurations parfaites, qui avait de surcroît un quotient intellectuel très au-dessus de la moyenne. Elle avait débuté dans le spectacle à l'âge de six ans, en prêtant sa voix à une pièce radiophonique. A seize ans, elle avait déjà participé à plus de mille émissions à la radio et était apparue dans une cinquantaine de téléfilms. Elle avait abandonné l'université après deux semestres pour tourner son premier grand film cinématographique, *Amour d'été.* A dix-sept ans, elle avait épousé Neil Dubin, héritier d'une chaîne de blanchisseries; ce mariage avait duré moins d'un an. A dix-huit ans, elle se fiança avec Lance Reventlow. Sa bague de fiançailles était sertie d'un diamant qui, comme elle l'a dit elle-même, « était si gros qu'il prenait toute la longueur d'une phalange ».

Cette bague lui plaisait beaucoup. Ce qui lui plaisait moins, c'était la passion qu'affichait Lance pour les automobiles. Il en possédait neuf : une Mercedes pour les promenades, une Jaguar pour ses rendez-vous galants, une Rolls pous les cérémonies, une Ferrari, une Porsche, une Cooper-Climax et une Maserati pour la course, et enfin une vieille Chevrolet pour s'amuser. Mais Lance voulait plus encore : il décida de faire construire un prototype cent pour cent américain, capable de distancer les modèles européens qui étaient les plus rapides dans ce domaine. Il vendit donc pour 2 millions de dollars d'actions que sa mère lui avait offertes pour son vingt-deuxième anniversaire, et créa la Reventlow Automobiles Inc. : bientôt sortait une voiture de course qu'il baptisa le Scarabée, coléoptère porte-bonheur chez les Égyptiens.

Lors de sa première année, le Scarabée fit des merveilles. Le premier à le piloter fut Chuck Daigh, qui remporta une course à Riverside, en Californie, en octobre 1958. Un mois plus tard, Lance le pilota à son tour et arriva premier dans la course de Laguna Seca Road à Monterey. En décembre, il emmena le Scarabée aux Bahamas et gagna successivement la Coupe du gouverneur et la très prestigieuse Coupe de Nassau. C'était la première fois dans l'histoire de la compétition automobile qu'une voiture américaine remportait deux courses d'une telle importance dans la même année.

C'est au moment où il se sentait prêt à affronter les circuits européens qu'il eut un accident. Alors qu'il passait les épreuves de qualification pour la course de Santa Barbara Road, son véhicule fut heurté par une Ferrari. Lance en ressortit très secoué mais indemne. Il compta cette année-là plusieurs nouvelles victoires, et fit préparer sa voiture en vue des internationales de 1960.

Ce fut un désastre. Il y avait cinq grandes épreuves par saison, et il ne réussit à se qualifier que pour l'une d'entre elles, le Grand Prix de Belgique, qu'il ne termina d'ailleurs même pas. Cette série noire mit un terme à sa carrière. S'il continua à gagner une course de temps à autre, plus jamais il ne put espérer se hisser au rang de champion.

En mars 1957, Barbara partit pour Honolulu. Elle avait réservé une suite au Royal Hawaiian Hotel, et emmenait avec elle la comtesse Marina Cicogna, qui était la fille d'Anna Maria Volpi, de la vénérable famille Volpi de Venise. « Barbara buvait, se souvient Marina, du gin, la plupart du temps. Et la boisson accentuait encore sa tendance à changer d'humeur continuellement. A certains moments, elle pouvait se montrer gentille et très gaie. Et puis brusquement, elle devenait un vrai tyran. Sociable un jour, elle était sauvage et renfermée le lendemain. Elle prenait énormément de médicaments, des euphorisants, des calmants. Mais son problème majeur était qu'elle essayait toujours d'acheter les gens avec son argent et finissait par les transformer en monstres cupides et dépendants. Dans un certain sens, elle était extrêmement manipulatrice, voire sadique. »

Quand elle rentra à Paris, Barbara se réinstalla au Ritz. Von Cramm était là, et c'est lui qui la trouva quelques jours plus tard gisant sur le sol, inanimée et en sang. Elle s'était ouvert le crâne en tombant. A l'hôpital, le médecin parla à Gottfried d'une clinique de désintoxication pour alcooliques en Suisse. Mais von Cramm, qui connaissait bien sa femme, savait qu'elle refuserait d'y aller. Il téléphona à Jean Kennerley pour lui demander son avis, et celle-ci lui dit que la meilleure solution serait encore d'éloigner définitivement Barbara du Ritz et de ses tentations. Il fallait qu'elle déménage. Il fallait lui trouver une maison ou un appartement. Barbara renâcla un peu quand on lui fit part de cette idée, mais elle finit par capituler.

Jean de Baglion, qui travaillait dans l'immobilier, lui trouva un appartement somptueux au 31 de la rue Octave-Feuillet, près du bois. Il s'agissait d'un appartement de dix-huit pièces qui appartenait à André Citroën. Barbara demanda à Jean de lui trouver un second appartement dans les parages pour Silvia de Castellane, ce qu'il s'empressa de faire.

Mais tant que les travaux de décoration n'étaient pas terminés, Barbara devait rester au Ritz. Il fallait absolument trouver quelque chose qui lui occuperait l'esprit. Aussi Jean Kennerley l'incita-t-elle à publier un deuxième volume de poésie, une suite à *L'Enchantée.* Morley Kennerley lui promit de trouver un éditeur et de lui donner tous les conseils dont elle pourrait avoir besoin. Barbara accepta. Elle rassembla tous ses feuillets et commença à faire une première sélection.

Un soir où elle dînait seule au Grand Véfour, Barbara tomba par hasard sur Noel Coward, qui était seul lui aussi. « Elle n'était pas vraiment ivre, mais agitée, a-t-il noté dans son journal. Elle m'emmena jusqu'au Ritz, et là je passai la fin de la soirée à lui lire ses propres poèmes. Certains étaient réellement très émouvants. Hélas, Barbara est vraiment une caricature de la " pauvre petite fille riche ". Sa fortune lui a empoisonné la vie. »

Coward, qui était très fin et avait senti à quel point Barbara avait peu confiance en elle, montra un grand enthousiasme à la lecture des poèmes. Et ses éloges décidèrent Barbara à procéder à une dernière sélection.

Finalement, *La Voyageuse* parut en décembre 1957, en deux cents exemplaires et à compte d'auteur. Ce livret de soixante-dix pages contenait quarante-deux poèmes sur le thème de l'amour et des voyages. Il était dédié à Lance.

S'ils ne divorcèrent que plusieurs années plus tard, Gottfried et Barbara vivaient déjà la plupart du temps chacun de leur côté. A la fin du mois d'août, Barbara laissa son mari à Paris, et partit pour Venise avec quelques amis, dont Silvia de Castellane et Jean de Baglion. Ce fut cet été-là que Maria Callas et Aristote Onassis se rencontrèrent pour la première fois, au bal organisé par Elsa Maxwell, sur le toit de l'hôtel Danieli. S'ensuivirent toute une série de réceptions plus grandioses et plus folles les unes que les autres, et auxquelles Barbara était toujours conviée. Un soir où elle arrivait avec ses amis dans une fête organisée pour quatre cents personnes par la comtesse Marina Luling Volpi, on entendit celle-ci s'écrier : « Mais, Barbara, qui sont tous ces gens ? »

« Elle était entourée de toute une clique de parasites et aussi d'une cour d'amis fidèles, se souvient Jimmy Douglas [1]. Certains lui étaient absolument dévoués. Je pense à Jean de Baglion et à Margaret Latimer, qui diluaient en douce toutes ses boissons pour qu'elle ne fût pas ivre trop vite. D'autres, en revanche, la poussaient à boire, sachant par expérience qu'elle avait tendance à se délester de quelques voitures, fourrures et bijoux quand elle avait trop forcé sur l'alcool, et qui espéraient bien en profiter.

» Mais sa générosité capricieuse créait des tensions dans son entourage. Quand elle se trouvait par exemple avec de vieux amis, qui avaient déjà bénéficié de ses largesses par le passé, et qu'apparaissait quelqu'un de nouveau, elle faisait immédiatement à ce dernier un cadeau encore plus beau que tous ceux qu'elle avait pu offrir auparavant. Un jour, par exemple, elle offrit un magnifique collier d'émeraudes à une amie très chère, Silvia de Castellane. Le lendemain, elle donnait le même, en plus beau et plus coûteux, à une inconnue, simplement parce que celle-ci avait admiré le collier de Silvia. Il y avait une espèce de compétition malsaine entre ses proches. C'était à qui tiendrait la meilleure place dans son cœur. Pour ma part, j'ai toujours refusé de jouer à ce jeu-là. »

Pendant les trois années qui suivirent, Douglas allait accompagner Barbara dans tous ses voyages. « Nous ne nous arrêtions pratiquement jamais. Nous avons fait des milliers de kilomètres. Barbara avait la passion du voyage. Elle aura été la dernière des grandes voyageuses. Quand elle était en forme, elle avait une énergie quasiment surhumaine. C'était alors une vraie flamme. Elle n'en avait jamais assez et personne n'arrivait à la suivre. Elle était capable de passer plusieurs nuits blanches d'affilée.

» Très vite, je devais découvrir que la majorité des choses que j'avais lues ou entendu dire sur elle étaient complètement fausses. La presse donnait d'elle une image qui n'avait rien à voir avec la réalité. La vraie Barbara Hutton était quelqu'un de tout à fait remarquable, d'infiniment intéressant, une forte personnalité douée d'une grande imagination. Elle n'était pas la femme dépressive et toujours malheureuse dont parlait sans arrêt la presse. Elle adorait s'amuser. Mais elle vivait si intensément que la descente était effectivement terrible. Elle a traversé de durs moments, notamment à la fin de sa vie : tentatives de suicide, abus de drogues et d'alcool. Mais elle a connu aussi de longues périodes

1. James Henderson Douglas 3rd. Originaire de Chicago, fils d'un haut fonctionnaire de l'U.S. Air Force, il était alors âgé de vingt-sept ans et se trouvait à Venise cet été-là.

de gloire et de bonheur, et c'est cette Barbara-là que les gens refusent de voir.

» Je ne suis absolument pas d'accord non plus avec la théorie selon laquelle sa vie ne fut qu'une longue quête du compagnon idéal. Peut-être a-t-elle cherché le prince charmant jusqu'à son mariage avec Cary Grant. Par la suite, sa vision a changé. Quand je l'ai rencontrée, elle ne cherchait plus un mari pour la vie, elle avait plutôt l'attitude d'une femme qui vivait l'amour au jour le jour. »

Fin février 1958, Barbara et Jimmy partirent pour Honolulu. Puis ils se rendirent à Manille, Hong Kong et Bangkok. De là, ils gagnèrent New Delhi. Ils firent un tour de l'Inde et rendirent visite à diverses personnalités dont Ayisha, la maharani de Jaipur, et la princesse Berar, petite-fille du sultan de l'Empire ottoman. Ils passèrent également un mois au Cachemire. Puis ils firent route vers Istanbul et, début juin, ils arrivèrent à Vienne où ils se lièrent d'amitié avec le baron Gecman-Waldeck, un passionné d'opéra qui les emmena assister à de nombreux spectacles. De retour à Paris en août, ils repartirent aussitôt passer trois semaines au Cap-Ferrat dans la maison de lady Kenmare, la Fiorentina. Ils passèrent le mois de septembre à Venise avec le prince et la princesse Tchavtchavadze.

En octobre, Barbara alla consulter en Angleterre le célèbre chirurgien esthétique sir Hector Archibald McIndoc, qui procéda à deux opérations : lifting et réduction de la poitrine.

Parfaitement remise, Barbara se rendit début novembre à Tanger en compagnie de Douglas. Elle avait engagé une nouvelle intendante, Ira Belline. Ira était russe d'origine, et cousine de Stravinski.

Un après-midi où Barbara discutait tranquillement avec Ira sur la terrasse du palais, elle lui demanda à brûle-pourpoint :

– Tu sais que je me suis fait réduire les seins ?

– Oui, je le sais, répondit Ira.

– Tu veux voir comme ils sont mignons ?

Et sans attendre la réponse, Barbara ouvrit son chemisier et montra ses seins à Ira.

Selon Ruth Hopwood, Barbara s'était fait remodeler les seins pour plaire davantage à Douglas, auquel elle était extrêmement attachée. « C'était une période de frustration pour Barbara, dit Ruth, parce qu'elle était folle de Douglas, qui avait des goûts sexuels très ambivalents. Barbara se moquait souvent d'elle-même et plaisantait à propos du fait qu'elle avait une propension à attirer les hommes bizarres – von Cramm tout d'abord, puis Douglas. Je ne pense pas que leur relation était totalement platonique, mais je crois néanmoins que leur vie sexuelle n'était pas ce qu'elle aurait dû être. Barbara n'y trouvait pas son compte et cela la rendait nerveuse, angoissée. Elle n'arrivait plus à dormir. Quant à Douglas, il était épuisé de devoir rester éveillé auprès d'elle toutes les nuits. »

Vers la fin janvier, Barbara et Douglas partirent pour Cuernavaca, où Barbara avait fait construire une authentique maison japonaise. « Sumiya » était le nom qu'elle avait donné à cette demeure qui lui avait coûté 3,2 millions de dollars. La propriété faisait quinze hectares et elle était située dans un lieu de rêve : la vallée du Popocatepetl, un volcan éteint au sommet enneigé et qui rappelle le mont Fuji. Les matériaux qui avaient servi à construire la bâtisse, ainsi que les arbres et les fleurs que l'on avait plantés dans le jardin, venaient directement du Japon. Dans la maison, Barbara avait fait construire un petit théâtre kabuki de quarante places. Pendant son séjour, elle fit venir une troupe de comédiens, danseurs et musiciens du Japon pour distraire ses amis.

Barbara et Douglas restèrent trois mois au Mexique, puis ils décidèrent de partir pour le Japon. Parmi toutes leurs pérégrinations, qui durèrent trois ans, ce voyage fut le plus marquant. Ils allèrent partout et visitèrent des lieux où vont rarement les Occidentaux, grâce à leur guide, un homme charmant du nom d'Hirotaka Hatakayama.

Après le Japon, ils passèrent un mois à Paris, pendant lequel Barbara mit au point avec ses avocats les derniers détails d'un divorce à l'amiable avec von Cramm. Ce divorce devait être officiellement prononcé en janvier 1960, et Gottfried allait recevoir 600 000 dollars à cette occasion.

Puis Barbara et Douglas repartirent en voyage. Ils passèrent par Tanger, Copenhague, Oslo, Venise. Vers le 15 décembre, ils prirent l'avion pour New York, dans l'intention d'aller passer les fêtes de Noël avec Jimmy Donahue. Douglas s'était montré réticent à l'idée de séjourner chez Donahue, mais il avait néanmoins décidé d'accompagner Barbara.

Après New York, ils retournèrent encore passer quelques mois au Mexique. Le 24 mars 1960, Lance Reventlow épousa Jill St. John dans la suite royale du Mark Hopkins Hotel de San Francisco. Barbara, dont le premier mouvement avait été ne pas venir au mariage de son fils, s'était finalement ravisée in extremis, grâce à Douglas. Néanmoins, ce fut tout juste si elle adressa la parole aux parents de Jill. « Les seules personnes qu'elle sembla contente de retrouver là-bas, se souvient Douglas, furent Dudley Walker, Margaret Latimer, et Jimmy Donahue. »

Barbara ne devait revoir son fils et sa belle-fille qu'au mois de mai, à Paris. Derry Moore, le fils de lord Drogheda, qui séjournait alors chez elle, raconte qu'« il y avait une tension terrible entre Barbara et Jill. Jill se plaignait de tout – de la nourriture, du service... Elle n'aimait pas Paris, prétendait que tout était beaucoup mieux aux États-Unis. Il n'y avait qu'une seule chose sur laquelle les deux femmes étaient d'accord : Lance devait abandonner sa carrière de coureur automobile. Barbara alla même jusqu'à proposer à Jill de lui offrir un million de dollars en bijoux si elle réussissait à convaincre Lance de laisser tomber la compétition. Mais Jill était bien trop préoccupée par sa propre carrière d'actrice pour dépenser de l'énergie à résoudre des problèmes familiaux. »

Au début du mois de juillet 1960, Douglas partit à Londres pour assister au mariage d'un ami. Il devait y rester deux semaines, mais au bout de deux jours, il reçut un coup de téléphone de Paris : Bill Robertson le pressait de rentrer au plus vite, car Barbara menaçait de se suicider. Déjà sept mois plus tôt, dans l'avion qui les avait conduits de Mexico à New York, elle avait essayé d'ouvrir la porte en plein vol pour se jeter dans le vide. C'était lui qui l'en avait empêchée. Et c'était de nouveau lui qui allait la réconforter aujourd'hui.

La patience dont il faisait preuve à son égard était admirable. Il apparaissait toujours tel le vaillant chevalier prêt à secourir la noble dame en détresse. Mais c'était une situation qui ne pouvait pas durer indéfiniment. « J'avais trop d'admiration pour elle pour accepter d'aller grossir les rangs de ses détracteurs, remarque Douglas. Mais je savais que tous les autres avant moi avaient fini par se heurter à un mur. Avec Barbara, tout compromis était impossible. Vous ne pouviez pas être à la fois avec elle et avoir une vie à vous. Et dans un sens, c'est compréhensible. Elle était si riche qu'elle n'avait jamais eu à faire de compromis dans sa vie.

» Je crois que nous avons réalisé tous les deux au même moment que nous allions vers une impasse, qu'il était temps que nous vivions chacun de notre côté. Nous sommes restés amis, mais nous avons abandonné ces relations passionnelles. Au début du mois d'août, Barbara est partie pour Tanger sans moi. Et quelques semaines plus tard, j'ai reçu une lettre dans laquelle elle m'annonçait qu'elle avait rencontré un jeune Anglais, Lloyd Franklin. Il était, paraît-il, très gentil, et très réaliste. Tout ceci était parfait. Mais quand j'ai appris que le garçon en question était fauché, je me suis dit : « Mon Dieu, c'est reparti pour un tour ! »

Quand l'automne arriva, on ne parlait plus, à Tanger comme ailleurs, que de Lloyd Franklin. Ce jeune Londonien de vingt-trois ans avait été trompette dans la Garde royale britannique, puis il avait décidé d'abandonner la carrière militaire et de visiter l'Afrique du Nord. Il était arrivé à Tanger au début de l'été 1960, avec un sac à dos, une vieille guitare et une lettre d'introduction pour David Herbert. Herbert l'avait invité à déjeuner chez lui et l'avait trouvé sympathique. Lloyd était un garçon calme, poli, avec un sourire qui rappelait celui de Clark Gable. Il avait pris une chambre dans un hôtel modeste mais propre, et il cherchait du travail. De préférence, il voulait jouer de la guitare et chanter. Herbert l'emmena avec lui dans divers cafés et boîtes de nuit, et lui trouva finalement un emploi chez Joseph Dean, qui possédait un bar cosmopolite où se retrouvaient toute une coterie d'artistes et d'aristocrates.

Lloyd faisait deux mini-récitals par soirée, et recevait en échange un petit salaire. De plus, il pouvait dîner gratuitement tous les soirs. « Ce n'était pas un grand musicien, se souvient Herbert, mais il y avait quelque chose de si sympathique en lui que les gens finissaient par venir rien que pour l'écouter. »

Barbara le rencontra lors d'un dîner donné par Herbert, peu de temps après qu'elle fut arrivée à Tanger. Elle ne lui adressa pas la parole de tout le repas, mais ne le quitta plus des yeux dès qu'il se mit à jouer de la guitare. A la fin de la soirée, elle l'emmena à Sidi Hosni – au lieu de le raccompagner à son hôtel – et, dès le lendemain matin, décidait de le garder avec elle.

La suite de cette histoire n'est en rien comparable aux romances de ce genre. Barbara avait beau être beaucoup plus âgée et beaucoup plus riche que Lloyd, jamais il ne devint capricieux ni cupide au contact de ce luxe excessif auquel il était exposé pour la première fois de sa vie. Jamais il n'oublia ses vieux amis, et Barbara, qui appréciait cette fidélité, pensa toujours à les inviter quand elle organisa des fêtes.

Lloyd était bel et bien tombé amoureux de Barbara, ce qui n'empêcha pas les commérages d'aller bon train. On raconta qu'elle lui avait offert une Rolls, une M.G., une garde-robe somptueuse, et des chevaux pour jouer au polo. On raconta aussi qu'elle recevait des lettres d'une multitude d'amants qui vivaient aux quatre coins de la planète et avec lesquels elle était toujours restée en contact. On dit aussi que certains d'entre eux lui envoyaient même leur photo dans le plus simple appareil, et qu'elle entretenait par ailleurs des relations particulièrement intimes avec son chauffeur.

Peu de temps après avoir rencontré Lloyd, Barbara fut photographiée pour *Life* par le grand Cecil Beaton. Elle portait, pour l'occasion, la fameuse tiare d'émeraudes qui avait appartenu à la Grande Catherine. « Elle fait beaucoup plus jeune que son âge, peut-on lire dans l'article de *Life*. Curieusement, trente ans de célébrité et de vie mouvementée ont laissé intact son visage. »

Peut-être le journaliste de *Life* se montre-t-il un rien flatteur. Toujours est-il que Barbara était très en forme à cette époque. Pour une fois, l'amour semblait vraiment lui réussir.

Au début de l'automne 1960, elle partit en voyage avec Lloyd, et refit avec lui à peu près le circuit qu'elle avait fait avec Douglas l'année précédente : Venise, Paris, New York, Cuernavaca, Honolulu, San Francisco, Londres, Paris.

A leur retour, Barbara donna quelques fêtes somptueuses sur la terrasse du palais. Mais elle n'était plus aussi euphorique qu'au début de ses relations avec Lloyd. Ses amis se souviennent qu'elle faisait des efforts pour paraître aimable et gaie, mais qu'elle traversait une grande période d'instabilité. C'est du moins ce qui ressort de sa correspondance de cette époque, dans laquelle il n'est question que de paix et de tranquillité à trouver. Ses mauvais rapports avec son fils étaient la cause de son déséquilibre. Il n'avait jamais apprécié la présence de Lloyd auprès de sa mère, et ne s'était pas gêné pour le dire. Barbara avait supporté toutes ses remarques, jusqu'au jour où elle avait entendu Lance dire à Dudley, son valet : « Où est ma pouffiasse de mère ? Encore en train de se biturer ou de se faire sauter ? » Vexée au plus profond d'elle-même, elle lui coupa les vivres du jour au lendemain. Il dut vendre sa maison de Holmby Hills et s'en acheter une beaucoup plus petite dans Benedict Canyon. Ce fut une période difficile pour lui. Il vivait séparé de Jill St. John, qui sortait avec Frank Sinatra. Lance devait divorcer de Jill en 1960, et le seul avantage qu'il tirât jamais de sa pauvreté passagère fut de ne pas avoir à lui verser une pension alimentaire astronomique. Sur une période de sept ans, il dut lui donner quelque chose comme mille dollars. Finalement, Barbara eut pitié de lui – peut-être aussi le remords la tenaillait-il – et elle le laissa disposer de nouveau de ses fonds. Elle l'aida même à trouver une nouvelle maison.

Barbara continua d'être heureuse avec Lloyd, en dépit de tous les problèmes qu'elle pouvait avoir avec son fils. En août, elle fit un tour du Maroc en voiture avec Lloyd, Ira Belline et David Herbert. « Barbara était un compagnon de voyage formidable, raconte Herbert, toujours levée la première le matin, toujours prête à découvrir des endroits nouveaux, toujours en forme. Je crois qu'elle profitait du bonheur pendant qu'il était à sa portée, et elle faisait preuve de sagesse en agissant ainsi. »

A Marrakech, ils firent la connaissance de Raymond Doan, un chimiste vietnamien qui travaillait pour une compagnie pétrolière française située un peu en dehors de la ville, mais dont la vocation était la peinture et qui avait déjà un grand nombre de toiles à son actif.

Ils furent invités à prendre le thé chez Raymond. « Ce fut un après-midi horrible, poursuit David Herbert. La femme de Doan, Jacqueline, une Française, était en pyjama quand nous arrivâmes, ses enfants étaient au lit avec les oreillons, et le thé était infect. Quant à Doan, un homme nerveux, agité, son seul objectif semblait être de nous vendre un tableau. Il nous trimballa de pièce en pièce, tout en faisant l'éloge de ses œuvres, tel un guide du musée du Louvre. Finalement, Barbara décida d'acheter une toile pour avoir la paix. »

Une semaine après son retour à Tanger, Barbara recevait un poème anonyme ultraromantique. En examinant le cachet apposé sur l'enveloppe, elle vit que la lettre venait de Marrakech. Elle en conclut que le poème était l'œuvre de Raymond Doan, ce qui était vrai.

En janvier 1963, Raymond Doan exposa ses tableaux à Tanger. Barbara les acheta tous. Mais elle fit mieux encore : elle invita Raymond à venir vivre avec elle et pria Lloyd de prendre congé.

Lloyd eut du mal à se remettre de cette éviction soudaine. Mais il se maria finalement un an plus tard avec une jeune héritière anglaise qui lui donna un enfant. Devenu agent de change, Lloyd passait avec sa famille six mois à Londres, l'autre moitié de l'année au Maroc. Tout allait bien pour le jeune couple quand un soir, alors qu'ils rentraient d'un dîner à Tanger, ils se tuèrent tous les deux en voiture. La femme de Lloyd était enceinte de leur deuxième enfant.

16

Au début du mois de novembre 1963, Barbara fit l'acquisition d'un titre de noblesse pour Raymond Doan, avec lequel elle était désormais officiellement fiancée. Elle se rendit pour ce faire à l'ambassade du Laos à Rabat, car elle avait entendu dire qu'il y avait là parmi les employés un prince qui possédait un château en ruine quelque part en Indochine. L'ambassadeur servit d'intermédiaire dans cette affaire, et pour 50 000 dollars, elle fit de Raymond le prince Vinh Na Champassak.

De Rabat, Barbara se rendit à la Mamounia à Marrakech avec Raymond, Ira Belline, et Jean Mendiboure, où ils retrouvèrent Silvia de Castellane et son nouvel époux, Kilian Hennessy.

Mendiboure, le coiffeur de Barbara à Tanger, et l'un de ses plus proches confidents sur la fin de sa vie, s'était méfié de Doan dès le début : « Quand nous sommes arrivés à Marrakech, il avait déjà laissé tomber son travail depuis plus d'un mois. Il avait envoyé sa femme et ses enfants aux Canaries, et mis en route une procédure de divorce. Il se disait spiritualiste – mais un jour il était bouddhiste zen, le lendemain fils d'Allah. Derrière son dos, les gens l'appelaient le chimpanzé, à cause de son air roublard et prétentieux. »

En décembre, Jean Mendiboure accompagna Raymond et Barbara de Casablanca à New York. Il parle de ce voyage comme d'une traversée particulièrement pénible, en ce sens que Barbara et son futur époux n'arrêtèrent pas de se chipoter, qu'en outre le temps fut très mauvais et que tout le monde eut le mal de mer. Ils arrivèrent à New York pour les fêtes de fin d'année, qu'ils passèrent chez Jimmy Donahue.

Vingt-sept personnes – dont Lance Reventlow – assistèrent au mariage de Raymond et de Barbara, qui eut lieu à Cuernavaca. Sur le certificat de mariage, il fut indiqué que Barbara avait cinquante et un ans, qu'elle était de religion protestante et que sa résidence principale se trouvait à Cuernavaca. Quant à Raymond, il inscrivit son titre ronflant, se déclara bouddhiste et âgé de quarante-huit ans. A la presse, il déclara que son père avait été vice-roi – d'où son titre – et que sa mère était française. Puis ce fut au tour de Barbara de déclarer aux journalistes que Raymond était un « composé de tous ses ex-maris, dont il possédait les plus belles qualités, mais aucun des défauts. »

Il y eut une cérémonie civile à la mairie de Jiutepec, le 7 avril 1964, puis un mariage bouddhiste le lendemain à Sumiya. Barbara portait un caftan vert, Raymond un costume blanc et une écharpe indienne de couleur vive sur les épaules. Selon la tradition bouddhiste, Barbara avait des anneaux d'or autour des deux gros orteils, des clochettes aux chevilles et de la teinture rouge sur la plante des pieds.

Ils partirent en voyage de noces à Hawaii et Tahiti. Doan insista pour qu'ils voyagent comme des gens ordinaires – c'est-à-dire sans domestiques et avec seulement quelques valises. Et il s'en repentit bien vite, car il eut à satisfaire lui-même tous les petits caprices de sa femme, lesquels étaient fort nombreux. S'acquitter seul de cette tâche demandait un sang-froid quasi surhumain, aussi Doan finit-il par déclarer forfait. Barbara, furieuse, rentra à Cuernavaca, le plantant là à Tahiti. Mais il commençait à s'habituer aux coups de tête et aux sautes d'humeur inexplicables de sa femme, et il la rejoignit quelques jours plus tard sans broncher. Cette armada de domestiques, ainsi qu'il devait le comprendre par la suite, était indispensable à Barbara, et faisait diversion quand elle en avait assez du tête-à-tête. Le scénario restait inchangé : elle voulait vivre un grand amour romantique, idéalisé, qu'elle ne supportait jamais de voir confronté à la réalité.

Doan, qui restait imperturbable en toutes circonstances, fut bien récompensé de sa patience : en épousant Barbara, il eut droit à un chèque de 1,5 million de dollars, à une nouvelle garde-robe et à une superbe maison de deux étages à Tanger.

Sept mois très exactement après le mariage de sa mère, Lance Reventlow épousa Cheryl Holdridge, une starlette de Hollywood qui avait joué le rôle d'un mousquetaire dans une série télévisée de Walt Disney. Cheryl, qui était grande, blonde, jolie, et parfaite pour jouer les ingénues, comptait Elvis Presley parmi ses anciens petits amis. Mais ce fut Lance Reventlow, le riche héritier de vingt-huit ans, que choisit d'épouser cette jeune fille de dix-neuf ans.

La cérémonie eut lieu à l'église méthodiste de Westwood, à Hollywood. Six cents personnes furent invitées, et les jeunes mariés arrivèrent à l'église en carrosse doré. Cary Grant et sa future femme, Dyan Cannon, étaient présents. Bruce Kessler était garçon d'honneur et Doreen Tracey, une amie de Cheryl, demoiselle d'honneur.

Barbara, quant à elle, brilla par son absence. Elle venait de se faire hospitaliser, souffrant de l'estomac. Son docteur lui conseilla de s'en tenir désormais aux boissons sans alcool, une prescription à laquelle, curieusement, elle se conforma en devenant une buveuse effrénée de Coca-Cola.

Restait un dernier problème : son accoutumance aux barbituriques. Grant lui conseilla l'hypnose. Il lui assura qu'ainsi elle dormirait mieux, arrêterait de fumer, et n'aurait plus jamais besoin de toutes ces affreuses pilules. Et il lui dépêcha sur-le-champ son propre hypnotiseur. Hélas, toutes les tentatives du praticien pour endormir Barbara restèrent infructueuses. Néanmoins, ce fut dans un état assez satisfaisant qu'elle sortit de l'hôpital en mars 1965, et qu'elle put rejoindre son époux à Hawaii pour fêter leur premier anniversaire de mariage. Doan lui offrit deux volumes de contes de fées et elle lui fit cadeau d'une ceinture incrustée de diamants, de rubis et d'émeraudes, qui avait appartenu à Sarah Bernhardt. Elle lui donna également une nouvelle Jaguar pour fêter l'événement.

En août, Barbara et Raymond se rendirent à Évian où Barbara fit une cure. Les deux fils de Raymond, Gilles, onze ans, et Jean, douze ans, les rejoignirent au bout d'une semaine. Ils n'avaient pas vu leur père depuis deux ans. « Si nous sommes venus cet été-là, c'est bien grâce à Barbara, dit le fils aîné de Doan. Mon père ne voulait plus entendre parler de nous. Quand Barbara apprit que nous allions dans une pension minable à Ténériffe, elle insista auprès de mon père pour qu'on nous envoie à l'école en Suisse. Elle a fini par lui imposer cette idée à laquelle il s'opposait avec entêtement. Elle nous a inscrits de son propre chef à Beau Soleil, une pension chic de Villars-sur-Ollon. C'est elle qui a payé nos études. »

Ceci était très généreux de sa part. Néanmoins, on pouvait la qualifier en d'autres circonstances d'excessivement prodigue. Mattison avait désormais le contrôle de ses chèques et refusait de la laisser disposer des sommes phénoménales d'argent liquide qu'elle avait toujours eu l'habitude de jeter par les fenêtres. Alors, elle donnait ses bijoux, et les plus beaux. Les bénéficiaires en étaient généralement ses amies, auxquelles elle reprochait par la suite d'être cupides. Mais en réalité, c'était Barbara elle-même qui créait ces relations malsaines, « récompensant » de quelque diamant des dames oisives de Tanger qui avaient la patience de passer avec elle des nuits blanches.

Cette propension à dilapider ses biens sembla croître en proportion avec son comportement extravagant. Ainsi elle commença à aller demander des comptes à l'École américaine de Tanger : elle voulait savoir à quoi étaient employés les fonds qu'elle leur versait. Elle trouva que le dortoir qu'elle avait entièrement financé était triste, et elle le fit repeindre sur-le-champ avec une couleur vive. Par ailleurs, elle fut très choquée de constater que les petits Arabes qui bénéficiaient de son programme d'éducation parlaient couramment le français et l'anglais, mais non leur langue maternelle. Aussi, elle les emmena à Asilah, une petite ville côtière située à soixante-quinze kilomètres de Tanger, loua pour eux une très grande villa et engagea un professeur marocain afin qu'il leur apprît leur langue.

George Staples, l'un des tout premiers professeurs d'anglais à l'École américaine, s'amusait beaucoup des méthodes de recrutement pour le moins originales qu'employait Barbara. « A l'époque de la vogue des tests d'intelligence, il était fort drôle de voir qu'elle choisissait les enfants qui allaient bénéficier de son programme d'éducation uniquement sur leur sourire : elle les croisait dans la rue, et si elle éprouvait une sympathie immédiate pour eux, elle les retenait. Elle ne se fiait qu'à son intuition, ce qui est un critère tout aussi valable qu'un autre. »

Néanmoins, elle devenait de plus en plus extravagante, et même des gens aussi tolérants que Paul Bowles ne purent s'empêcher d'être choqués par son comportement. Bowles se rappelle lui avoir rendu visite à Sidi Hosni en 1965 : « Elle était assise sur son trône – qui consistait en une montagne d'énormes coussins – en train de boire du Coca-Cola mélangé avec de la crème de cacao. Elle avait une tiare sur la tête, de la poudre sur le visage. Ses bras étaient maigres comme des allumettes. Sa vue avait tellement baissé qu'elle avait besoin de tout un bataillon de domestiques pour lui faire la lecture. Et l'un d'eux me raconta que, certains jours, elle leur demandait de chanter au lieu de parler. »

Le trône – elle en utilisait parfois un vrai, avec une chaise dorée à grand dossier – avait une fonction : décourager les visiteurs d'engager des relations trop familières avec Barbara. Personne n'était autorisé à oublier qu'elle était la reine.

Ben Dixon, consul américain au Maroc en 1965, connaissait Barbara depuis qu'elle avait épousé Cary Grant, en 1943. « Ma femme et moi-même l'avions rencontrée en Californie. Puis nous l'avions retrouvée à Tanger. Elle était capable aussi bien d'être follement drôle que de se montrer odieuse avec ses amis. En 1965, elle traversait une période difficile et ne supportait plus grand-monde, parce qu'elle venait de réaliser que Doan n'était pas vraiment mieux que tous ses prédécesseurs. Elle me téléphonait parfois en pleine nuit pour se plaindre de lui. J'ai toujours été frappé par son aptitude à récupérer, quoi qu'il arrive. Elle avait l'air parfois au bord de la mort, mais elle arrivait toujours à puiser en elle de nouvelles réserves pour survivre. Sa capacité d'autodestruction était à la mesure de son pouvoir d'autorégénération : extraordinaire. »

Un autre diplomate américain à Tanger, Hal Eastman, se vit harcelé à plusieurs reprises à des heures tardives pour le motif suivant : Barbara n'aimait pas le goût du Coca-Cola marocain et le suppliait de bien vouloir faire importer du Coca américain à Tanger...

Fin novembre 1965, elle se rendit à Londres avec Raymond. Là, elle fit l'acquisition de ce qui devait être son dernier bijou de prix : un diamant de quarante-huit carats de chez Asprey, dans New Bond Street, qu'elle paya 400 000 dollars.

Elle se comporta bizarrement envers Morley Kennerley à cette époque. Elle fit habilement savoir autour d'elle qu'elle ne serait pas contre le fait de devenir sa maîtresse. Jean Kennerley, quand elle eut vent de cette nouvelle, en fut profondément touchée. Elle n'avait jamais pris à la légère l'amitié de longue date qui la liait à Barbara. Elle attendit une lettre, un coup de téléphone, une quelconque manifestation de remords de la part de Barbara. Mais rien ne vint. Les Kennerley ne devaient jamais la revoir.

Elle se brouilla dans les mois qui suivirent avec deux autres de ses plus anciens amis : Graham Mattison et Doris Duke. Avec Graham, elle rompit toutes relations par caprice : on avait cambriolé sa maison de Cuernavaca et elle en voulait à tout le monde. Graham eut simplement la malchance de venir la voir deux jours après le vol. Non seulement elle ne renouvela pas son contrat annuel, qui l'autorisait à gérer l'ensemble de sa fortune, mais elle refusa tout bonnement de le recevoir.

Quant à Doris, qui l'avait gentiment invitée à venir se reposer dans sa maison d'Hawaii en son absence, elle eut la mauvaise surprise de trouver sa demeure entièrement redécorée selon le goût de Barbara à son retour. Leurs relations s'envenimèrent d'un coup et pour de bon. Doris déclara que cette fois, Barbara avait dépassé les bornes.

Le bruit courut bientôt que Barbara voulait divorcer. Elle aurait même offert un chèque de 3 millions de dollars à Raymond en échange de sa liberté.

Le 5 décembre 1966, alors qu'elle arrivait à l'aéroport de New York, Barbara fut assaillie par une horde de reporters. Avait-elle vraiment donné 3 millions de dollars à son époux pour qu'il accepte de divorcer ? Le divorce était-il déjà en cours ? Barbara ne répondit à aucune question, et s'en remit à Colin Frazer pour éloigner les journalistes et la conduire jusqu'à sa limousine.

Le lendemain matin devait éclater une nouvelle qui allait bouleverser Barbara : Jimmy Donahue avait été retrouvé mort dans l'appartement de sa mère.

Les circonstances de sa mort sont demeurées obscures. Le rapport officiel du médecin légiste, publié dans la presse, stipule que « sa mort est due à une absorption excessive d'alcool et de barbituriques ». A-t-il voulu mettre fin à ses jours ? On ne le saura jamais. Le rapport du médecin précise néanmoins que la quantité de Seconal qu'il a ingérée avant de mourir dépassait de loin la dose maximale d'une éventuelle prescription médicale.

Toujours est-il que Jimmy était assez déprimé depuis quelque temps. On ne le voyait pratiquement plus dans les boîtes de nuit. Il se plaignait autour de lui de manquer d'amis, et montrait une espèce de lassitude à vivre qu'on ne lui avait jamais connue. Il évoquait souvent le suicide de son père devant des tiers – son père s'était suicidé à quarante ans – et parlait du côté futile et absurde de sa propre existence. On ne saura cependant jamais s'il a mis fin à ses jours d'une façon consciente et délibérée.

Au début de l'année 1967, Barbara dut se faire arracher toutes les dents. Elle avait toujours eu les dentistes en horreur, n'avait jamais mis les pieds chez eux de sa vie – ce qu'elle paya fort cher.

Elle loua tout un étage du Beverly Hills Hotel pour sa convalescence. Elle se montra particulièrement difficile avec tout le personnel, et elle finit par avoir un réel problème avec les chasseurs de l'hôtel. En effet, elle se faisait livrer plusieurs caisses de Coca-Cola par jour, mais ne donnait jamais de pourboire aux chasseurs qui les lui montaient, si bien que ceux-ci décidèrent de se mettre en grève : « Pas de pourboires, pas de Coca », telle était leur revendication. Barbara, ne sachant comment résoudre ce différend, téléphona à Graham Mattison, s'excusa auprès de lui, et le supplia de revenir travailler pour elle. Il accepta sur-le-champ – Bill Robertson, qui le remplaçait depuis un an, n'était pas fâché de lui céder de nouveau la place – prit l'avion immédiatement, donna cent dollars de pourboire aux chasseurs et tira ainsi Barbara d'un mauvais pas. Elle put de nouveau boire du Coca.

Au mois de mai, les Doan et leurs domestiques partirent pour San Francisco, où ils passèrent une semaine. Puis ils voyagèrent jusqu'en décembre, via New York, Paris, Kyoto, Tanger.

Le 20 décembre, ils étaient de retour à New York. Jean Mendiboure, qui accompagnait Barbara dans toutes ses pérégrinations depuis la mort de Jimmy Donahue, se souvient qu'à cette époque Barbara songeait très sérieusement à se séparer de Raymond. « Ils vivaient l'un à côté de l'autre, mais rarement l'un avec l'autre. Raymond avait une vie à lui, à laquelle Barbara ne participait pas. Il aimait les dames, mais se montrait discret dans ses aventures. Il avait toujours eu un goût prononcé pour le secret. »

En février 1968, Barbara se sépara temporairement de son mari. Elle revint vivre à Paris. Mais celle qui avait tant clamé que Paris était le centre du monde, celle qui avait donné dans cette ville des fêtes si fastueuses n'était plus que l'ombre d'elle-même, un fantôme, une frêle créature qui ne survivait que grâce à des injections fréquentes de vitamines, de morphine et d'amphétamines. Elle buvait vingt bouteilles de Coca-Cola par jour.

Parmi le personnel qu'elle avait chez elle, il y avait un certain nombre de nouveaux visages : Kathleen Murphy (l'infirmière en chef), Jean Flysens (le chauffeur), la baronne Evelyn de Schompre (la secrétaire), et la comtesse Jaquine de Rochambeau (la réceptionniste). Jaquine était celle dont Barbara se sentait la plus proche. De même qu'Evelyn, elle avait tout d'abord accepté de travailler chez Barbara pour se faire de l'argent de poche et pour échapper à l'ennui. Mais son travail, bien qu'un peu spécial, finit par devenir une véritable occupation.

« J'avais été engagée à peu près au moment où elle avait " renvoyé " le prince Doan. Je travaillais approximativement de dix heures du matin à quatre heures de l'après-midi. Barbara me traitait comme sa fille – elle me disait souvent qu'elle aurait préféré avoir une fille. Mais elle m'appelait comtesse et je l'appelais princesse. Toutes les dames qui travaillaient pour elle devaient être habillées avec soin et recherche. Le matin, je prenais place dans mon petit bureau du rez-de-chaussée, vêtue comme pour aller au bal. C'était ridicule, et la plupart des visiteurs ne pouvaient s'empêcher de rire quand ils me voyaient ainsi parée dès le matin.

» Barbara choisissait ses toilettes d'après des photos, et j'allais les chercher en Rolls avec le chauffeur. Je me souviens qu'un jour, en mai 1968, nous nous sommes retrouvés en plein milieu d'une manifestation. Étant donné que la limousine était frappée aux armoiries de Barbara, les manifestants la reconnurent tout de suite. Ils s'approchèrent, brisèrent une vitre, mais quand ils virent que Barbara n'était pas à l'intérieur, ils nous laissèrent partir.

» Elle avait un goût artistique très sûr, mais se faisait néanmoins conseiller dans ses achats de tableaux par Van der Kemp. Elle adorait cet homme, et passait généralement des heures à se préparer chaque fois qu'il lui rendait visite. Parmi toutes les œuvres d'art qu'elle possédait, il y avait un Titien magnifique, qu'elle avait acheté en revendant un Botticelli de même valeur.

» Les gens qui venaient le plus souvent la voir étaient Jimmy Douglas, Jean de Baglion, Renée de Becker, Henri de La Tour d'Auvergne, Gottfried von Cramm, Igor Troubetzkoï, et les enfants de Silvia de Castellane – elle était à cette époque en froid avec leur mère.

» Barbara avait de fréquentes sautes d'humeur parfaitement inexplicables. Il lui arrivait souvent d'inviter des gens et de refuser de les recevoir quand ils étaient là. Si elle avait des invités pour le dîner, je devais rester, car il se pouvait qu'au dernier moment elle n'eût pas envie de passer la soirée avec eux, et dans ce cas, je devais la remplacer.

» Barbara pouvait aussi se montrer fort querelleuse. Elle passait des heures à essayer tous ses bijoux devant son miroir, jusqu'au moment où elle déclarait qu'une pièce manquait. Elle nous la faisait alors chercher dans toute la maison, sachant pertinemment où était le bijou en question. Elle était aussi assez sadique. Par exemple, elle m'obligeait à porter des bijoux orientaux que l'on se glisse aux orteils, qui n'étaient pas à ma taille et me faisaient très mal. Il lui arrivait aussi assez fréquemment de me téléphoner chez moi à quatre heures du matin, ce qui agaçait mon mari. Moi, ces coups de téléphone ne me dérangeaient pas vraiment parce que j'aimais beaucoup Barbara, en dépit de tout.

» La seule chose qui me déplaisait dans mon travail, c'était d'avoir affaire à Graham Mattison. Mattison contrôlait tout. C'était lui qui contresignait tous les chèques, excepté quand il s'agissait de sommes ridicules. Dans ce cas, j'étais autorisée à signer.

» Cet homme était un véritable cerbère. Personne ne pénétrait dans la maison ni n'en sortait sans sa permission. Et il avait un dossier sur tous les gens qui approchaient Barbara de près ou de loin. Quand un homme venait la voir, je devais faire en sorte que ce visiteur soit parti avant deux heures de l'après-midi. Il faisait exprès de maintenir Barbara dans la compagnie d'un maximum d'homosexuels, ainsi, elle ne pouvait réellement tomber amoureuse. Il y avait quatre infirmières autour d'elle, qui travaillaient chacune six heures par jour. Au moins deux d'entre elles n'étaient visiblement là que pour l'espionner pour le compte de Mattison. C'était bien rare qu'il la laissât engager du personnel de son propre chef. Lorsque Colin Frazer prit un congé prolongé, elle se trouva néanmoins un nouveau garde du corps, moitié français moitié marocain, dont la fonction principale fut de la satisfaire sexuellement. Il se fit renvoyer le jour où on le surprit en train de voler deux têtes de chevaux incrustées de diamants que Barbara gardait posées sur une cheminée.

» Elle avait parfois des idées insolites. Ainsi, elle se mit en tête d'offrir une Ferrari au roi Hassan II du Maroc. Mais il s'agissait d'une Ferrari spéciale : elle devait être rouge et vert, assortie aux couleurs du drapeau marocain. Barbara s'engagea dans des pourparlers avec les représentants de la firme Ferrari à Paris, car l'usine italienne n'avait pas réussi à lui proposer deux couleurs suffisamment proches de celles du drapeau marocain. Deux ans plus tard, la voiture n'était toujours pas sortie des ateliers. Tant mieux d'ailleurs, car Barbara devait apprendre bientôt que, selon le Coran, une femme n'était pas autorisée à faire au roi un tel cadeau. Aussi renonça-t-elle à cette idée.

» Je ne pourrai pas dire que c'était vraiment pénible de travailler pour Barbara. Néanmoins, elle nous en faisait parfois voir de toutes les couleurs. Il y eut une période, par exemple, où elle était persuadée que nous cherchions à l'empoisonner. Aussi contacta-t-elle Sargent Shriver, l'ambassadeur américain en France, pour tirer les choses au clair. Sargent Shriver chargea un de ses collaborateurs, Gerald Culley, de goûter la nourriture de Barbara. La preuve fut faite qu'elle fantasmait. Elle-même s'excusa auprès de nous, de nous avoir ainsi accusés. Mais deux jours plus tard, elle nous accusait de nouveau. En réalité, nous essayions juste de la faire un peu manger.

» A cette époque, elle voyait de moins en moins de gens. Elle avait tendance à se réfugier dans son petit monde à elle, tout à fait retranché de la réalité. Par ailleurs, elle était devenue très vilaine à voir, son dernier lifting s'étant complètement relâché.

» Elle portait en permanence un sifflet autour du cou, et dès qu'elle avait besoin de quelque chose, elle sifflait, et l'infirmière accourait.

» Je me souviens qu'un soir – nous étions tous partis au Maroc pour quinze jours – elle me fit appeler dans sa chambre. Evelyn de Schompre me dit de me méfier, car elle avait l'intuition que Barbara me réservait une mauvaise surprise. Mais j'y allai néanmoins. Je m'approchai de son lit et constatai qu'elle portait plusieurs voiles sur le visage. Je m'assis à son chevet, et elle commença à ôter ses voiles, lentement, un par un. Quand elle enleva le dernier, je vis qu'elle avait d'étranges marques rouges sur le visage. Elle me demanda si je savais ce que ces signes représentaient. Je confessai mon ignorance. Alors elle m'annonça, emphatique :

» – Je suis Çiva, le dieu hindou de la mort et de la destruction. »

Je restai sans voix. Presque aussitôt, elle plongea sa main droite dans sa manche gauche et en sortit un poignard avec lequel elle me piqua le bras.

» – Vous avez peur ? demanda-t-elle.

» – Je ne suis pas vraiment rassurée, avouai-je.

» Alors elle appuya la pointe du poignard un peu plus fort contre mon bras et me dit :

» – Qu'est-ce qu'un peu de sang, entre deux amies?

» – Tout dépend du sang de qui il s'agit, dis-je.

» Finalement, elle cessa de me titiller le bras avec la pointe du poignard et le posa sur la table de nuit. Comme excuse à ce comportement pour le moins bizarre, elle me dit d'une voix très altérée :

» – Vous ne pouvez imaginer à quel point Raymond me manque. " »

En août 1969, Barbara apprit la mort de Court Reventlow. Il avait succombé à une opération à cœur ouvert, à l'âge de soixante-treize ans.

Cette nouvelle n'affecta pas vraiment Barbara. Sa seule préocupation du moment était de se réconcilier avec Raymond. Depuis leur séparation, il avait passé beaucoup de temps dans un ashram du sud de l'Espagne. Il avait écrit des poèmes, médité, et il était arrivé à la conclusion que la meilleure chose pour lui était de vivre de nouveau avec Barbara. Aussi rendit-il visite à Marjorie Merriweather Post et la pria-t-il d'essayer d'arranger les choses entre Barbara et lui – ce qui ne fut pas bien difficile, étant donné que Barbara n'attendait que cela.

En 1970, ils vivaient de nouveau ensemble à Paris comme mari et femme, et cela semblait convenir à Barbara. On les vit à plusieurs dîners, et à la première de pièces de théâtre. Mais cette amélioration dans leurs relations fut hélas de courte durée. Barbara sombra de nouveau dans la dépression, et Mattison, très inquiet pour sa santé, en vint à questionner les médecins parisiens qui la soignaient. Il estimait qu'ils lui donnaient trop de sédatifs, ce à quoi il lui fut rétorqué que vu son état d'hypernervosité, il fallait absolument qu'elle dorme la nuit, sinon elle était perdue.

Vers la fin du mois d'avril 1971, le comte Rudi Crespi reçut un coup de téléphone de Graham Mattison. Rudi Crespi, membre très connu de la *jet set*, avait une importante affaire d'immobilier à Rome. Mattison voulait savoir s'il pouvait lui trouver un palais en ville. Il lui précisa que Barbara Hutton voulait l'offrir à Raymond Doan, son septième mari, comme cadeau d'adieu.

Raymond et Barbara arrivèrent à Rome quelques jours plus tard. Au bout d'une semaine, on avait retenu trois palais possibles. Ce fut à ce moment-là que Barbara se cassa le col du fémur. Elle fut hospitalisée à Rome pendant deux mois, mais quand on lui enleva son plâtre, on s'aperçut que l'os s'était ressoudé légèrement de travers. Barbara avait du mal à marcher. Aussi fut-elle transportée d'urgence au Cedars-Sinai

Medical Center de Los Angeles, où on la réopéra et la replâtra.

L'idée du palais romain fut oubliée. Et pour sceller sa séparation définitive d'avec Raymond, elle lui donna la tiare en diamants de la Grande Catherine ainsi que plusieurs émeraudes. Barbara quitta Raymond à contrecœur, juste avant de se faire opérer à Los Angeles. Lors de leurs adieux, pas un mot ne fut prononcé.

Doan ne demanda jamais le divorce à Barbara. Peu de temps après l'avoir quittée, il rencontra une Française à Montréal et partit vivre avec elle à Gibraltar. Ils eurent deux enfants ensemble, mais ce ne fut qu'en 1979, plusieurs mois après la mort de Barbara, qu'il légitima son union et épousa sa concubine.

QUATRIÈME PARTIE

La reine d'un jour

17

La vie est un rêve, la mort un réveil.
Barbara HUTTON,
Carnets, 1979

Jessie Donahue mourut dans son sommeil le 4 novembre 1971, à New York. Elle avait quatre-vingt-cinq ans. La dernière fille de Frank W. Woolworth fut enterrée dans le mausolée familial, au Woodlawn Memorial Cemetery. En accord avec ses dernières volontés, Barbara hérita d'un collier de perles et d'un portrait de Marie-Antoinette par Mme Vigée-Lebrun, tableau qu'elle avait toujours beaucoup aimé.

Au début de l'année 1972, Barbara se rendit à Palm Beach pour voir son cousin, Woolworth Donahue – qui était atteint d'un cancer – et sa troisième femme, Mary Hartline, une personnalité de la télévision.

Barbara passa deux mois à Palm Beach, ce qui lui fit le plus grand bien. Non seulement elle se remit à nager, mais aussi à manger. Elle fit du shopping sur Worth Avenue, alla voir sa tante Marjorie à Mar-a-Lago, et sirota des Mimosas, cocktails à base de champagne et de jus d'orange, à l'Everglades Club.

Bien qu'affaibli par sa maladie, Wooly Donahue n'en était pas moins resté chevaleresque et protecteur, et il fut aux petits soins pour Barbara, comme si c'était elle qui souffrait d'un cancer. Pendant le temps qu'ils passèrent ensemble, ils se sentirent plus proches l'un de l'autre qu'ils ne l'avaient jamais été, et se découvrirent une extraordinaire communauté de sentiments et de pensées. Ils avaient deux personnalités très semblables. Ils étaient à la fois naïfs et cyniques, tendres et durs, avec un côté fantasque. Aussi émotifs et sentimentaux l'un que l'autre, ils ne s'en étaient pas moins montrés forts et dominateurs à certaines périodes de leur vie.

Ce fut chez Wooly que Barbara rencontra le décorateur Bernard Gelbort, qui était l'associé de Robert Crowder, l'oncle de Mary Donahue. « Bob Crowder connaissait bien Barbara, dit Gelbort. Il m'avait tellement parlé d'elle que j'avais l'impression de la connaître déjà quand on me la présenta. Je la trouvai très aristocrate, très pétillante. C'était quelqu'un d'intense, mais qu'on sentait blessé et très isolé. Elle avait des yeux magnifiques qui reflétaient toutes ses émotions. Elle était un peu comme un enfant. Elle avait toujours besoin d'être rassurée et encouragée. »

Barbara ne devait plus revoir Woolworth Donahue après sa visite à Palm Beach, car il mourut en avril de la même année. Barbara fut très affectée par sa disparition, et Bernard Gelbort, qui ne savait que faire pour la consoler, lui proposa finalement de venir s'installer chez lui quelque temps.

« Elle avait trois ou quatre infirmières à son service à cette époque. Et elle se faisait dépouiller sans s'en rendre compte par ces demoiselles soi-disant très dévouées. Hormis les bijoux de grande valeur qu'elle leur donnait de son plein gré, il y avait pas mal de choses qui disparaissaient autour d'elle. Sa fortune a toujours fait son malheur. »

Lors de son séjour chez Gelbort, Barbara reçut plusieurs visites, dont celle de Graham Mattison. Il lui apporta toute une série de papiers à signer, comme il en avait l'habitude depuis plusieurs années. Barbara apposait généralement sa signature sur les documents, sans les lire. Cette fois, elle fit une exception, et elle apprit avec stupeur que Mattison avait vendu son appartement de Paris ainsi qu'un certain nombre d'œuvres d'art à de riches Arabes. Il avait également interrompu les versements à l'École américaine de Tanger, si bien que plusieurs douzaines d'étudiants qui bénéficiaient jusque-là de son programme d'éducation se retrouvaient à la rue.

Personne n'a jamais bien compris pourquoi Barbara avait délégué de tels pouvoirs à Mattison. Il avait peu à peu acquis un contrôle total sur sa fortune. Le plus surprenant encore, c'est qu'elle ne faisait pas opposition aux actions décidées par l'homme de loi.

« Elle se plaignait souvent, remarque Mary Donahue. Mais elle ne faisait rien pour se protéger. Je ne sais pas comment Mattison a réussi à exercer une telle influence sur elle. »

Au mois de mai, Barbara partit à Plasencia, en Espagne, où elle rencontra Angel Teruel, le célèbre matador. Teruel, qui était aussi séduisant que courageux, avait la réputation d'être un homme à femmes. Barbara succomba à son charme, et l'accompagna à la feria annuelle de Séville. Colin Frazer la portait dans ses bras à travers la foule et l'installait chaque fois au premier rang. Elle semblait apprécier ces spectacles au plus haut point.

Elle portait plus de bijoux que jamais, ce qui était signe de renaissance à la vie, à l'espoir. De même, sa chambre était remplie de photos du matador et d'oreilles de taureau coupées. Quant à Teruel, depuis quelque temps il roulait en Rolls et arborait un diamant à l'index droit.

A la fin de la feria, Barbara emmena sa nouvelle conquête à Marbella. Mais le couple avait toute la presse espagnole contre lui. On accusait Barbara d'essayer de corrompre honteusement avec ses millions un jeune homme plein d'avenir. Au bout de deux semaines, elle réalisa que son bonheur n'était une fois de plus qu'une illusion. Et fin juin, Teruel retourna à Madrid, pendant qu'elle se laissait ramener à Tanger, le cœur brisé, le visage ravagé, et les yeux cachés par des lunettes noires.

Il est difficile de dire à quel moment précis les choses se dégradèrent entre Cheryl et Lance Reventlow. Il n'y eut aucun incident notable entre eux. Lance commença tout simplement à passer de plus en plus de temps sur son yacht et dans la nouvelle maison qu'il avait fait construire à Aspen, dans le Colorado, pendant que Cheryl restait à Los Angeles. Ils se parlaient fréquemment au téléphone – parfois des heures durant – et restaient très bons amis. Mais ils trouvaient la vie commune trop contraignante.

En réalité, si Lance faisait preuve d'une telle instabilité, c'était qu'il n'arrivait pas à combler le vide laissé dans sa vie par l'abandon de sa carrière de coureur automobile. Il continuait à jouer au polo, excellait dans la pratique de la voile et du ski, et possédait un brevet de pilote. Il s'essaya même au mécénat, finançant en partie le Music Bowl d'Aspen, une salle de concerts en plein air. Mais sans le défi permanent que représentait pour lui la course automobile, il n'était plus que l'un de ces play-boys sportifs et désœuvrés, toujours à la recherche de nouveaux plaisirs, mais frustrés de n'avoir aucun but dans la vie.

Il tâta de la drogue pendant un certain temps et recommença à donner de folles réceptions, comme au temps où il était étudiant en Californie.

Le 24 juillet 1972, il s'envola avec trois amis à bord d'un Cessna 206. Philip G. Hooker, vingt-sept ans, était aux commandes de l'appareil. Quelques minutes après le décollage, des vents violents traversèrent le ciel et Hooker, qui n'avait pas encore son brevet de pilote, perdit le contrôle de l'avion qui s'écrasa contre une montagne aux environs d'Aspen.

Ce fut un autre avion qui repéra le Cessna quelques heures plus tard. Les quatre jeunes gens étaient morts sur le coup. A l'annonce de cette nouvelle, Barbara, folle de chagrin, refusa qu'on enterre Lance. Elle demanda d'abord que l'on ramène son corps à Tanger. Puis elle se ravisa et voulut qu'on l'embaume avant de le ramener. Finalement, elle accepta de laisser Cheryl s'occuper de l'inhumation à Aspen.

Plus tard, son corps devait être exhumé et incinéré. Ses cendres furent placées dans le mausolée familial du Woodlawn Cemetery.

Lance avait fait de Cheryl sa seule héritière. Certains journaux parlaient de 50 millions de dollars, d'autres de 100 millions. En réalité, Cheryl hérita de deux maisons, de quatre voitures, d'un bateau, de quelques biens immobiliers, et de 5 millions de dollars en liquide. Quelques mois après la mort de Lance, Barbara lui racheta 1 million de dollars les bijoux qu'elle lui avait donnés.

Ruth Hopwood se souvient de Barbara, seule, à Tanger, après la mort de Lance, obsédée par l'idée qu'elle avait été une mauvaise mère et se torturant ainsi à longueur de journée. « Elle ne parlait de lui qu'au présent ou au futur, jamais au passé, exactement comme si elle s'attendait à le voir entrer dans la pièce d'une minute à l'autre. »

Barbara était rentrée en Californie, quand en 1973, Marjorie Merriweather Post mourut. Tante Marjorie avait été la dernière personne à faire encore partie de la proche famille de Barbara. Mais une fois encore, celle-ci ne put se résoudre à assister à des funérailles – elle ne s'était même pas rendue à l'enterrement de son fils, trop déprimée pour pouvoir sortir de chez elle.

Son soixante et unième anniversaire fut fort triste. Elle le passa avec Silvia et Kilian à San Francisco – ils étaient venus la chercher à Los Angeles dans leur avion privé – insista pour manger un *cheeseburger* et des frites, qu'elle vomit quelques heures plus tard dans les toilettes.

En septembre 1974, elle partit pour Venise et passa plusieurs semaines chez Marina Luling Volpi, à la Villa Barbaro. Lanfranco Rasponi était également un invité de Marina à cette époque.

« Barbara pouvait se montrer très capricieuse, mais il faut bien avouer que plus personne ne faisait attention à elle à la fin de sa vie. En 1974, cette femme qui s'était si longtemps suffi à elle-même, qui avait été un objet de culte parmi les riches, n'était plus qu'un cadavre ambulant. Je la revois encore, maigre à faire peur dans son costume Chanel, aller de tente en tente sur la plage du Lido et essayer de convaincre d'anciens amis de venir boire le thé avec elle. Mais elle semblait aussi vieille que

Venise elle-même, et les gens ne voulaient pas avoir affaire à elle. Barbara était une antiquité, elle était passée de mode, elle appartenait au passé et offrait aux yeux du public aussi bien qu'à celui de ses anciens amis à peu près autant d'intérêt qu'un vieux monarque dépossédé de son trône. »

Barbara rentra en Californie pour son soixante-deuxième anniversaire, qu'elle passa toute seule dans sa suite du Wilshire Hotel. Hormis un petit bouquet de fleurs envoyé par Gottfried von Cramm et une lettre très tendre de Cary Grant, elle ne reçut aucune marque d'amitié ou d'amour.

Abrutie par les tranquillisants, elle passait des journées à ne rien faire au Wilshire, et ne supportait plus ni la lumière du jour, ni la lumière électrique. Elle ne mangeait rien et ne dormait pratiquement plus.

Le soir, elle s'habillait d'une façon outrageuse, se couvrait les bras de bijoux, du coude au poignet, et descendait au rez-de-chaussée, au Zindabad Club. Là, elle s'asseyait à une table, commandait à boire, et reluquait la brochette de gigolos qui s'étaient donné le mot et qui l'attendaient.

« Avec ses robes noires, son visage blême à la peau parcheminée, ses yeux incroyablement cernés et sa bouche aux coins tombants, on aurait dit un masque mortuaire », se rappelle une infirmière qui s'occupait d'elle à cette époque-là.

A l'automne 1975, Barbara partit pour ce qui devait être son dernier voyage au Maroc. Dans son palais de Tanger, elle donna un dîner intime – huit personnes furent invitées – pour son anniversaire. Mais elle ne tint pas le coup jusqu'au bout. Avant la fin du repas, elle abandonna ses invités et s'en fut dans sa chambre où elle écouta de la musique japonaise.

En décembre 1975, Barbara était à Paris. Ce fut là, au Plaza-Athénée, qu'elle rencontra le peintre espagnol Alejo Vidal-Quadras et sa femme, Marie-Charlotte.

Barbara demanda à l'artiste de faire son portrait, d'après une photo d'elle prise en 1930.

« Bien entendu, j'ai peint ce portrait ainsi qu'elle me le demandait. Mais ce qu'elle était devenue par rapport à la fraîche jeune fille aux joues roses de la photo faisait peine à voir. Je crois que les dernières années de Barbara Hutton ont été terribles. Elle ne supportait plus la moindre contrariété. Je me souviens qu'un jour où nous avions rendez-vous avec elle nous sommes arrivés une heure en retard et nous l'avons trouvée dans sa chambre, en pleine crise d'hystérie : elle pensait que nous ne viendrions plus. Ce jour-là, elle portait une robe noire de chez Dior qui avait été à la mode vingt ans plus tôt. Barbara avait complètement perdu cette élégance légendaire qui avait été la sienne pendant si longtemps. Elle disait d'ailleurs d'elle-même : « Je suis comme un pont de Venise qui, d'une certaine façon, n'a jamais tout à fait réussi à atteindre l'autre rive. " »

Au début de l'année 1976, Barbara repartit pour la Californie. Là, elle s'installa au Beverly Hills Hotel, car elle devait plus de 100 000 dollars au Wilshire.

Elle ne tarda pas à essayer toutes sortes de drogues – cocaïne entre autres –, et à nouer des relations avec une flopée de jeunes play-boys de dix-neuf ans, relations qui n'avaient rien de romantique. Ils étaient payés 1 000 dollars la nuit pour discuter avec Barbara. De quoi ? On peut se le demander.

Mattison régla la note du Wilshire, et presque aussitôt le directeur de cet hôtel proposa à Barbara une suite somptueuse, qui comprenait quatre chambres avec salle de bains, une cuisine, un salon, une salle à manger, et plusieurs terrasses. Barbara loua cette suite au mois et se réinstalla au Wilshire.

Elle qui avait été si riche qu'elle pensait ne pas avoir assez d'une vie pour dépenser tout son argent ne disposait plus à présent des fonds nécessaires pour satisfaire tous ses désirs. Pire, elle avait des dettes, si l'on en juge par le défilé de créanciers que l'on put voir dans sa suite à cette époque.

Le Beverly Hills Hotel lui réclamait 600 000 dollars. Son ancien chauffeur, Thomas Creech, l'attaquait en justice pour récupérer les 33 000 dollars qu'elle lui devait toujours sur ses gages. Creech précisa au tribunal que, pendant la période où il était au service de Barbara, il avait dû faire un certain nombre de choses qui n'avaient rien à voir avec sa charge de chauffeur, telles que poser du papier aluminium sur les vitres et du papier crépon rose sur les lustres, car Barbara ne supportait ni la lumière électrique ni la lumière du jour. Il devait également toujours veiller à ce qu'elle ait des glaçons ronds dans son Coca-Cola, car elle avait les glaçons cubiques en horreur.

Creech dut passer plusieurs fois devant le juge, et pendant plusieurs années, avant de récupérer son dû.

Barbara se vit également réclamer d'assez fortes sommes d'argent par les maisons Tiffany et Harry Winston à Beverly Hills.

Mais tout ceci n'est que broutille comparativement aux pertes d'argent considérables dont Mattison s'est rendu responsable. Barbara, qui n'entendait rien aux problèmes d'impôts, de taxes diverses et de transactions en tout genre, s'en était totalement remise à lui. On a vu comment il a vendu son appartement parisien sans lui en parler. Néanmoins, il en avait obtenu un bon prix, et l'on pouvait encore penser à cette époque qu'il n'avait d'autre but que de réduire les dépenses de Barbara.

Là où ses intentions deviennent beaucoup plus douteuses, c'est au moment où il fait vendre Sumiya à Barbara.

En effet, il s'est arrangé pour ne pas payer les employés qui résidaient dans la maison, ni les impôts locaux. Il a attendu que le gouvernement mexicain lui envoie des documents menaçants pour convaincre Barbara de se débarrasser de cette demeure. Il lui a dit qu'il avait d'ailleurs déjà trouvé un acheteur.

L'acheteur en question était l'un de ses amis, qui fit l'acquisition de la maison pour moins d'un quarantième de sa valeur. Un voisin de Barbara à Cuernavaca révélera par la suite que Mattison avait refusé des offres d'achat beaucoup plus intéressantes que celle de Fernando Hanhausen.

Après la vente de la maison, Mattison va entrer en contact avec divers amis, ex-maris ou anciens amants de Barbara, et leur demander de bien vouloir lui renvoyer les divers présents de valeur qu'elle leur avait faits dans le passé. Il récupérera ainsi quatre toiles de maîtres offertes à Jimmy Douglas, des bijoux donnés à Silvia de Castellane, etc.

En outre, il investira une bonne partie de la fortune de Barbara dans une fabrique de munitions belge, qui fera bientôt faillite.

Mais il ira plus loin. Il convaincra Barbara qu'elle ne peut quitter la suite qu'elle occupe à l'hôtel sans risquer de se faire kidnapper. Il ne cessera de lui dire qu'elle est « fauchée » et qu'elle n'a plus aucun revenu d'aucune sorte. Il éloignera d'elle tout chasseur de fortune éventuel et demandera même à ses infirmières de lui montrer son courrier avant qu'elle ne l'ouvre elle-même.

Et il continuera à vendre les bijoux de Barbara, sous prétexte de payer ses factures – hôtel, infirmières, médecins – qui s'élevaient à 300 000 dollars par an, alors que les bijoux en question valaient beaucoup plus.

Les amis de Barbara en conclurent qu'il voulait sa part du gâteau, et était prêt à employer tous les moyens pour arriver à ses fins. Et c'est un fait qu'il a contribué à dilapider l'une des plus grandes fortunes que l'Amérique ait jamais générées.

Par ailleurs, il vivait comme un prince, et ne s'en cachait pas, suscitant du coup l'envie et la rancœur. Depuis qu'il travaillait pour Barbara, il avait acheté une propriété magnifique à Estoril, au Portugal, et un immense appartement à Paris, 56, avenue Montaigne. Il devint également propriétaire d'une partie de l'hôtel Lancaster à Paris. Il possédait deux Rolls-Royce. Il voyageait constamment. En été, il donnait des fêtes somptueuses pour des milliardaires arabes et des magnats du cinéma hollywoodien. Il faisait des dons importants à diverses œuvre de charité.

Quant à sa femme, Perla, elle était présente à tous les défilés des grands couturiers.

Les gens commençaient à parler et à se poser des questions : d'où lui venait tout cet argent ?

Les employés de Barbara commencèrent eux aussi à se poser des questions, le jour où Mattison refusa de les payer.

Colin Frazer dut employer le chantage – il enferma des cadres en or massif dans un attaché-case et menaça de les vendre pour payer ses gages et ceux des infirmières si Mattison ne payait pas. Mattison capitula et paya le personnel.

Une infirmière qui s'occupa d'elle pendant ses toutes dernières années, et qu'on avait surnommée Sibylla, parle de l'isolement total dans lequel Barbara était enfermée.

« On lui faisait ingurgiter des doses incroyables de médicaments. J'ai bien tenté de protester, mais l'infirmière en chef, une Irlandaise, semblait complice des médecins qui faisaient tout pour la maintenir dans un état de dépendance totale vis-à-vis de neuroleptiques. Je crois que même un cheval serait mort d'avaler autant de calmants. Elle était réduite à l'état de larve et régressait de jour en jour. Souffrant d'une inflammation quasi permanente des tendons et d'une atrophie des muscles des jambes, elle ne sortait plus de son lit. Elle refusait de s'alimenter. La majorité de ses amis l'avaient laissée tomber. Silvia de Castellane l'appelait « la folle », et Cary Grant ne lui a téléphoné qu'une seule fois pendant les deux années où je suis restée à son service.

» Graham Mattison profitait d'elle, c'était évident. Elle aurait dû le renvoyer et faire appel à quelqu'un d'autre pour gérer ses biens. Mais elle avait peur de lui et craignait qu'il ne parlât à la presse si elle le renvoyait. Il savait trop de choses sur elle. De toute façon, elle n'était plus en état de se mettre en quête d'un nouvel homme de loi et c'est aussi pour cette raison qu'elle s'accrochait à Mattison.

» Barbara s'était complètement retirée du monde. Elle avait tout perdu : son fils, son argent, sa beauté, ses amis. Elle n'était plus qu'une vieille femme malade et pitoyable. »

« Elle devenait complètement paranoïaque, dit Linda Fredericks, une autre infirmière qui resta près d'elle jusqu'à la fin. Elle entendait des voix du placard, et elle était persuadée que des agents de la C.I.A. montaient un complot contre elle. Elle était aussi très capricieuse, refusant par exemple de se brosser les dents. Kathleen, l'infirmière en chef, devait la menacer pour qu'elle accepte d'ouvrir la bouche. Elle se maquillait à longueur de journée. Il lui arrivait également assez souvent de me réveiller en pleine nuit pour que je lui apporte son bâton de rouge à lèvres.

Parmi les rares personnes qui rendaient encore visite à Barbara dans ses dernières années, il y avait sa cousine Dina Merrill et le mari de Dina, l'acteur Cliff Robertson. « Chaque fois que nous allions la voir, se souvient Robertson, elle était au lit. Il y avait des dizaines de bouteilles de Coca-Cola vides dans sa chambre. Elle devait lire beaucoup, car il y avait des piles de livres un peu partout, essentiellement des bouquins de Barbara Cartland et de Victoria Holt. Elle était tout à fait capable de marcher, mais refusait de le faire. C'était sa façon à elle de montrer son autorité. Elle avait une qualité rare de nos jours : une grande sensibilité.

» A plusieurs reprises, j'ai essayé de convaincre ma femme d'emmener Barbara en promenade. Et chaque fois elle m'a répondu que c'était inutile d'essayer de faire sortir Barbara de son lit. “ Quand elle a décidé quelque chose, impossible de la faire changer d'avis. C'est un trait de caractère qu'avait déjà sa grand-mère : la détermination. ”

» Finalement, je me suis persuadé que ma femme avait raison. Barbara avait perdu toute curiosité, tout intérêt pour le monde. Et peut-être était-elle contente de rester allongée tranquillement dans son lit, de dériver dans l'oubli. »

Ruth Hopwood fit le voyage depuis Tanger pour venir la voir en 1977. « Elle voulait que je lui raconte tous les derniers potins, se souvient Ruth, mais elle ne pouvait fixer son attention bien longtemps. Au bout d'un quart d'heure, elle commençait à rêvasser, et n'écoutait plus du tout ce que je lui racontais. Elle était persuadée que Mattison finirait par l'envoyer à l'hôpital. Et c'était difficile de la raisonner et de la persuader du contraire. »

Selon Jon Keating, un homme d'affaires de Los Angeles qui connaissait Barbara depuis longtemps, elle était « si lucide à la fin, si terriblement lucide, que c'en était effrayant. Elle me racontait des histoires sur sa vie, ses amours, son fils, ses maris. Certains détails à propos de ses relations avec ses ex-maris étaient si horribles qu'ils m'en firent dresser les cheveux sur la tête ».

Une série d'articles écrits par le chroniqueur mondain Jack Martin amusa beaucoup Barbara. Il était question d'une histoire d'amour entre elle et un fleuriste de trente-cinq ans, Anthony DePari. Ils s'étaient connus à une époque où Barbara lui achetait pour 3 000 dollars de fleurs chaque semaine. Quand vint l'époque où Mattison refusa de payer les fleurs, Anthony continua néanmoins à lui envoyer des bouquets tous les huit jours, comme si de rien n'était. Voilà ce qu'était, en réalité, « son aventure avec un fleuriste de Beverly Hills ».

Hubert de Givenchy lui rendit visite à la fin de l'année 1978 et tenta de la convaincre de revenir à Tanger et d'y donner encore quelques fêtes, comme par le passé. Elle ne sembla pas réagir à cette proposition, mais lorsque Hubert fut parti, l'idée dut faire son chemin, car elle décida finalement d'y aller. Sidi Hosni était son dernier refuge, et le Maroc le seul pays qui lui fût vraiment cher. N'avait-elle pas écrit un jour au pacha de Marrakech pour lui demander la faveur d'enterrer son corps au Maroc si elle y mourait? Et comme les vieux éléphants se dirigent instinctivement vers le lieu où sont morts leurs parents quand ils sentent la fin venir, Barbara savait que le moment était venu de retourner à Sidi Hosni.

Elle téléphona à Jimmy Douglas à Paris pour lui demander s'il voulait partir avec elle. Mais Jimmy, qui la sentit plus seule que réellement désireuse d'aller à Tanger, lui envoya l'un de ses amis pour lui tenir compagnie. Cet ami était un jeune photographe du nom de Patrice Calmettes.

Calmettes passa six semaines près de Barbara, lui parla français, la charma et la fit rire aux éclats. Il tenta de la faire sortir de son lit, mais n'y parvint pas. Il ne réussit pas non plus à la convaincre de voir du monde et de manger un peu.

Le 26 mars 1979, Barbara Hutton fut admise d'urgence au Cedars Sinai. On diagnostiqua une grave cardiomyopathie, maladie qui provoque une détérioration du muscle cardiaque. Par l'intermédiaire de son porte-parole, Virginia Bohanna, l'hôpital publia un communiqué fallacieux qui parlait de « pneumonie ».

Pendant plus de quinze jours, Barbara resta suspendue entre la vie et la mort, refusant de lutter, de s'alimenter, et arrachant l'aiguille du goutte-à-goutte dès qu'on la lui plantait dans le bras. Jimmy Douglas vint la voir et resta plusieurs semaines à son chevet. Il réussit à la faire manger un peu et à la distraire en lui jouant des petits sketches burlesques.

Vers la mi-avril, elle put se passer de soins intensifs. On l'installa dans une autre aile de l'hôpital, où elle parut presque heureuse à certains moments. Elle était très fière que Jimmy Douglas fût venu la voir et qu'il restât avec elle. Elle le présentait à toutes les infirmières, sans manquer d'énumérer chaque fois toutes ses qualités. Mais il y avait des jours où elle restait prostrée, renouant avec ses vieilles obsessions.

Elle était persuadée qu' « ils » voulaient l'enfermer dans un asile. Elle désirait plus que tout au monde retourner à Tanger, mais c'était hélas impossible, parce que, disait-elle, « l'endroit est truffé de voleurs, d'assassins et d'espions ».

Il lui arrivait aussi de dire à Jimmy qu'elle avait l'intention de revoir son testament, et de lui léguer Sidi Hosni qu'il le veuille ou non. (En réalité, elle ne sera pas en état de modifier ses dernières volontés, et l'on prendra en compte, au moment de sa mort, le testament qu'elle avait dicté à Bill Robertson en 1976.) Elle voulait aussi rayer Silvia de Castellane de son testament. « Tu sais où sont les Hennessy en ce moment ? lui demanda-t-elle. Ils sont à San Francisco. Cela fait quinze jours qu'ils y sont et ils ne m'ont même pas appelée. Et tu sais ce qu'ils m'ont envoyé pour Noël ? Un canard en plastique. Parole d'honneur, un canard en matière plastique. »

Le 3 mai, Barbara quitta l'hôpital et retourna vivre au Wilshire Hotel. Douglas reprit l'avion pour Paris, tout en se disant que c'était un miracle qu'elle fût encore vivante. Elle n'était plus qu'un squelette ambulant. Elle pesait quarante kilos.

Durant les quatre jours qui suivirent son retour, son état fut très fluctuant. Elle semblait reprendre vie, puis tout à coup, on sentait qu'elle n'arrivait pratiquement plus à respirer.

Le mardi 8 mai, elle se sentit nettement mieux. On l'assit même dans son lit pour qu'elle pût recevoir Graham Mattison, qui était venu de New York pour la voir. Quand il entra dans sa chambre, Bill Robertson était déjà là. Barbara écouta les deux hommes échanger des commentaires sur la situation en Iran. Puis Mattison adressa quelques propos anodins et courtois à Barbara avant de se lever, de lui tendre la main et de lui dire :

– N'ayez pas l'air aussi triste, mon petit. Je suis sur le point de vous faire gagner 2 millions de dollars.

Barbara eut un pâle sourire, avant de prendre la parole.

– Graham, lui dit-elle de sa voix la plus douce, vous ai-je jamais dit ce que je pense de vous ?

Et sans attendre de réponse, elle poursuivit :

– Eh bien je pense que vous êtes le plus grand escroc que j'aie jamais rencontré. Maintenant sortez d'ici, et laissez-moi mourir en paix.

Mattison eut l'air surpris, mais il ne répondit rien. Après qu'il fut parti, Barbara se tourna vers Bill Robertson et échangea avec lui un sourire complice.

Cette pique à l'égard de Mattison allait être la dernière de Barbara. Le lendemain et le surlendemain, son état empira au point qu'elle cessa de parler. Elle passa une très mauvaise nuit du jeudi au vendredi et dormit pratiquement toute la matinée du vendredi. L'après-midi, elle était au plus mal. Bill Robertson et Colin Frazer demeuraient à son chevet. Kathleen Murphy, l'infirmière irlandaise, était également présente. A un moment, elle demanda à Barbara :

– Savez-vous qui je suis ?

Et Barbara répondit d'une voix très distincte :

– Bien sûr que je le sais!

Ce furent ses dernières paroles. Tout à coup, elle cessa de respirer. Robertson appela une ambulance qui arriva quelques minutes plus tard. Les médecins tentèrent vainement de la ranimer. Elle fut déclarée morte à 17 h 10, le 11 mai 1979, au Cedars Sinai Medical Center.

Elle fut enterrée le 25 mai au Woodlawn Memorial Cemetery, dans le Bronx. Et quand on demanda à John Young, son exécuteur testamentaire, pourquoi il avait attendu quinze jours pour l'inhumer, il donna une réponse évasive, invoquant la difficulté à faire transporter un corps de Californie jusqu'à New York.

Conformément aux dernières volontés de Barbara, Young ne fit aucun communiqué à la presse quant à la date de son enterrement. Et toujours selon le désir de Barbara, il n'y eut pas de service religieux. « Je ne veux pas qu'un prêtre que je n'ai jamais vu vienne bredouiller au-dessus de ma tombe », avait-elle dit un jour à son cousin Jimmy Donahue.

Seules dix personnes assistaient à l'enterrement : John Young, Mr. et Mrs. Graham Mattison, Mr. et Mrs. Frazer McCann, Cliff Robertson et Dina Merrill, Bill Robertson, Colin Frazer, et Kathleen Murphy.

Le cercueil en châtaignier massif était couvert de roses rouges et blanches. Avant qu'on ne le mette en terre, Cliff Robertson lut deux poèmes à haute voix, l'un était de Barbara, l'autre *pour* Barbara. Le premier, « Te souviendras-tu ? », avait été publié en 1934, dans le recueil de poèmes *L'Enchantée.*

Te souviendras-tu de moi,
Quand le souffle se sera retiré de ma vie,
Resteras-tu dans ta solitude,
Et ton silencieux chagrin ?...

Le second, « Douce Dame », était de Cliff Robertson :

Douce dame
Qui a si longtemps couru
Après un mirage
Qui semblait toujours à sa portée
Et qui toujours s'évanouissait.

Douce dame
Qui a toujours cherché celui
Qui protégerait son cœur fragile
De tous les tourments
Et qui la comprendrait.

Douce dame
Seule au monde et perdue
Dans sa quête si simple
D'un amour.

Douce dame
Apaise ton âme
Car dans ton repos
Il n'y aura que paix
Sommeil et douceur.

La crypte où elle repose près de sa mère et de son fils dans le mausolée familial ne comporte aucune épitaphe, mais seulement son nom et les dates de sa naissance et de sa mort gravés en élégants caractères :

BARBARA WOOLWORTH HUTTON
1912-1979

ÉPILOGUE

Testament et dernières volontés

La mort de Barbara Hutton ne mit pas un terme à « l'épuisement » de sa fortune. Quarante-huit heures après qu'elle eut rendu l'âme, Bill Robertson avait déjà fait emballer et déménager le contenu de sa suite. Ses vêtements, ses fourrures, ses boîtes en or massif, ses icônes russes, ses meubles japonais de l'époque impériale... tout avait été envoyé par bateau chez Grospiron à Paris, où on les entreposerait. Aussi les agents du trésor de Californie trouvèrent-ils un appartement vide quand ils se présentèrent au Wilshire le 14 mai 1979. Bill Robertson, qui avait toujours craint les foudres de Mattison, leur dit qu'il n'était pas au courant des affaires de Barbara, et les envoya chez John Young. Robertson devait confier par la suite à Roderick Coupe, un ami de Jimmy Douglas, qu'il « ne voulait tout simplement pas être impliqué dans cette histoire ».

Mais, qu'il le voulût ou non, Robertson était impliqué dans cette histoire, et il allait bientôt l'être de plus en plus. D'une part, il était la seule personne, hormis Young et Mattison, à connaître le contenu du testament de Barbara. D'autre part, il était le seul à connaître les combinaisons de ses trois coffrets à bijoux. Déjà, il avait pris la liberté d'ôter du doigt de Barbara le diamant qu'elle portait le jour de sa mort. Il l'avait fourré dans un vulgaire sac en papier brun, avec le contenu de trois coffrets à bijoux, puis avait pris rendez-vous avec Mattison pour lui remettre le tout.

Quelques jours plus tard, les deux hommes s'envolaient pour les Bermudes. Mattison avait l'intention de déposer les bijoux et l'original du testament dans un coffre de la banque Butterfield & Son, à Hamilton. Mit-il ou non son plan à exécution ? Robertson ne l'a jamais su. A peine débarquaient-ils aux Bermudes que Mattison envoya Robertson à Tanger, avec pour mission de faire à Sidi Hosni ce qu'il avait déjà fait au Wilshire, à savoir emballer et envoyer chez Grospiron les biens de Barbara.

Robertson disparaît donc de la scène, laissant toute liberté de manœuvre à Mattison. Avec le concours de John Young, celui-ci a passé un arrangement avec le cabinet d'avocats Conyers, Dill and Pearson, et fait en sorte que le testament de Barbara soit homologué aux Bermudes. On peut considérer cela comme un tour de force, si l'on prend en compte le fait que la défunte n'avait jamais mis les pieds aux Bermudes sa vie durant. Il y avait deux avantages à agir de la sorte : primo, Mattison évitait toute publicité inopportune au moment de l'ouverture du testament, secundo, les droits de succession sont nettement moins élevés dans ce pays que presque partout ailleurs.

On est donc en droit de se demander comment Mattison a pu réussir ce tour de force. Comment est-il concevable, par exemple, que le gouvernement des Bermudes, généralement si pointilleux sur le chapitre des homologations testamentaires, ait pu accepter de valider le testament d'un individu qui n'avait même jamais visité son pays? Comment fut-il possible de ne pas déclarer Barbara résidente légale de Californie, alors qu'elle avait passé les trois dernières années de sa vie à Beverly Hills? Pourquoi Mattison fit-il sortir si vite et d'une manière aussi suspecte les bijoux de Barbara du territoire des États-Unis? Tout ceci n'est pas très clair, c'est le moins qu'on puisse dire.

Quoi qu'il en soit, le testament de Barbara fut homologué le 26 novembre 1979 aux Bermudes. Il disait :

Premièrement : Je lègue mes quatre commodes en laque, ainsi que toutes les laques qui se trouvent dans ma suite, au musée de Pasadena.

Deuxièmement : Je lègue mes deux paravents en laque et or à l'Honor Art Museum de San Francisco, ainsi que toute ma collection de jade, qui se trouve actuellement chez Grospiron à Paris.

Troisièmement : A Mr. et Mrs. Kilian Hennessy, je lègue toute mon argenterie, mon service en verre de Venise, et douze assiettes en argent marquées des armes des Romanov...

Quatrièmement : A Mrs. Silvia Hennessy, je lègue ma bague de rubis et diamants, ainsi que les deux bracelets et la paire de boucles d'oreilles assortis.

Il y avait de nombreux autres legs. Kathleen Murphy, par exemple, devait recevoir deux paires de boucles d'oreilles en perles, Nini Martin deux tapis de prière en soie, la fille de Silvia, Barbara Hennessy, de nombreux bijoux ainsi que le lustre en cristal qui était longtemps resté accroché au plafond de l'appartement parisien de Barbara.

Deux autres legs étaient énoncés comme suit :

Dans l'hypothèse où il me resterait des capitaux, je désire qu'ils soient partagés de moitié entre Mr. William Robertson et Mr. Colin Frazer. Je lègue en outre à Mr. Robertson le portrait qu'a fait de moi Savely Sorine.

Par ailleurs, je désire qu'il soit versé cinquante mille dollars à chacun de mes fidèles serviteurs, Antonia et José Gonzales.

Vu la façon dont elle a formulé cette dernière clause, il est clair que Barbara se faisait peu d'illusions sur l'argent qu'elle laisserait en mourant. En effet, ses comptes cumulés n'étaient plus créditeurs que de la faible somme de trois mille cinq cents dollars. Robertson et Frazer reçurent donc quelques modestes bijoux en récompense de leurs bons et loyaux services. Mais très curieusement, seuls Antonia et José Gonzales devaient être informés légalement du fait qu'ils comptaient parmi les légataires de Barbara Hutton. Ni les musées susmentionnés, ni les autres bénéficiaires du testament n'en furent avisés.

Pendant que John Young tentait d'y voir plus clair dans les affaires de Barbara, Graham Mattison fréquentait activement les ventes publiques, dispersant les collections et pièces de prix rassemblées par Barbara. En juin 1979, il mit aux enchères un secrétaire attribué au grand ébéniste Jean-François Oeben et ayant appartenu à Mme de Pompadour. Le meuble partit pour le prix de 228 000 dollars. Un bureau datant de la même époque fut vendu 275 000 dollars à New York pendant l'automne 1979. Au début de l'année 1980, les deux paravents japonais que Barbara avait désiré léguer à l'Honor Art Museum de San Francisco furent vendus, semble-t-il, à la salle Drouot à Paris. Le 24 mars 1980, la vente de cinq tabatières en or, parmi les plus belles qu'ait possédées Barbara, fut adjugée à 350 000 dollars chez Sotheby à Londres.

Ce qui restait des bijoux, fourrures, laques miniatures, objets de jade et autres boîtes en or fut vendu par Mattison à des particuliers, bien souvent très en deçà de leur valeur réelle. La parure de rubis et diamants destinée à Silvia de Castellane fut vendue 800 000 dollars, environ un quart de sa valeur. Lorsque Silvia entendit parler de cette vente, elle menaça Mattison de le poursuivre en justice. Celui-ci se défendit en arguant du fait qu'il y avait encore de nombreuses dettes impayées dans la succession dont il était chargé. Mais Silvia ne se laissa pas impressionner par un tel argument. Aussi Mattison jugea-t-il plus prudent de se concilier la famille Hennessy en lui donnant un certain nombre de bijoux à l'origine destinés à d'autres légataires. Il fit mieux : il leur donna Sidi Hosni. Pourtant, il savait pertinemment que Barbara avait promis le palais à Jimmy Douglas – mais pas par écrit, hélas.

Les Hennessy furent donc les seules personnes à profiter réellement de l'héritage laissé par Barbara, ce qui est d'une suprême ironie quand on sait qu'elle n'avait plus pour eux, à la fin de sa vie, que profond mépris, et qu'elle ne leur aurait vraisemblablement rien laissé du tout si elle avait eu le loisir de modifier son testament.

Mais elle avait eu le pressentiment de tout cela bien des années auparavant. Un jour elle avait dit à Cecil Beaton : « Les avocats sont vraiment des crapules. Et à moins d'être un assassin, mieux vaut se passer de leurs services, car ils ne font qu'user votre patience et vous soutirer de l'argent. »

Ce qu'il y a de fou dans la vie de Barbara Hutton, c'est que, malgré sa clairvoyance, elle ne put rien changer au cours de son destin.

Table

Achevé d'imprimer au Canada
Imprimerie Gagné Ltée Louiseville